TABLE DES MATIÈRES

Imprimerie S.E.G., 22, rue Bergère, Paris (9e)

no éditeur 1805 - 1er trimestre 1964

Imprimé en France

LE BATEAU
QUI MOURAIT DE HONTE

Nicholas Monsarrat

LE BATEAU qui mourait DE HONTE

PRESSES DE LA CITE

PARIS

Le titre original de cet ouvrage est :
THE SHIP THAT DIED OF SHAME
Traduit de l'anglais par Paule FRANOIS

Du même auteur aux Presses de la Cité

LE RAJAH BLANC

CASTEL GARAC

LA TRIBU EN FOLIE

PIRATES EN DENTELLES

SORTIE DE CARRIERE

LE BATEAU QUI MOURAIT DE HONTE

AUJOURD'HUI ENCORE, tout ne me paraît pas clair dans cette histoire. Je me suis toujours pas mal occupé de bateaux —trop sans doute — et je suis certain, en tout cas, d'une chose : ce ne sont pas des êtres vivants. Ils sont faits de bois et de métal, c'est tout; ils n'ont pas d'âme, pas de volonté propre. Ils ne ripostent jamais; en vérité, ils n'ont rien de féminin. Les romanciers qui parlent de la mer peuvent bien raconter tout ce qui leur passe par la tête... mais commençons plutôt par le commencement.

Ce commencement remonte à la guerre, comme presque tout ce qui m'est arrivé dans la vie.

Je m'appelle Dick Randall. Ce nom vous dit peut-être quelque chose, si vous avez suivi un peu attentivement les communiqués de l'Amirauté lors du dernier conflit. J'ai fait presque toute la guerre dans les garde-côtes : autrement dit, j'ai passé mon temps à vadrouiller en canonnière, ce qui m'en fit voir de toutes les couleurs. On nous avait baptisés « Les Baroudeurs »... vous voilà donc à peu près fixés. Nous avions pour mission de nous glisser le long des côtes françaises, hollandaises et (par la suite) allemandes, en faisant des cartons sur tout ce que nous apercevions, et devions chaque matin rentrer à toute vitesse, devançant de quelques minutes à peine les premières lueurs de l'aube.

Nos objectifs étaient des plus variés : affaire de hasard. Ce pouvait être un convoi qui se dirigeait vers l'Escaut en longeant les côtes, des vedettes lance-torpilles, des mouilleurs de mines au large de Calais, parfois des bateaux de pêche qui, sous le couvert de l'ennemi, tentaient leur chance à l'est du Doggerbank (pour moi, le seul fait qu'ils pêchaient pour les Allemands en faisait une cible légitime). Une fois ce fut un phare, une autre fois un gazomètre, une autre fois encore (ô gloire !) un train sortant d'un tunnel au nord de Boulogne. On nous dépêchait de l'autre côté pour faire du grabuge, n'importe lequel, et ma foi nous nous en acquittâmes au mieux, avec (pour utiliser une expression fort goûtée en haut lieu) « le maximum de liberté d'action ».

Entre-temps, nous escortions nos propres convois sur la côte orientale de l'Angleterre, nous ramassions les types de la R.A.F. qui avaient eu la maladresse de tomber en mer, nous faisions exploser les mines vagabondes ; parfois aussi nous remorquions des cibles. Une canonnière peut servir à tout, et cela était particulièrement vrai de la mienne : MGB-1087 » (1).

J'en arrive à mon histoire de bateau.

MGB-1087 était d'une espèce rare. Naturellement, toute canonnière doit pouvoir attaquer, puis filer daredare. La mienne s'acquittait de l'un et de l'autre à la perfection. Elle avait une trentaine de mètres de long, et ses quatre moteurs Packard (puissance au frein 5 000 CV) lui permettaient de foncer à près de 35 nœuds. Nous avions à bord quelques grenades sous-marines, au cas où nous eussions dépisté un submersible, ce qui n'arriva jamais ; six Oerlikon ; huit mitrailleuses légères ; et enfin

---

(1) M.G.B. : Motor Gun-Boat (canonnière).

deux pièces de 6, pouvant faire dans n'importe quel métal un trou de 25 cm environ, et bien davantage dans le corps d'un homme : les deux cas se produisirent plus d'une fois au cours de ces années merveilleuses.

MGB-1087... Quand je l'avais pris en main, ce n'était guère qu'un petit bateau de plaisance; cependant aucune flottille, de quelque base que ce fût, n'en possédait de meilleur et, une fois la guerre finie, notre tableau de chasse ne devait le céder à aucun navire. Sur le masque de la pièce de 6 placée à l'avant (quel endroit mieux indiqué, en effet, pour étaler nos trophées?) nous avions tracé à la peinture la liste suivante :

Mines	126
Gazomètres	2
Vedettes	7
Locomotives ...	1
Avions	8
Chalutiers	3

C'étaient les coups au but dont nous étions absolument sûrs, la moisson de centaines de nuits de veille et d'attente, de centaines d'heures où nous avions été exposés à la morsure des embruns, par un froid glacial. Nous pouvions à bon droit en être fiers.

Nous ne manquions pas non plus de décorations, et Hoskins, mon lieutenant (je vous en parlerai tout à l'heure), suggéra un beau jour que nous les fassions figurer également sur le masque du canon.

L'idée ne me parut pas très bonne, et je n'ai pas changé d'avis depuis. Nous avions bien à notre actif ces avions, ces 7 torpilleurs et tout le reste, et peut-être nos décorations étaient-elles après tout des trophées du même genre. Cependant j'estimai qu'il fallait avoir une mentalité spéciale, peu courante dans la marine, pour vouloir les afficher aussi brutalement, au vu et au su de tous.

L'équipage comprenait 22 hommes, pour la plupart affectés aux pièces, et deux officiers. Je commandais le bateau et, pendant près de trois ans, je fus secondé par George Hoskins.

C'est incroyable comme on peut vivre constamment en compagnie d'un autre homme, lui devoir plus d'une fois la vie (ou inversement) et pourtant tout ignorer de lui. J'appréciais en Hoskins certaines qualités dont il fit preuve maintes fois — le cran, l'ingéniosité, la cruauté même, bref tout ce qui constitue les traits essentiels d'un « baroudeur » — et je fermais les yeux sur le reste. Il s'occupait avec compétence du bateau : les pièces étaient toujours astiquées, les machines impeccables, l'équipage parfaitement organisé et soigné, et pourtant il y avait un petit quelque chose... Je ne savais pas quoi, et préférais ne pas le savoir.

Peut-être était-ce dans son regard. Hoskins était petit, soigné de sa personne. Lieutenant de réserve dans la marine, il avait dû être une sorte de vendeur dans le civil. Nous passâmes ces trois années ensemble et jamais il ne me fit faux bond, alors qu'il aurait pu le faire tant de fois. Il fut décoré (c'était cette décoration qu'il avait voulu afficher sur notre canon) et l'avait bien mérité. Malgré tout, il me semblait lire dans ses yeux que tout cela n'était pour lui que de la réclame, que ce qui lui importait dans cette guerre, ce n'était pas tant de couler des bateaux ennemis, de descendre des avions, de tuer des Allemands, que de faire passer aux yeux de l'Amirauté, et par là même de l'opinion publique, notre MGB-1087 (commandant Randall et lieutenant Hoskins) pour l'as des unités côtières.

En un sens, bien des faits lui donnaient raison. Notre bateau était superbe, et se comportait superbement. Il était exact aussi que nous avions fait les manchettes des journaux en maintes occasions. Cependant notre gloire véritable ne tenait pas dans ces manchettes, mais bien dans ce que nous avions accompli pour les mériter : les bateaux coulés, les Allemands tués — notre petite contribution à la victoire finale. Je ne pense pas que Hoskins ait jamais vu les choses sous cet angle.

Lorsque nous rentrions, les premiers rayons du jour pointant derrière nous, notre bateau parfois criblé de balles, et une nouvelle inscription dans le journal de bord témoignant d'une nuit mouvementée et éprouvante, quelque chose dans les yeux de Hoskins semblait dire : « Ça devrait encore faire parler de nous dans les journaux, nous valoir à chacun une nouvelle citation. Je devrais y gagner une ficelle, et un peu plus de pognon. On pourrait même dire qu'on en a coulé deux... »

Il avait coutume de faire une certaine plaisanterie — si toutefois on peut appeler cela une plaisanterie. Chaque fois que je lui faisais remarquer qu'il essayait de nous faire mousser, il répondait : « Dans une guerre comme ça, faut s'occuper de sa petite personne avant tout... C'est le Numéro Un qui compte. » Or vous savez peut-être que, dans la marine anglaise, on appelle familièrement « Numéro Un » le « premier lieutenant » — et c'est ce qu'il était précisément.

Peut-être n'était-ce pas une plaisanterie, après tout.

Il m'arriva fréquemment d'avoir des doutes sur « l'authenticité » de Hoskins, mais je n'avais à cet égard qu'un seul exemple concret sur lequel m'appuyer.

Bien peu de chose, quand j'y songe à présent : la question de savoir si, oui ou non, nous avions abattu un appareil ennemi, et si nous pouvions le considérer comme « un coup au but » indiscutable. Nous avions été surpris un matin, au lever du jour, alors que nous nous trouvions encore du mauvais côté de la Manche, en train de rechercher l'équipage d'un bombardier Lancaster tombé au large de Dunkerque.

Nous ne le retrouvâmes jamais. En revanche, c'est nous qui fûmes repérés par un Junkers 88 en patrouille qui, surgissant du large, tenta de nous bombarder en piqué. Au moment où il plongeait, nos Oerlikon l'atteignirent en plein... car nous étions vraiment très rapides à la détente ce matin-là. Des morceaux de fuselage s'éparpillèrent en tous sens. Puis l'appareil se remit à l'horizontale sans lâcher ses bombes et fila en direction du rivage, un léger panache de fumée noire s'échappant à l'arrière. Nous ne le revîmes jamais.

Il ne me serait pas venu un seul instant à l'idée de prétendre que nous avions descendu ce Junkers, puisqu'il fonçait toujours et avait dû, selon toute probabilité, rallier la côte. Cependant, tandis que nous mettions le cap sur Douvres, Hoskins, qui tenait le journal de bord, y consigna sans sourciller l'incident en ces termes : « Un avion ennemi détruit. »

— Ho! ho! dis-je. On ne peut pas mettre ça, vieux. Il poursuivait sa route, gai comme un pinson.

Hoskins me regarda en souriant :

— Un pinson qui aurait fichtrement mal à la queue... Il n'a pas pu rentrer, j'en mettrais ma main au feu.

Il nous fallait élever la voix pour dominer le bruit de la mer et le grondement des Packard qui donnaient en plein.

— Vous avez vu tous ces morceaux qui ont volé en éclats, poursuivit Hoskins. Il n'a pas dû tarder à tomber.

Je secouai négativement la tête :

— Il perdait de la hauteur, mais très lentement. On ne peut pas dire que nous l'ayons vraiment eu.

— C'était tout comme, riposta Hoskins. Je ne donnerais pas cher de sa peau...

Il souriait toujours, d'un air vaguement encourageant, comme s'il eût suffi de m'amadouer un peu pour que j'en vienne à partager sa façon de voir.

— Et puis quel mal à ça, après tout... ?

Je le considérai avec stupeur... ce petit homme frais et dispos, même à 5 heures du matin, et qui me regardait de cet air affable, mais la question ne se posait pas pour moi, et je dis sèchement :

— On se base sur nos rapports : un type du ministère de l'Air est chargé d'additionner tout ça. Nous n'allons pas fausser ses calculs.

Je m'abstins d'invoquer des sentiments plus précis, tels que l'honneur, la loyauté. Bien que je fusse encore tendu après la nuit que nous venions de passer, tout cela me paraissait simple et clair comme le jour.

— Mettez : Endommagé.

Il eut un haussement d'épaules, et dit en détournant les yeux :

— Nous laissons passer une bonne occasion.

Cela aussi ne me plut guère :

— Quelle bonne occasion?

— Je veux dire, fit-il avec effort, que nous l'avons bel et bien touché, qu'il était sur le point de tomber, et que justement nous devons tenir nos comptes à jour, aussi bien que n'importe quel rond-de-cuir du ministère.

Je l'observai tandis qu'il articulait ces mots, et je crus lire dans ses yeux ces gros titres, ces manchettes qu'il désirait tant : « ENCORE RANDALL ET HOSKINS : UN JUNKERS ABATTU A L'AUBE. » Je crus deviner le rêve qu'il caressait en secret : la poignée de main de l'amiral, la citation à l'ordre de l'armée, qui vous parvient le matin par le premier courrier.... Sans mot dire, je biffai ce qu'il avait déjà porté dans le livre de bord et y consignai ma propre version.

— Comme cela, dis-je, nous sommes en règle.

Puis je me dirigeai vers la passerelle, heureux comme je ne l'avais jamais été de sentir le bateau se cabrer sous mes bottes, et l'air pur pénétrer jusqu'à moi par-dessus le coupe-vent.

Pourtant jamais ces petites manigances, frisant l'escroquerie, ne parvinrent à gâter cette période de ma vie, ni à empêcher MGB-1087 de se distinguer à maintes reprises. Pour vous en donner seulement une idée, je vais vous conter un de nos faits d'armes.

Cela se passait quelques mois après le débarquement. Nous devions couvrir la navette alliée qui fonctionnait sans relâche entre l'Angleterre et les côtes normandes, vingt-quatre heures sur vingt-quatre, tous les jours de la semaine : il s'agissait d'assurer la protection et le ravitaillement en armes des troupes se trouvant à l'extrémité est de la tête de pont qui se rapprochait maintenant du Rhin — c'est-à-dire du point crucial.

On ne saurait surestimer l'importance à l'époque de ces convois de la Manche. Je sais bien que les gars de l'Atlantique ergoteraient là-dessus, mais toujours est-il que, si l'écoulement du matériel à destination de la France et de l'Allemagne avait dû s'interrompre, ne fût-ce qu'une demi-journée, nous aurions vraisemblablement été rejetés à la mer, et aurions fini par perdre la guerre après un long et sanglant corps à corps. Il convient de ne pas oublier non plus l'existence des V-I et des V-2, ces projectiles-robots qui jetèrent constamment le désarroi dans la population londonnienne, jusqu'à ce que nous ayons pris pied sur les côtes de Calais... Oui, l'invasion devait se poursuivre à tout prix.

Ajoutons que tout cela se passait quelque temps après que ma femme eut trouvé la mort au cours d'un bombardement aérien : plus rien ne m'intéressait, sinon rendre coup pour coup et voir le sang couler. Cet état d'esprit nous rendit d'ailleurs de fiers services.

Nous étions seuls à effectuer une patrouille de nuit près de la côte d'en face, nous laissant dériver, tous moteurs stoppés, à six milles environ au large de Mulberry Beach. Nous nous trouvions un peu sur le côté du « chenal » — passage balisé marquant l'accès aux plages de débarquement. La nuit était calme et sombre. On ne voyait plus qu'un bout de lune à l'horizon.

Pendant des heures, nous ne perçûmes rien dans nos hydrophones, à part le bruit de l'eau et, de temps en temps, le bouillonnement causé par un banc de poissons tout proche. Pas un bâtiment en vue sur des milles et des milles, bien qu'un convoi (avec des transports de troupes) faisant cap vers le sud fût attendu dans nos parages vers cinq heures du matin. Pendant des heures nous restâmes donc à attendre, espérant vaguement que, malgré le blocus très serré des côtes, nous aurions quand même quelque chose à nous mettre sous la dent cette nuit-là.

Enfin, il était un peu plus d'une heure et la lune avait presque disparu lorsque nous perçumes soudain le bruit de moteurs venant vers nous, donc du sud, c'est à dire des côtes françaises. Ce fut d'abord un murmure, puis un ronronnement régulier, et nous reconnûmes bientôt le lourd martèlement de diesels tournant à plein régime.

L'opérateur radio ajusta plus étroitement ses écouteurs et fronça le sourcil.

— Battement inégal, annonça-t-il enfin. Il y en a deux sans doute, arrivant sur nous au 190.

Nous braquâmes nos jumelles dans la direction indiquée. Au 190 : c'est-à-dire dans le champ de la lune, ce qui nous donnait l'avantage initial, car nous nous trouvions comme isolés dans une zone d'obscurité, face à une scène illuminée... Bientôt quelque chose apparut, ou plutôt deux « choses », deux formes vagues dans la nuit, précédée chacune d'un mince ruban lumineux qui s'élargissait progressivement : le moutonnement de leurs lames d'étrave.

Ce ronronnement que nous entendions, c'était celui de deux bateaux qui venaient à notre rencontre, progressant dans le chenal comme s'il se fût agi de la route de Brighton. Des petits bateaux comme le nôtre... à moins que ce ne fussent des vedettes lance-torpilles.

Je réfléchis une fraction de seconde. Ce ne pouvaient être nos dragueurs car il était beaucoup trop tôt, ni d'autres canonnières britanniques : c'était notre secteur réservé. Quant aux Yankees, ils avaient beau s'écarter assez loin d'Omaha Beach, on ne voyait guère comment ils auraient pu venir jusque-là. A la vérité, ce ne pouvait être aucun des nôtres : rien ne nous avait été signalé pour cette heure-là, aucun message concernant un changement de programme n'avait été reçu par nous. Oui, pensai-je, c'est impossible qu'ils soient des nôtres... et dans le cas contraire, eh bien (tel était mon état d'esprit depuis la mort de Lucille) cela promettait de n'être drôle pour personne.

Hoskins était accroupi près de moi, à l'avant de la passerelle. Soudain je l'entendis s'exclamer :

— Je crois qu'ils posent des mines !

C'était l'évidence même, la seule explication possible — et le genre d'observation qu'il faisait toujours un peu avant moi. Mais tant pis. Des mouilleurs de mines dans le chenal, alors qu'un convoi était attendu... Ils avaient dû dévaler à toute vitesse le long des côtes hollandaises et françaises, se dissimulant pendant la nuit (j'aurais pourtant été curieux de savoir comment ils avaient pu éviter nos patrouilles de destroyers), puis ralentir et remonter vers le nord pour s'engager dans le chenal et se mettre à l'œuvre.

J'appelai à mi-voix « Transmissions » et dictai un message destiné au convoi attendu. Il lui faudrait se faire précéder de dragueurs, ou même changer complètement de route. Mais cela ne nous regardait plus. Nous avions nos propres soucis — et presque à portée de tir.

Les formes vagues se précisèrent peu à peu : deux petits bateaux, à peu près de la taille du nôtre, avançant de front, à une cinquantaine de mètres l'un de l'autre. S'il s'agissait de lance-torpilles, ils devaient être armés comme nous-mêmes. Nous étions un contre deux, mais nous avions pour nous la lune, puis l'élément surprise, et surtout notre MGB-1087.

— Allons-y, Numéro Un, dis-je. Le bateau à tribord pour commencer, puis nous virons de bord et revenons sur l'autre.

— Si on passait entre les deux à toute vitesse, dit Hoskins, en tirant à bâbord et à tribord en même temps, et si on se planquait aussitôt, peut-être en arriveraient-ils à se cogner l'un sur l'autre...

Cela aussi, c'était du meilleur Hoskins : rusé, ingénieux, prêt à prendre un risque. Car c'était bien un risque : si les deux bâtiments étaient sur le qui-vive, nous serions pris entre deux feux. Evidemment, ils pouvaient aussi s'abstenir de riposter de crainte de se toucher mutuellement. Si seulement nous parvenions à les embrouiller un peu...

Soudain il y eut en moi comme un déclic : la manœuvre m'apparut clairement. Je dis :

— Au moment où nous passerons entre eux, nous lâcherons une grenade sous-marine, qui rejaillira un instant en une gerbe d'écume. Nous ferons demi-tour rapidement, et nous tirerons sur l'un des bateaux à travers l'écume. Ils riposteront tous les deux, et nous aurons peut-être la veine que, dans la bagarre, ils se cognent l'un sur l'autre.

— Génial ! approuva Hoskins.

Je donnai le signal de la mise en route.

Le grondement de nos moteurs, au moment où ils se mettaient à tourner, me faisait toujours sursauter : je sursautai aussi cette fois-là. MGB-1087 bondit, puis se mit à foncer, l'étrave hors de l'eau, la coque ruisselante d'écume. Nous nous lançâmes entre les deux bateaux ennemis, à un bon 25 nœuds. Les machines faisaient entendre un mugissement continu, tandis que l'hélice prenait de la vitesse. Le bateau roulait et tremblait sous nos pieds. Hoskins transmit les consignes de tir dans l'intercom. J'actionnai alors le signal : toutes nos pièces donnèrent à la fois, à bâbord et à tribord, comme prévu ; les balles traçantes éclaboussaient la nuit, tel un « bouquet » — la phase la plus spectaculaire d'un feu d'artifice. D'autres traçantes — les leurs — vinrent alors à notre rencontre, mais mollement et toujours loin du compte. L'ennemi avait visiblement été pris au dépourvu, et nous gagnions sur les deux tableaux.

Juste avant d'arriver à leur hauteur, nous lâchâmes notre grenade. Celle-ci rejaillit aussitôt en un colossal nuage d'écume et d'eau sale, qui demeura suspendu un instant, livide, au clair de lune, et vint masquer le théâtre des opérations.

Barre à gauche toute, nous effectuâmes alors un virage serré, avec une bande de 50 degrés. Puis « par-dessus » le premier bateau, et « à travers » le tourbillon d'écume, nous fîmes feu « sur » le second bateau. Celui-ci, touché et surpris, se mit à tirer de toutes ses forces sur son camarade.

Je ralentis puis stoppai. Nos canons s'étaient tus. Debout sur la passerelle, je riais de voir les deux Fritz s'entre-déchirer. On ne pouvait souhaiter qu'une chose : que tous deux combattent à armes égales et vendent chèrement leur peau... Chacun encaissait. Pourtant ils n'étaient certainement pas à égalité : le bateau le plus proche de nous (celui qui, complètement abasourdi, tirait à la fois sur nous et sur son copain) se découragea, et l'autre se jeta sur lui, prêt à la curée.

Car ce fut une vraie curée. Le grondement d'une explosion se fit entendre et le vaincu devint tout rouge, comme pris d'une soudaine fureur. Son gaillard d'avant s'illumina lorsque les flammes l'enveloppèrent, et il commença à s'enfoncer. Le vainqueur cessa le feu et se rapprocha, pressé de faire des prisonniers. Sans doute essayait-il aussi de nous alerter pour que nous venions en prendre notre part.

Quel vacarme lorsqu'il découvrit la nationalité de ses prisonniers ! Des hurlements de colère, de désespoir, des cris gutturaux nous parvinrent par-dessus les vagues, plus doux à nos oreilles que la plus belle musique. Sans leur laisser le temps de revenir de leur stupéfaction, nous lançâmes de nouveau nos moteurs et nous approchâmes à moins de 50 mètres, en déboîtant sur tribord, de sorte que toutes nos pièces portaient à la fois. Je pressai le bouton, et toute notre artillerie tonna.

Deux pièces de six, six Oerlikon de 20 mm, 8 mitrailleuses, c'est une effroyable masse de métal tombant d'un seul coup en un même point, et plus qu'il n'en fallait pour notre objectif. Celui-ci donna l'impression d'avoir été frappé par la foudre, et presque aussitôt il se désintégra avec une sorte d'aboi brutal, vite étouffé, comme celui d'une bête qui tombe dans un trou. La soute à munitions, en éclatant, projeta dans le ciel ce qui restait du bateau... Il y eut des bruits d'éclaboussures, tandis que des débris de toutes sortes retombaient et s'éparpillaient dans la mer.

Nous avions à notre actif deux bateaux, deux équipages complets, et ne comptions qu'un blessé : un marin qui, en se coinçant un doigt dans le système de déclenchement de la grenade sous-marine, s'était arraché un ongle pour son Roi et sa Patrie.

Six ans plus tard, au club des Garde-Côtes, j'étais assis au bar, un verre de bière à la main, me demandant pourquoi je n'était plus bon à rien.

Je me livrais souvent à ce genre de réflexions; elles cadraient d'ailleurs tout à fait avec mon entourage... J'avais toujours trouvé ce club déprimant, non seulement parce que le local était sordide et en affreux état, mais parce qu'il était plein de gars de mon acabit — de types bons à faire la guerre, mais pas à grand-chose d'autre, et qui passaient leur temps à ruminer, en pensées et en paroles, ce passé glorieux, la seule chose qui comptât véritablement pour eux.

Oui, il était vraiment déprimant, ce club, avec son bar de quatre sous, son vague personnel qui changeait sans cesse, et ses membres — pour la plupart des types ayant fait partie comme moi des unités côtières, qui s'y réunissaient chaque soir, la mauvaise bière les rendant, selon le cas, bruyants ou moroses. Rien ne m'échappait de tout cela, et pourtant jamais je ne restais bien longtemps sans y aller. Nous appelions cela « entretenir la vieille camaraderie », et nous nous donnions de grandes tapes dans le dos en nous appliquant à utiliser le jargon du temps de guerre : le bar était le « carré », les affreuses pièces du premier étage les « cabines », et les messages téléphoniques, qui nous étaient transmis de façon fort approximative, les « transmissions ». Il eût été plus exact de dire que nous tournions en rond — car c'était cela : nous serrions les coudes, en nous conformant à une sorte de cérémonial désuet, comme le font les princes en exil, car le passé était toute notre vie, et le présent était trop dur pour nous.

Mais pourquoi en était-il ainsi ? C'était ce que je me demandais ce soir-là, non pour la première fois, mais pour la centième fois. Quelle espèce d'hommes étions-nous donc pour que la guerre nous ait si bien réussi, alors que la paix nous laissait dans une situation aussi pitoyable ? Comment par exemple avait-on pu, en 1944, me confier un bâtiment qui valait bien 90 000 livres sterling à l'époque, et un équipage de 22 hommes, alors que maintenant, en 1955, personne ne voulait me confier une valise contenant simplement des échantillons ? Puisque j'avais pu, il y a dix ans, m'acquitter d'une tâche aussi difficile, aussi délicate, comment étais-je à présent à peine capable de changer le ruban d'une machine à écrire ? Pourquoi m'étais-je rouillé si vite ? Pourquoi me trouvais-je, en temps de paix, complètement désemparé ?

J'essayais de ne pas m'attendrir sur mon sort — pourtant j'aurais bien voulu comprendre.

Je buvais tout doucement ma bière, sans prendre garde aux joyeux lurons qui entouraient le bar et semblaient vouloir se mettre à chanter. Ç'avait été la bonne vie, à la démobilisation : nous avions tous un peu d'argent de côté, et nous avions touché nos primes. Nous envisagions l'avenir sous d'aussi brillantes couleurs que le passé — ce passé dont nous étions sortis si glorieusement. J'avais commencé par « regarder un peu » autour de moi, sans trop me presser, je l'avoue, puis j'étais entré dans une Agence de voyages. Tout à fait ce qui me convenait, du moins au début (sauf que mes collègues paraissaient en savoir beaucoup plus long que moi). Puis, un beau jour, j'en eus assez : j'avais l'impression que cela ne valait pas la peine d'insister, et je plantai tout là. Combien de fois par la suite devais-je ainsi tout planter là.

Je n'arrivais à me fixer nulle part. J'occupai alors successivement une série d'emplois piteux qui paraissaient surgir, s'estomper, disparaître les uns après les autres. Je fus vendeur, employé de bureau, garçon de courses, vendeur encore, précepteur, courtier en yachts, secrétaire de club, et de nouveau vendeur. C'était chaque fois un peu moins brillant : je descendais de plus en plus bas, imperceptiblement mais régulièrement.

Bientôt, renonçant à faire le difficile, je me mis à lécher, à approuver servilement, quiconque était à même de me trouver un emploi. A tous je donnais de nouveau du « monsieur ». Sans doute était-ce déjà trop tard. Peut-être ne savais-je plus m'y prendre, ou bien était-ce simplement parce que j'avais véritablement l'air d'un bon à rien? Quoi qu'il en fût, tout se fermait devant moi, et même si j'insistais sans pudeur, on me rejetait à la rue.

Ce n'était qu'au Club des Garde-Côtes, où j'entretenais « la vieille camaraderie » avec un tas de vieilles loques de mon genre, que j'avais l'impression de vivre encore un peu.

Si j'avais eu Lucille à mes côtés, tout eût été bien différent; elle m'aurait pris en main, elle aurait fait en sorte que je m'élève au lieu de dégringoler. Mais elle n'était pas à mes côtés : elle était morte depuis sept ans, et j'avais effectivement dégringolé presque jusqu'au bas de l'échelle.

C'est ainsi qu'en ce soir d'été londonien, je me trouvais minable, sans travail, sans le sou — et je le savais fort bien.

Mon voisin, un gros poivrot, qui essayait toujours de vous refiler une police d'assurance si on ne l'arrêtait pas à temps, me dit soudain :

— Tu te souviens de Walcheren, et de la façon dont ce brave Jack Phillips menait la danse?

Je me contentai d'acquiescer de temps en temps pendant qu'il débitait son histoire, que nous connaissions tous les deux par cœur. Ce n'avait pas été, il faut bien le dire, aussi bien mené, ni aussi réussi que nous le prétendions à présent. A ce moment, il y eut à la porte un

23

léger remue-ménage. « Bien sûr, je suis membre », dit
une voix. Un homme entra : c'était George Hoskins.
Nous nous reconnûmes aussitôt. Je me levai, tandis
qu'il se dirigeait vers moi. « Salut George ! » dis-je. Il
répondit : « Je pensais bien vous trouver ici. »

Je l'observai. Il m'observait aussi — et je savais bien
ce qu'il voyait : un grand type maigre, portant un complet
gris usé, des souliers de daim éculés à semelles de caout-
chouc, et une vieille cravate d'uniforme effilochée. Ce
que je voyais, moi, était bien différent : différent de
moi-même, différent aussi de ce qu'il était jadis.

Hoskins s'était épanoui. Il paraissait entreprenant,
détendu, sûr de soi — tout ce que je n'étais pas. Il portait un élégant complet noir et une cravate grise. Son
allure était désinvolte, et il regardait autour de lui d'un
air parfaitement satisfait, semblant laisser entendre qu'un
homme ne doit pas avoir honte de sa petite taille du
moment qu'il réussit dans la vie. Je savais depuis longtemps qu'il devait y avoir en lui quelque chose d'un
peu louche, que ce qu'il faisait n'était jamais très propre.
En tout cas, cela paraissait lui avoir parfaitement réussi.

Nous étions debout au milieu de la pièce, l'un en face
de l'autre. Je sentis qu'il me toisait. Il avait toujours
ce même regard affable, mais nuancé maintenant d'une
pointe d'ironie, comme pour bien souligner qu'il n'y
avait plus les mêmes distances entre nous. Nous ne nous
étions pas rencontrés depuis cinq ans — depuis l'époque
où j'étais le commandant de MGB-1087, et que Hoskins
se trouvait sous mes ordres. Ses yeux semblaient dire :
ça a bien changé, n'est-ce pas, depuis ce temps-là ?

Il jeta un coup d'œil vers le bar et, là aussi, rien ne
lui échappa. Il se tourna vers moi :

— Les gars continuent de faire la guerre, hein ?

Je m'étais souvent fait la même réflexion, mais
cela me contraria de l'entendre dans sa bouche. Je répondis sèchement : « Oui, c'est un peu ça », et lui demandai ce qu'il voulait boire.

— Je prendrais bien un grand gin, dit-il.

D'un air assez renfrogné, je commandai un gin pour lui, une bière pour moi, tandis que les habitués du bar nous considéraient d'un air morose et vaguement surpris. Personne ne buvait plus de gin au Club des Garde-côtes : c'était bien trop cher.

Hoskins s'installa tranquillement à côté de moi, les jambes croisées, un coude sur le bar, de l'air détaché de quelqu'un pour qui tout va pour le mieux.

— C'est chic de vous revoir, Bill (jamais il ne m'avait appelé Bill jusque-là). Que faites-vous à présent?

— Pas grand-chose, fis-je.

Il hocha la tête, comme si ce que je venais de répondre ne lui apprenait rien qu'il ne sût déjà. Cependant il poursuivit :

— Ce ne doit pas être désagréable. Je voudrais pouvoir en dire autant.

Je le regardai sans mot dire : tout en moi — complet, cravate, chaussures — avait répondu à sa question avant qu'il ne l'ait formulée. Le fait de l'avoir posée quand même constituait de sa part une sorte d'insulte à mon égard. Mais je pensai qu'il valait sans doute mieux traiter cela par le mépris... Nous parlâmes à bâtons rompus, évoquant les souvenirs, dans la meilleure tradition du Club des Garde-côtes.

— Et vous-même, que faites-vous? lui demandai-je bientôt.

— Oh! un peu de tout (il eut un geste vague). Par le temps qui court, il faut se débrouiller comme on peut. Ce n'est pas tellement facile, ma foi, avec ces sacrées restrictions.

Je répondis « En effet », sans bien comprendre ce qu'il voulait dire, mais je le connaissais assez bien pour deviner que quelque chose allait venir. Enfin, je n'avais nullement l'intention de le heurter, bien qu'il m'eût tout l'air d'être une sorte de trafiquant. C'est alors qu'il se pencha vers moi :

— Si vous n'avez rien de fixe, j'ai pensé à une combi-

ne qui pourrait être intéressante. J'aurais justement
besoin de quelqu'un de votre genre...

Je murmurai vaguement quelque chose. De toute façon, cela me faisait plaisir de savoir qu'on pouvait avoir
besoin de moi, et j'imagine que Hoskins s'en doutait bien.

— Il faudrait un bateau — un très bon bateau, et un
type pour le piloter. A la vérité, il faudrait deux types —
comme vous et moi...

Autour de nous les conversations avaient repris, et
couvraient un peu le son de sa voix.

— ... une vedette à moteur, rapide, pouvant faire
la navette dans la Manche (il sourit de son air engageant).
Dieu soit que nous en avons fait, des balades de ce
genre, autrefois.

— De quoi s'agit-il? demandai-je, bien que prévoyant
déjà la réponse. Passagers, marchandises?

— Disons si vous voulez : transports rapides.

— Et le bateau? Où trouvera-t-on l'argent?

Il fit un geste de la main, puis me répondit en plan-
tant son regard dans le mien :

— J'ai des relations. Il y a un tas de gens aussi
qui n'aiment guère les restrictions... Ça vous intéresse?

— Oui.

— Voilà qui est bien.

Il sourit comme si, là encore il s'était attendu à ma
réponse, puis jeta un coup d'œil circulaire :

— La Conférence devrait pouvoir se tenir à huis
clos, à présent. Où pourrions-nous aller parler tranquillement?

— Dans une sorte de salon de lecture, là-haut. Il n'y
a presque jamais personne.

— Bon. Emportons nos verres.

Je mis la main à la poche, m'apprêtant à payer, mais
il déposa un gros billet sur le comptoir en déclarant :

— Ça va, vieux... C'est pour moi.

En montant l'escalier, je lui demandai s'il s'agissait
de contrebande. Il me répondit affirmativement.

Je savais maintenant à quoi m'en tenir, et je ne puis

dire que j'hésitai beaucoup. J'étais fauché; peu m'importait désormais ce que je pouvais faire, du moment qu'il me serait possible de régler mes nombreuses dettes et de vivre un peu plus largement. Dans ce salon de lecture minable, j'écoutai Hoskins m'exposer longuement ses plans. Il me brossa un tableau fort séduisant de nos occupations futures. Ce serait épatant, nous gagnerions beaucoup de fric à chaque virée, et ces gens mystérieux qui « n'aimaient guère les restrictions » s'arracheraient nos services.

Jusqu'ici je n'avais pas tiré grand-chose de « l'Etat-Providence », mais tout allait changer désormais. Les restrictions, les réglementations, les ordonnances, les contrôles fiscaux, tout cela semblait devoir à présent nous assurer une vie des plus confortables.

J'eus une pensée fugitive pour mon pays que je voyais se débattre, depuis plusieurs années, dans une situation financière difficile pour essayer de se sortir du gâchis de l'après-guerre, comptant que les gens partageraient également, et ne tricheraient pas sur les rations. Puis je pensai à moi-même, à ma situation financière personnelle, à l'existence misérable, pitoyable, que j'avais récoltée dans tout cela.

Il n'était pas difficile de voir quelle était la perspective la plus alléchante.

Il serait faux de dire que j'hésitai longtemps — ou même que j'hésitai tout court.

— Je me demande, dis-je un peu plus tard au cours de la conversation, si nous ne pourrions pas remettre la main sur notre vieux rafiot. Ce serait le rêve.

Hoskins fit un signe affirmatif, comme si, une fois encore, je venais de faire écho à ses propres pensées :

— C'est drôle de vous entendre dire ça, fit-il. Justement je sais où il se trouve. Et il est à vendre...

Ce fut merveilleux de revoir notre MGB-1087! Dieu sait pourtant qu'il était dans un état indescriptible.

LE BATEAU QUI MOURAIT DE HONTE

Il était amarré dans le bassin des yachts de Lymington (Hampshire). Lorsque, après avoir franchi une planche de fortune, Hoskins et moi nous trouvâmes à bord, ce fut comme si nous étions transportés dans les ruines du passé ! Notre bateau avait un peu l'air négligé d'une vieille femme dont personne ne s'occuperait, que personne n'aimerait... La peinture en était boursouflée, écaillée, les parties métalliques couvertes de rouille ou de vert-de-gris et, au-dessus de la ligne de flottaison, la pureté élégante de sa ligne disparaissait sous une couche épaisse et sale d'algues marines. Il ne lui restait plus rien de sa splendeur de jadis et, sans la profonde cicatrice qu'un obus de « deux » avait laissée sur son pont avant, jamais je ne l'aurais reconnu.

Hoskins jeta autour de lui un coup d'œil qui pouvait encore passer — très vaguement — pour celui du spécialiste.

— Ça fait du travail, fit-il. Enfin, les constructeurs affirment que la coque est toujours bonne.

— Nous n'aurons pas besoin de quatre moteurs, dis-je. Trop cher à entretenir...

— Et ça nous donnera de la place, remarqua Hoskins en souriant.

Nous descendîmes dans le carré minuscule, qui sentait le renfermé et le moisi, et assis à la table, comme nous l'avions fait tant de fois — dans la tranquillité d'un port ou à portée de tir de l'ennemi — nous écoutâmes le murmure de l'eau venant doucement lécher l'étrave, et nous discutâmes de l'avenir de notre vieux bateau. Certes, ce ne serait pas aussi beau qu'autrefois, mais il méritait bien que nous le sortions de là.

Je travaillai pendant près de trois mois à Lymington — et cela aussi fut merveilleux. Hoskins était resté à Londres où il s'occupait de nos affaires, et essayait sans doute de racoler des clients. Quant à moi, j'étais chargé de remettre en état notre MGB-1087, pour qu'il soit en mesure de s'acquitter de son étrange mission. Je me disais parfois : au fond, ce que je fais là, c'est le boulot du

« lieutenant »... Mais il était évident que, la guerre finie, les rôles étaient maintenant renversés. Quand Hoskins avait dit en examinant le bateau : « Ça fait du travail », il voulait dire exactement que cela faisait du travail pour moi, et que je ferais aussi bien de m'y mettre, parce que c'était pour cela que j'allais être payé — et payé par lui.

Cela m'aurait contrarié quelques années plus tôt, mais j'avais mené dans l'intervalle une existence si minable, si déprimante, que je n'attachais plus aucune importance à la hiérarchie. En fin de compte, l'étiquette sous laquelle on me désignait m'importait assez peu du moment que j'avais de nouveau du travail, tout près de la mer, et que j'avais retrouvé mon MGB-1087.

Je m'occupai d'abord des machines, demeurées d'ailleurs en bon état, parce qu'elles avaient été soigneusement graissées et entretenues. Nous en sortîmes deux; j'estimai que les deux qui restaient nous permettraient encore de filer nos trente nœuds, ce qui devait suffire largement dans tous les cas. Mais il s'agissait surtout de simplifier les manœuvres; car nous ne serions plus que deux à bord. Finalement nous installâmes tout sur le pont : la barre, le poste de commande, le système d'éclairage — tout se trouvait ainsi à la portée d'une seule personne, tandis que l'autre dormirait, bricolerait ailleurs, ou bien s'occuperait de l'ancre et des haussières au moment d'accoster.

Cela fait, je procédai à une révision générale : le bateau fut remorqué hors de l'eau, gratté, repeint.

Tout ce qui était en bois fut passé au papier de verre, toute la partie métallique nettoyée et polie. Une fois l'intérieur bien remis en état, et des coffres de rangement supplémentaires installés à la place de deux machines, notre MGB-1087, qui était devenu une vieille carcasse, avait de nouveau l'air d'un bateau. Bien entendu, ce n'était plus un bateau de guerre, il ne pouvait plus filer 35 nœuds, transpercer des bâtiments ou des avions ennemis, jeter le désarroi parmi les pois-

sons avec ses grenades sous-marines, mais il était de
nouveau en forme, propre de fond en comble et en état
de marche. Je savais aussi qu'il ne nous ferait jamais
faux bond.

Dès que tout fut prêt, je téléphonai à Hoskins qui se
trouvait toujours à Londres. Il vint me rejoindre et, en
fin de semaine, nous effectuâmes un voyage d'essai qui
nous mena jusqu'au Solent.

Ce fut splendide de reprendre la mer, et nous eûmes
la chance d'avoir un temps admirable, clair, ensoleillé
et calme. Après avoir dépassé l'île de Wight, nous mîmes
le cap à l'ouest en direction de la Manche. Bien que
n'ayant plus la puissance de jadis, le bateau s'en tira
sans peine, et demeura sec comme une allumette à l'intérieur. Nous passâmes presque toute la journée en mer,
tantôt nous hâtant, tantôt paressant, tout en nous occupant de vérifier les machines, l'installation électrique,
le bon état de navigabilité en général. Finalement, nous
ne trouvâmes rien à lui reprocher malgré sa longue inaction.

— Il va toujours, et il nous mènera où nous voulons,
dis-je alors que, nos vérifications terminées, nous rega-
gnions Lymington.

Hoskins, qui venait d'examiner notre petite radio
portative, vint me rejoindre à l'extrémité du pont, où
je tenais la barre — sans pouvoir chasser de ma pensée
le fait que les poignées en étaient creusées afin de pouvoir
abriter, selon l'expression de Hoskins, « des bricoles ».
Le bateau était plein de cachettes de ce genre, installées
en grand mystère par notre menuisier personnel (« un
des types », m'avait expliqué Hoskins). Il y en avait
partout : à l'intérieur des feux de navigation, camou-
flées en réservoirs d'essence, sous une fausse poutre
dans notre carré, dans une prétendue chambre froide ;
jusque dans les minuscules W.C., à l'avant du bateau,
qui étaient munis d'une citerne qui n'en était pas une

du tout. MGB-1087 était redevenu un vrai bateau, mais il était aussi entièrement truqué.

Hoskins me lança un coup d'œil, puis il sourit soudain. Je crois que lui aussi était content de sa journée et de ce retour dans le passé. Il fit un geste circulaire, me montrant le bateau, puis le vaste horizon :

— Encore Randall et Hoskins, hein? fit-il joyeusement.

C'était cela en effet, jusqu'à un certain point. A part quelques détails.

Dès le début, ce fut Hoskins qui se chargea de la partie commerciale proprement dite : je devais recevoir un salaire, plus une commission calculée sur les « résultats obtenus », et qui restait donc à fixer. Hoskins s'occupait de la comptabilité; c'était lui également qui décidait des affaires à traiter. D'ailleurs, je n'eus jamais à me plaindre à cet égard, car nous fîmes tout de suite de nombreuses traversées, et l'argent s'amassa très vite.

— De quoi les gens ont-ils le plus besoin? demanda Hoskins, un jour que nous mettions sur pied un plan d'action. C'est ce qu'il nous faut savoir... et nous le leur donnerons.

Envisagées sous cet angle, nos activités ressemblaient fort à une croisade de bienfaisance, notre unique but dans l'existence étant, semblait-il, d'assurer le bonheur des autres. Bref, nous travaillions presque pour le gouvernement. J'avoue que je fus souvent diablement surpris de voir « ce dont les gens avaient le plus besoin » — surtout par la suite, lorsque nos affaires prirent un peu d'extension; en tout cas, tout au début, il était vrai, jusqu'à un certain point, que nous étions des contrebandiers fort respectables.

Lors de nos toutes premières traversées, nous transportâmes principalement du cognac; et aussi des vins français, des bas nylon, du porc en conserve, des cigares... bref, tout ce qui fait la différence entre la vie tout court et la vie « raffinée », tant vantée dans les annonces publicitaires. Je me disais que nous donnions

infiniment de joie sans faire grand mal, et tout en ga-
gnant nous-mêmes beaucoup d'argent, le plus innocem-
ment du monde... Il nous arrivait de passer rapidement
des environs de Douvres en France — soit une trentaine de milles — et retour en une seule nuit. Ou bien
nous musardions le long des côtes nord de la France,
poussant parfois jusqu'à Saint-Malo, comme de riches
touristes britanniques qui n'auraient pas le courage de
s'arracher à ces lieux hospitaliers et charmants. Mais
aussitôt chargés, nous déguerpissions.

Il était bien clair que Hoskins avait de nombreuses
relations en Angleterre, ainsi qu'en France. Mais je ne
lui demandai jamais de détails, préférant jouer le rôle
du vieux loup de mer qui se contente de faire marcher
le bateau. Aucune difficulté à cet égard, d'ailleurs, car
jamais notre MGB ne nous donna le moindre ennui à cette
époque. Il se comporta à merveille. Je n'avais pas perdu l'habitude de la navigation côtière, et Hoskins, qui
s'y entendait en machines, s'arrangea toujours pour
que les nôtres n'aient pas le moindre accroc.

Nous eûmes aussi notre part d'émotions d'un autre
ordre. Pour vous en donner une idée, je vais vous raconter une histoire qui nous arriva durant cette période.

Il était à peu près quatre heures du matin. Nous
rentrions de Cherbourg, et remontions à tâtons Lymington River pour regagner notre mouillage. Pas une lueur
sur le rivage, et nous-mêmes étions tous feux éteints :
notre MGB avançait tout doucement car la marée
commençait à descendre; il se faufilait le long des ba-
lises marquant l'entrée du chenal, le long des plages
de vase fleurant bon la mer, des bateaux à l'ancre, des
quelques hangars et maisons espacées qui se blottissent
autour du petit port. C'était notre voie d'accès habi-
tuelle, aussi pouvions-nous la remonter dans cette obscurité totale qui enveloppe toutes choses une heure avant
l'aube.

Cela me rappelait d'autres nuits passées sur ce même
bateau, tandis que nous nous glissions le long des côtes

hollandaises, ou remontions de petits estuaires, explorant les systèmes de défense sans chercher la bagarre, mais espérant seulement pouvoir repartir aussi paisiblement que nous étions venus. L'ennemi pour nous, alors, c'était l'Allemand. Mais maintenant...

Nous venions de franchir le dernier coude et allions passer devant la plate-forme du bac, lorsqu'un projecteur s'alluma soudain droit devant.

— Ohé, de la chaloupe! Stoppez vos machines!

Instinctivement je donnai un coup de barre pour venir à tribord; je savais que nous étions près de la rive droite, mais je ne voulais pas risquer de m'emboutir — ni qu'un autre bateau puisse nous voir de trop près. Mais le projecteur nous suivit dans cette manœuvre, et j'entendis Hoskins murmurer tout près de moi : « Allons toujours — mais ça m'a l'air sérieux. » L'appel fut répété, cette fois-ci sur un ton péremptoire et, me doutant de ce qui risquait d'arriver, je remis au point mort et le moteur s'arrêta.

Nous enfonçâmes mollement dans la vase où nous nous immobilisâmes, l'arrière se balançant alors que l'avant était comme aspiré par le limon.

Sans perdre un seul instant son sang-froid, Hoskins fit face à la lumière aveuglante du projecteur et cria :

— Tas d'empotés! Où diable vous croyez-vous donc?

Une voix répondit froidement, sans s'émouvoir :

— Prenez cette bosse; nous allons monter à bord.

C'étaient deux hommes : un petit et un grand, montés sur une vedette rapide, découverte. Ils accostèrent puis grimpèrent à bord, avec un air d'autorité et de compétence qui ne me dit rien qui vaille. Mais nous n'avions qu'à jouer le jeu.

— Qu'est-ce que c'est? fis-je d'un ton irrité dès qu'ils furent sur le pont. J'ai bien cru que nous allions nous emboutir, et voilà maintenant que nous sommes échoués.

— Vous vous dégagerez sans peine à la marée montante, répondit le plus petit des deux hommes.

— Ce n'est pas ce que je veux dire... mais qu'est-ce que cela signifie, ce projecteur?

— Douanes, fit brièvement le petit.

— A Lymington? s'étonna Hoskins.

— Nous ne sommes pas de Lymington, dit le grand. Voyons un peu votre journal de bord.

Un silence angoissant s'établit tandis que, penchés sur la table des cartes, les deux hommes examinaient notre journal de bord. Heureusement celui-ci était à jour, heure par heure — habitude que nous avions conservée de notre passé respectable, et qui nous rendait maintenant un fier service. Nos lettres de mer étaient aussi parfaitement en règle. Mais, pendant que nous attendions, je me demandais si Hoskins avait, autant que moi, la gorge serrée. Tout cela risquait d'être catastrophique...

— Cherbourg, fit bientôt le petit. Pourquoi rentrez-vous si tard?

— Nous avons été retenus, dit Hoskins. Nous aurions pu mouiller à l'entrée de l'estuaire, mais ça ne me disait rien de traîner.

— Et pourquoi tous feux éteints?

— Les plombs ont sauté, expliqua aussitôt Hoskins. Je m'excuse... je sais bien que ce n'est pas régulier... Ecoutez, allons parler tranquillement de ça en bas, au lieu de rester ici à grelotter.

Je dois avouer que, pendant l'heure qui suivit, Hoskins fit mon admiration. Nous passâmes ce temps à parler et à fumer, assis autour de la table. Hoskins exhiba bientôt une bouteille de cognac. « Ça n'a pas payé de droits... pas encore », fit-il en clignant de l'œil, et il nous en versa à chacun une bonne rasade. Nous sûmes bientôt où ces hommes avaient fait la guerre, et l'on commença d'évoquer des souvenirs de cette époque. Il fut question de la contrebande en général, et d'une histoire de cigarettes passées en fraude, qui avait fait scandale dans les annales de la Marine britannique en temps de guerre...

LE BATEAU QUI MOURAIT DE HONTE

Les deux hommes se méfiaient — cela se sentait à une lieue. Enfin ce n'étaient pas des imbéciles, et ils étaient bien entendu incorruptibles. Cependant, à entendre parler Hoskins, on aurait pu se croire à terre, dans n'importe quel bistrot, en train de discuter le coup avec des inconnus qui s'étaient révélés d'un commerce agréable.

Mais l'atmosphère avait beau être très détendue, je commençais néanmoins à transpirer, Les douaniers allaient vouloir « jeter un petit coup d'œil », ne serait-ce que pour la forme, et justement cette fois-ci nous ne pouvions nous prêter sans danger à l'examen le plus superficiel. Sans doute étions-nous devenus imprudents. En fait, nous avions chargé le bateau comme si nous étions certains que rien ne dût nous arriver. Non seulement nous transportions dans nos coffres de l'arrière des quantités de cigares de Hollande et des métrages de tissu, mais nous avions 36 douzaines de bouteilles de bordeaux et de bourgogne dissimulées sous les lattes du plancher, dans les faux flotteurs, et sous les sièges du pont arrière. Notre MGB-1087 en était plein à craquer : en somme, il lui sortait du vin rouge par tous les pores.

Je transpirais de plus en plus.

Cela durait depuis une heure, et je ne pouvais m'empêcher de penser que cette aimable réunion ne tarderait pas à prendre fin, que bientôt le petit douanier dirait, en désignant la bouteille de cognac : « Vous en avez encore beaucoup comme ça ? » et alors le grand se lèverait et dirait en s'étirant : « Je vais juste jeter un petit coup d'œil... » Nous l'entendrions circuler et déplacer des objets ici et là, puis il y aurait un silence et il appellerait : « Jack... viens voir un peu ! » Oui, nous étions devenus bons copains, mais pas tout à fait assez quand même. Le « devoir » était là, qui les attendait. Et nos deux amis, le grand et le petit, n'étaient pas hommes à l'oublier, pas plus qu'aucun douanier britannique d'ailleurs.

Hoskins se leva :

— Excusez-moi, messieurs... Un besoin naturel...

Je l'entendis qui se rendait aux W.C. Le silence s'établit dans le carré pendant son absence : malgré le cognac, j'avais la langue dure et pâteuse. Puis Hoskins revint et, debout sur le seuil, sans regarder dans ma direction, il dit :

— C'est à l'avant, si ça peut intéresser quelqu'un.

Le petit annonça : « Je vais en profiter », et disparut un instant. Quand il revint, le grand se leva à son tour et dit en s'étirant :

— On va juste jeter un petit coup d'œil avant de partir...

— Bien sûr, fit Hoskins. Faites comme chez vous.

Puis, presque aussitôt, il baissa les yeux et s'écria :

— Nom de Dieu ! Nous sommes à moitié inondés !

Et c'était vrai — comme un cauchemar qui aurait pris soudain une tournure incompréhensible. L'eau s'infiltrait à travers le plancher du carré, et commençait de clapoter à nos pieds; bientôt il y eut un coup de roulis, et nous fûmes envahis par une véritable cataracte venue de l'avant. Notre bateau était inondé de la poupe à la proue.

Ce fut à la confusion qui s'ensuivit — fort habilement orchestrée par Hoskins — que nous dûmes notre salut.

— Nous avons dû nous faire une déchirure quand nous avons échoué ! s'écria-t-il.

Aussitôt, sans raison bien apparente, il se rua sur le pont, comme s'il eût pensé pouvoir trouver là-haut une explication à ce qui se passait. Ce fut alors que toutes les lumières s'éteignirent mystérieusement : j'entendis Hoskins marcher pesamment au-dessus de nous, puis nous le vîmes redégringoler par l'écoutille d'avant. « Ça monte dur ! cria-t-il. Vous feriez mieux de ne pas rester en bas ! » Dans le noir, tant bien que mal, les douaniers grimpèrent précipitamment sur le pont.

Le bateau s'enfonçait, mais il était évident qu'il n'irait pas bien loin car, droit devant, la lune éclairait maintenant le banc de vase desséchée dans lequel notre étrave se trouvait prisonnière. Il ne devait pas y avoir plus d'un mètre d'eau sous notre coque.

— Les pompes! Actionnez les pompes! vociféra de nouveau Hoskins.

Avec l'aide des deux douaniers, je mis en marche la petite pompe auxiliaire qui se trouvait à l'arrière, pendant que Hoskins continuait de chercher à repérer sa voie d'eau. Il faisait un raffût de tous les diables, galopant et jurant sans arrêt. Soudain sa voix nous parvint de nouveau, dominant le bruit régulier de la pompe : « Je ne vois rien... Je me demande si ce n'est pas cette sacrée soupape des W.C. » Puis il poussa une clameur, comme un homme découvrant un voleur dans sa cave : « C'est bien ça... On l'a laissée ouverte! »

Après un long moment Hoskins nous rejoignit sur le pont, ses bottes résonnant sur les planches avec un bruit de tonnerre : « Je suis arrivé juste à temps! » jeta-t-il haletant, comme s'il venait de faire plusieurs kilomètres en courant pour venir nous annoncer la nouvelle. Enfin il se tourna vers le petit douanier et lui dit d'un ton de reproche :

— Il faut fermer la soupape après avoir utilisé les W.C., sinon ça continue à se remplir... C'est juste au-dessus de la ligne de flottaison

— Oh! fit le petit douanier tout confus. Je suis désolé... Je n'en savais rien.

— J'aurais dû penser à vous le dire, répondit Hoskins, magnanime. Y a pas grand mal de toute façon. Juste quelques centimètres d'eau, mais j'ai fermé la soupape d'admission, et nous n'aurons aucune difficulté à pomper tout ça quand il fera jour.

— Vraiment, je suis désolé, répéta le petit homme. J'aurais dû y penser.

— On vous enverra la note pour remplacer le tapis. dit Hoskins d'un ton jovial.

Il alla jeter un coup d'œil, du haut de l'échelle, dans le carré où l'eau clapotait et tourbillonnait doucement. Puis il poursuivit :

— Je crois bien que c'est la fin de notre petite fête. Nous allons être obligés d'aller pioncer dans la timonerie cette nuit.

— Vraiment, vous croyez? Nous pourrions facilement vous héberger à terre, dit le grand douanier.

Ce dernier ne disant rien depuis un instant, j'avais redouté qu'il n'éprouvât quelques soupçons devant l'é-trange tournure des événements; mais au fond il était tout simplement ennuyé.

— Vaut mieux que nous restions ici, répondit Hos-kins. Merci quand même. Maintenant, il faut que j'aille m'occuper de cette pompe. Nous voudrions avoir séché tout ça avant la marée haute.

Il y eut encore un instant de silence, chacun étant plongé dans ses réflexions. Sans doute était-ce ma mau-vaise conscience qui me soufflait toujours : c'est impos-sible qu'ils se soient laissé ainsi détourner de leur pro-jet; certainement ils vont vouloir fouiller le bateau. Or il n'en fut rien. Tout ce bruit, ce remue-ménage, cet affolement, et le fait qu'ils se croyaient responsables — tout cela avait complètement modifié la situation. Lors-que le petit douanier, après s'être agité d'un pied sur l'autre, annonça : « Eh bien, si c'est comme ça... », je compris que nous avions finalement gagné la partie.

Ils se réembarquèrent quelques minutes plus tard, continuant de s'excuser et de nous offrir l'hospitalité, puis ils nous souhaitèrent bonne chance, et nous enten-dîmes le halètement du moteur qui s'éloignait. Notre MGB parut s'installer dans la boue, puis la marée commença de monter et, tranquillement, du pont de notre bateau, nous vîmes apparaître à l'est les lueurs réconfortantes de l'aube.

Je me passai la main sur le visage : il était gris, couvert d'une barbe dure. J'avais l'impression d'avoir au moins 90 ans.

— Sacrée veine ! fis-je.

A la lueur blafarde du jour naissant, je pouvais tout

juste distinguer la silhouette de Hoskins, penché sur la pompe à moteur. Je le vis se redresser :

— Faut pas s'affoler, c'est tout, dit-il.

Je ne compris pas tout de suite :

— Cette soupape est pourtant bien automatique. On n'a pas à la fermer soi-même?

— Bien sûr. Elle a toujours été automatique.

Il s'approcha de moi, souriant.

— Et elle l'est de nouveau, ajouta-t-il. Elle s'est comme qui dirait coincée à un certain moment de la soirée. Rien d'étonnant que celui qui m'a succédé aux W.C. ait causé une inondation.

Et il répéta, comme s'il parlait à un enfant :

— Faut pas s'affoler, c'est tout.

Hoskins s'occupait donc de la partie commerciale. A en juger par l'importance des chèques crédités à mon compte en banque, il s'en tirait fort bien : en l'espace de quatre mois, il m'arriva d'encaisser près de 3 000 livres, et j'en gagnai en moyenne plus de 400 par mois cette année-là. Il m'eût donc été difficile d'ignorer que nos affaires prenaient une remarquable extension, et que nous étions bien loin du cognac et des bas nylon de nos débuts. Il m'eût été difficile également d'ignorer que nous nous livrions à des opérations très suspectes.

Car c'était l'évidence même, rien qu'à voir les individus qui venaient nous trouver chaque fois que nous accostions quelque part, que ce fût en Angleterre ou en France. Je les aurais pris pour des transporteurs d'une espèce un peu supérieure s'il n'avait sauté aux yeux qu'ils étaient incapables de faire quelque chose d'aussi honnête et d'aussi simple que de pousser une brouette. Ou bien c'étaient des jeunes gens élégants et soignés, en pardessus noir et chapeau à bords roulés, qui prenaient livraison de leurs cigares et nous tendaient de grosses liasses de billets crasseux. Cela ne me disait rien de les voir à bord du MGB-1087... Mais je dois avouer que je ne m'occupais guère des détails de ces transactions, pour la simple raison que je préférais n'en rien savoir; je sus pourtant que nous chargeâmes à l'époque, entre autres choses, des caisses portant la mention « ferraille » et qui contenaient en réalité des mitraillettes Thomson; une malle d'aspect innocent, bourrée de fausses cartes d'alimentation fabriquées à Bordeaux; des lots de bouteilles qui, bien que provenant d'un simple marchand de vins parisien, arboraient la somptueuse et quasi authentique appellation « John Haig's Very Old Scotch Whisky ».

S'il m'arrivait de protester, assez faiblement d'ailleurs, car j'étais déjà trop compromis dans tout cela et voyais mon compte en banque monter sans cesse, Hoskins se contentait de dire :

— Nous transportons, nous empochons — et il n'y a pas à se plaindre d'un côté comme de l'autre. Laissez-moi faire.

Je le laissai faire. Sans doute y avait-il eu un temps où j'aurais pu dire mon mot; mais c'était du passé, comme tant d'autres choses...

C'est vers cette époque que je fis une autre constatation : MGB-1087 ne se comportait pas aussi bien qu'il aurait dû.

Cela se voyait à de tout petits détails : à des choses qui auraient dû aller toutes seules, et qui pourtant clochaient. Une fois que nous revenions de Calais, ce furent des bougies encrassées qui firent tousser et cracher nos machines durant tout le voyage de retour. Une autre fois une panne de gouvernail, et nous fûmes à deux doigts de nous échouer entre Saint-Malo et Dinard. Il nous arriva aussi de perdre six précieuses heures du crépuscule, alors que nous avions espéré prendre la mer sans nous faire remarquer, parce que les machines se refusaient à démarrer; nous ne pûmes donc profiter ni de la marée, ni du couvert de la nuit, et ce fut une chance si notre casier judiciaire n'y perdit pas sa virginité. Une autre fois, notre tableau de distribution noyé nous paralysa entièrement, et nous coûta 500 livres sterling pour un contrat non honoré.

Or MGB-1087 n'avait aucune raison de se comporter de la sorte : il était en aussi bonne forme que le jour où nous l'avions acheté; Hoskins et moi consacrions des heures et des heures à son entretien, et à chaque panne nous le soumettions à un examen minutieux. C'était vrai pourtant qu'il nous donnait beaucoup d'ennuis; et même si tout semblait marcher sur le plan technique il se montrait étrangement nonchalant, un peu comme s'il n'avait plus le cœur à l'ouvrage... Je sais bien que c'est idiot de parler du « cœur » d'un bateau. Peut-être les risques que nous courions continuellement commençaient-ils à me rendre un peu nerveux; quoi qu'il en soit, j'avais parfois l'impression d'avoir affaire à un être humain, inconstant, et que l'effort rebutait pour quelque mystérieuse raison.

Le plus tragique, ce fut lorsque nos moteurs refusèrent de tourner, par gros temps, à l'embouchure de Lymington River. Quelque chose dans l'attitude de Hoskins, tandis que nous quittions la côte d'en face, m'avait fait supposer qu'il s'agissait là d'une expédition « hors série » — autrement dit que notre cargaison était d'un genre assez scabreux, ou bien qu'elle représentait beaucoup d'argent — mais comme d'habitude je n'avais pas pris garde à ce que nous transportions et ne devais le découvrir que tout à fait à la fin. Lorsque nous nous échouâmes, ou presque, je ne le savais pas encore. MGB-1087 n'aurait pu choisir plus mal son moment pour caler. Enfin, sans le renversement de la marée, qui nous dégagea et nous assura du champ pour manœuvrer, nous aurions été projetés sur la côte et probablement fracassés. Toujours est-il que nous dérivâmes trois heures durant avant de pouvoir repartir.

Dès que nous fûmes rentrés, Hoskins annonça :

— Je vais démonter la roue du gouvernail, pour la faire réparer. Possible qu'on soit obligé de l'envoyer à Londres.

Stupéfait, je le regardai :

— La roue du gouvernail ? Mais elle n'a rien. Ce sont ces foutues machines qui nous jouent des tours.

— Oui, la roue du gouvernail, répéta-t-il, feignant l'impatience, comme s'il n'avait pas envie de discuter.

Ce fut alors que je me souvins que les poignées de la roue étaient creuses. Nous ne nous étions pas encore servis de cette cachette. La lumière se fit en moi.

— Pourquoi ne pas me l'avoir dit ? Qu'y a-t-il à l'intérieur ?

— De minuscules manteaux de vison.

— Ne faites pas l'imbécile, dis-je en riant. Que transportions-nous ce coup-ci ?

— Stupéfiants ! répondit Hoskins.

Croyant toujours qu'il plaisantait, je répliquai :

— C'est vous qui êtes stupéfiant.

Puis de nouveau la lumière se fit en moi :

— Bon Dieu ! Vous voulez dire de la drogue ?

Hoskins fit un signe affirmatif. Déjà, je le voyais bien, il se demandait quelle serait ma réaction; il savait que j'allais rouspéter, mais ignorait jusqu'à quel point j'en ferais un drame. Je n'eus même pas le temps d'ouvrir la bouche qu'il poursuivit :

— Très rémunérateur. Ça, je peux vous en donner ma parole.

Nous eûmes en effet une altercation de tous les diables mais, si je m'en souviens si bien, c'est surtout parce que ce fut la dernière fois que je m'insurgeai contre quoi que ce soit. J'étais dans une fureur noire — car je me rendais parfaitement compte que rien ne pouvait plus arrêter Hoskins dans cette voie. Lorsque je lui dis que j'avais l'intention de tout planter là séance tenante, il riposta durement :

— Vous ne pouvez pas... Vous êtes là-dedans jusqu'au cou. Ne l'oubliez pas !

— Mais de la drogue, répétai-je, toujours horrifié. C'est... révoltant !

Il jura tout ce qu'il savait et me jeta :

— Assez de sermons comme ça. Ça ne vous mène à rien... Nom de Dieu, je me souviens quand je voulais inscrire ce Junkers-88 et que vous m'avez envoyé foutre, comme si vous étiez un sale curé. Je pensais que vous aviez appris certaines choses ces derniers mois.

— Peut-être, fis-je.

— Alors, tenez-vous-en là. Ça vaudra mieux pour vous.

Il vint tout contre moi, ce petit bonhomme maintenant sûr de lui, et farouchement résolu à me tenir sous sa coupe :

— Vous ne vous en êtes pas trop mal tiré depuis un an, hein? Vous auriez beau raconter un tas de trucs, vous auriez bougrement du mal à vous en tirer, en cas de coup dur.

Il fixait sur moi un regard terriblement menaçant.

— Ne vous mettez pas d'idées en tête, hein? Nous sommes là-dedans tous les deux, jusqu'au bout du nez, et nous y resterons... Allez me démonter cette roue.

Ce fut, je le répète, la dernière fois qu'il m'arriva de protester.

Après cela, tout alla de mal en pis, un peu comme si Hoskins, se sentant pratiquement les mains libres, eût été résolu à ne plus reculer devant rien, ne fût-ce que pour prouver qu'il était le patron de cette dangereuse entreprise — et mon patron par-dessus le marché. C'est à peine si j'ose dire quelles furent nos activités au cours de ces horribles mois.

Les stupéfiants étaient devenus pour nous monnaie courante; quant aux alcools frelatés, ce n'était plus qu'une aimable variation sur un triste thème. Une fois nous eûmes à bord une sorte de mégère accompagnant deux jeunes filles terrorisées, qui pleurèrent pendant tout le trajet et étaient plongées dans une sorte d'hébétude lorsque nous les débarquâmes. Je demandai à Hoskins qui elles étaient. Il me répondit : « Des putains... » Une autre fois nous chargeâmes un cercueil, un cercueil de plomb qu'il fallut amarrer sur le pont arrière — et jeter en pleine mer au large de St-Catherine's Point. Nous transportâmes de malheureux Juifs apatrides, sans papiers d'aucune sorte, qui tombèrent dans les bras de la police au bout de la jetée dès leur arrivée à Southampton. Hoskins se contenta de dire : « Voilà de l'argent foutu par les fenêtres... le leur ! » Et j'en fus à me demander si ce dénouement n'était pas aussi son œuvre.

Telle fut, dans ses grandes lignes, cette période infamante, et tels furent les exploits dont nous étions maintenant capables.

Sans doute ne fut-ce que simple coïncidence si MGB-1087 parut, vers la même époque, aller lui aussi de mal en pis, et avec la même rapidité; en tout cas il est certain qu'il n'était plus le bateau que nous avions connu jadis. Je ne pouvais plus lui faire confiance. Imaginez un enfant charmant, un vrai petit ange, la fierté des grandes personnes, qui serait devenu en quelques années boudeur et mal élevé... Notre bateau tombait perpétuellement en panne; quelquefois cela n'avait pas d'importance, mais d'autres fois c'était beaucoup plus grave. Il était paresseux, et roulait lourdement quel que soit l'état de la mer, venait en travers ou faisait eau, même si on le traitait avec le plus grand ménagement. L'existence à bord du MGB-1087 était maintenant des plus hasardeuse, peu confortable, souvent même extrêmement dangereuse, comme ce fut le cas lors d'une de nos dernières sorties.

Jamais je n'oublierai ce voyage : ce fut, à l'exception de la toute dernière fois, la plus sale besogne qu'il me fut donné d'accomplir avec mon vieux rafiot.

Depuis quinze jours il était en réparation à Portsmouth, lorsque Hoskins me téléphona de Londres. J'avais à peine eu le temps de prendre l'écouteur qu'il me demandait déjà :

— Comment va notre petit ami?

— En pleine forme maintenant, dis-je.

— C'est ce qu'il faut... Nous aurons un voyage à

faire dans deux jours. Il faut que tout aille comme sur des roulettes.

— Bon, fis-je.

— Ecoutez bien... A une dizaine de milles à l'ouest de Hythe (il me donna d'autres précisions) il y a une crique qui pénètre profondément dans les marécages. Elle est pleine d'eau à marée haute. Il y a aussi un petit chemin qui part de la grand-route de Folkestone et descend jusqu'au bord de l'eau.

Je répondis que je le trouverais bien sur la carte.

— Je veux que notre ami se trouve là, à 11 heures du soir après-demain. Pouvez-vous vous débrouiller pour l'amener?

— Oui.

— Parfait.

Et il répéta :

— Mais il faut que cela aille comme sur des roulettes.

— Qu'est-ce que c'est, ce coup-ci? demandai-je après une pause — bien qu'au fond cela me laissât indifférent.

— Tout à fait spécial, répondit Hoskins (il me donna l'impression d'être à la fois agité et ravi). Le plus gros boulot que nous ayons jamais eu...

Je l'entendis rire — d'un rire déplaisant.

— Vous pourriez presque prendre votre retraite après ce coup-là. Ça vous dit quelque chose?

Je répondis : « J'y serai » et raccrochai. C'était fini maintenant, les plaisanteries entre nous... et, de toute façon, ce n'était pas une plaisanterie, cette fois-ci.

J'attendis donc avec mon MGB-1087 au milieu de ces plates étendues marécageuses. La lune éclairait doucement les champs inondés; les mouettes tourbillonnaient au-dessus de moi en poussant des cris déchirants, comme des fantômes angoissés. Et je me pris alors à souhaiter que quelque chose ne marche pas ce jour-là, que Hoskins n'arrive pas à me rejoindre, ou bien que la police survienne à sa place. Cependant à onze heures, comme prévu, je vis une voiture, les phares en veilleuse, se détacher de la grand-route et se diriger vers moi. J'attendis. Bientôt je distinguai une forme sombre qui avançait en cahotant sur le chemin inégal. C'était une camionnette : elle stoppa, fit marche arrière et vint se ranger le long du bateau, comme si tout cela avait été minutieusement préparé.

Un homme sauta par la porte arrière, tandis qu'un autre — Hoskins — sortant de la cabine, courait le rejoindre. Puis tous deux, sans un mot, se mirent à décharger ce qui se trouvait dans la camionnette : des boîtes de forme oblongue, au nombre de huit. Toujours silencieusement, haletant sous l'effort, ils les portèrent à bord et les descendirent dans la cabine. Je leur donnai un coup de main lorsqu'il fallut faire basculer ce lourd chargement par-dessus l'hiloire du panneau, et le faire glisser le long de l'échelle.

A la faible lumière de la cabine, je vis que ces caissettes étaient en bois, mais solidement cerclées de fer, et qu'elles portaient toutes une marque identique : deux lettres entrelacées — le blason de la Poste Britannique.

Personne ne dit mot tant que l'opération ne fut pas terminée, puis l'homme dont j'ignorais l'identité dit d'une voix bourrue : « Huit, c'est bien ça? » Hoskins répondit : « Huit. Exact. » Ce fut tout. L'homme remonta dans sa camionnette, mit le moteur en marche, et bientôt nous l'entendîmes prendre en cahotant la direction de la grand-route.

Debout sur la passerelle, à côté de moi, Hoskins annonça :

— Mettons-nous en route. Je voudrais être à moitié chemin au lever du jour.

Ce fut un voyage atroce — le pire que nous ayons fait jusque-là. Nous devions mettre le cap sur une plage située à quelques kilomètres au sud du Touquet : c'était un « débouché » très sûr qui nous avait servi déjà maintes fois. Nous aurions dû pouvoir, sans forcer, rallier la côte française au crépuscule et être au lieu de rendez-vous à minuit. Or nous eûmes bel et bien vingt-quatre heures de retard, et ce fut un véritable coup de veine si nous fûmes à même d'effectuer notre livraison sur la côte française.

J'appris par la suite que nos « correspondants » français avaient cru tout d'abord que nous nous étions détournés sur un port espagnol, et ordre avait été donné à une équipe de nous attendre à Saint-Sébastien. Car tels étaient nos amis — telle aussi notre réputation... Toutefois, ce ne fut certainement pas de notre faute si nous n'arrivâmes pas la première nuit.

Une fois de plus, notre bateau ne voulut rien entendre. Nous n'étions pas partis depuis dix minutes qu'il s'arrêtait pile, des algues s'étant enchevêtrées autour de l'hélice. Pendant deux heures il me fallut plonger, donner de grands coups de couteau rapides, remonter à la surface quelques instants pour respirer une peu, et plonger de nouveau, jusqu'à ce que l'hélice soit dégagée.

Et ce fut à moi de faire ce travail, Hoskins m'ayant annoncé qu'il ne pouvait pas du tout rester sous l'eau. Mais peut-être valait-il mieux avoir quelque chose à faire, même dans ce froid et cette humidité affreuse, que d'attendre dans l'inaction que le bateau se décide à repartir. Hoskins, pendant ce temps, se montrait extraordinairement nerveux. Nous étions toujours bloqués à l'embouchure de la crique, et chaque fois que l'on distinguait les phares d'une voiture sur la route longeant la côte, il regardait cela exactement comme si on lui eût appuyé le canon d'une arme à feu sur la poitrine.

Je me demandais ce que diable nous pouvions bien transporter, pour qu'il eût si visiblement la trouille... Mais lorsque je lui posai la question, il se contenta de répondre :

— Vous en faites pas. Mais retenez bien une chose : si on nous pique ce coup-ci, nous en aurons chacun pour dix ans — sinon plus — et bien le temps de nous faire du souci.

Je me souvins alors des initiales et du poids de ces

boîtes cerclées de fer. Pour la première fois, j'eus l'impression d'être un criminel en fuite.

Nous réussîmes enfin à remettre le bateau en marche et mîmes le cap sur la Manche, en direction du Touquet. Nous venions de perdre deux heures, mais il nous était possible de les rattraper : MGB-1087 avait encore assez de puissance pour faire face à une telle circonstance. Mais il avait évidemment une autre idée en tête... Pendant cette traversée, il nous arriva tout ce qu'on peut imaginer : une perte d'huile, un court-circuit, de l'essence crasseuse, un temps épouvantable et l'axe du gouvernail qui se desserra. Le compas se mit à battre la breloque; aussi le premier phare que nous aperçûmes se trouvait-il sur la côte de Dieppe, à 70 milles au moins de l'endroit où nous nous rendions. Puis nous fûmes immobilisés près de neuf heures, pendant que je cherchais à déceler ce qui ne marchait pas dans notre installation électrique. Hoskins eut le mal de mer (mais cela m'était bien égal). Notre fourneau à pétrole refusa absolument de fonctionner. La moindre pression sur la roue du gouvernail risquait de la détacher complètement.

A la vérité, MGB-1087 se comporta d'un bout à l'autre de ce voyage comme s'il ne pouvait supporter qu'on le touchât.

Peut-être cela semblera-t-il étrange, mais je découvris la cause de tout cela lorsque nous eûmes atteint la côte française. En tout cas, telle fut mon impression.

Nous remîmes notre cargaison exactement comme Hoskins avait dû le prévoir, quoique avec 24 heures de retard. Clopin-clopant, MGB-1087 pénétra dans la petite baie au sud du Touquet, et je l'immobilisai sur une grève en pente douce d'où il nous eût été facile de battre rapidement en retraite en cas de nécessité. Quatre silhouettes se détachèrent dans l'obscurité et vinrent à notre rencontre — quatre hommes qui braquèrent sur nous la lumière de leurs torches, comme s'ils ne pouvaient en croire leurs yeux, et se mirent dans le plus complet silence à décharger les caissettes. Cela fait, et toujours sans qu'un seul mot eût été prononcé, nous fîmes marche arrière et mîmes aussitôt le cap vers le sud en direction de Saint-Valery-en-Caux.

Nous arrivâmes au port alors que le jour se levait à peine, n'ayant presque plus de carburant, et morts de fatigue. Nous n'avions pas fermé l'œil depuis deux jours et demi.

Je dormis tard dans la petite cabine, à l'ombre des hautes murailles du quai. Je fus réveillé par Hoskins qui descendait l'échelle, les bras chargés de paquets. Il semblait d'excellente humeur et apportait du pain, du fromage, des fruits, ainsi que l'édition continentale du *Daily Mail*.

Je fus aussitôt frappé par le soin avec lequel il déposa le journal sur la table : il avait l'air de dire : « Maintenant vous allez savoir de quoi il retourne... » Le journal était placé entre nous deux — comme une ligne de démarcation, et je savais que, si je le prenais pour le lire, je me trouverais à tout jamais dans le « camp » de Hoskins.

— Salut, fis-je, les yeux encore bouffis de sommeil.

Il sourit d'un air affable :

— Vous êtes un type célèbre. Mais on ne connaît pas encore votre nom.

Là-dessus j'ouvris le journal, tout en le laissant sur la table, et me penchai pour le lire.

Le récit d'un audacieux hold-up, effectué trois jours plus tôt, occupait à peu près toute la première page : à Londres, en plein jour, on avait attaqué un fourgon postal. Ce n'était pas beau à lire. Le fourgon avait été coincé dans une rue latérale, alors qu'il se rendait à la Banque d'Angleterre, par une voiture pleine d'hommes masqués et armés. Le contenu — des lingots d'or— avait été immédiatement transféré dans une autre voiture qui stationnait non loin de là. Les voleurs étaient parvenus à s'enfuir, non sans avoir toutefois livré une lutte meurtrière. Deux hommes avaient été tués de sang-froid : un planton de la banque et le chauffeur de la camionnette, qui avaient bravement essayé de tenir tête aux assaillants.

La voiture, en filant à plus de 100 km à l'heure, avait renversé, devant Edgware Road Station, une petite fille de cinq ans, qui avait été grièvement blessée et qu'on n'espérait pas pouvoir sauver. On avait perdu la trace des malfaiteurs au sud de Londres. Sans doute les lingots d'or avaient-ils déjà atteint le continent.

Et le journal de conclure :

« C'est le plus gros coup de ce genre qui ait eu lieu depuis bien des années. Selon les milieux bancaires, les lingots d'or devaient être déposés à l'aérodrome de Heathport, puis acheminés vers les Etats-Unis. La perte est évaluée à 400 000 livres sterling. Les lingots se trouvaient dans des emballages en bois — huit en tout — portant comme à l'ordinaire l'écusson royal. »

Nous restâmes tranquilles assez longtemps après cette histoire. A la suite du vol des lingots d'or, on déclencha une battue spectaculaire; ce n'était donc pas le moment d'attirer l'attention. En outre, nous pouvions certainement nous payer le luxe de prendre un peu de repos... Hoskins m'apprit que ce petit voyage en France nous avait été payé 4 000 livres, soit un pour cent seulement de la valeur totale du butin, mais néanmoins une très grosse somme. Cela venait s'ajouter à ce que nous avions déjà en banque, et je n'hésitai donc pas à laisser entendre une fois de plus à Hoskins que nous ferions bien de nous arrêter et de nous sortir de là.

— Cela ne peut pas durer éternellement, dis-je. Nous avons toujours eu une sacrée chance, et nous avons touché pas mal. Je voudrais m'en tenir là.

— Vous ne pouvez pas... me répondit-il.

Ce n'était pas la première fois qu'il me répondait ainsi. Nous étions installés au Berkeley, dans Picadilly, en train de dépenser fort élégamment une partie de nos gains.

— D'abord, je ne vois pas pourquoi, poursuivit-il.

Nous avons un filon sensationnel. Pourquoi n'en pas faire notre carrière?

— Parce que nous finirons fatalement pas être pincés.

— Pourquoi? Si nous nous contentons désormais de faire un seul gros coup par mois — et cela devrait être facile avec tous les contacts que j'ai maintenant — nous pourrions continuer de gagner tout ce que nous voulons. Avec un boulot par mois, soigneusement préparé, nous ne risquons guère d'avoir des ennuis.

— On finira bien par nous repérer. D'ailleurs je me demande comment ce n'est pas déjà fait. Tous ces voyages, c'est impossible qu'ils n'attirent pas l'attention.

— Ne croyez pas ça, me répondit Hoskins.

Il vida son verre d'un trait, et fit signe au garçon de lui en servir un second.

— Ils ne sont pas assez malins. Tant que nous aurons l'air de paisibles yachtmens qui ne peuvent résister à l'appel du large, nous pouvons y aller les doigts dans le nez.

L'appel du large... La façon dont Hoskins dit cela me répugna tout particulièrement. Oui, moi-même je le ressentais, cet appel du large, et depuis toujours; mais l'air suffisant avec lequel Hoskins venait de laisser tomber ces mots me semblait ternir de façon intolérable toute une période de ma vie.

— Je ne veux pas continuer éternellement, dis-je d'un ton coupant. Faites comme vous voulez. Moi, je ne vais pas tarder à m'en aller.

— Ce ne serait pas raisonnable de votre part, dit Hoskins après avoir marqué un temps d'arrêt.

Assis l'un en face de l'autre, nous nous regardions avec une antipathie si évidente qu'il paraissait absurde que nous puissions faire quoi que ce soit en commun, et je me demandai si c'était avec la même répugnance que les autres criminels se découvraient liés entre eux... Je savais bien, au fond de moi-même, qu'il disait vrai, que c'était lui qui tenait la cravache et, qu'ayant fait de moi son complice, jamais il ne me lâcherait. Si j'abandonnais, maintenant ou plus tard, il trouverait moyen de lancer la police à mes trousses. Je ne savais pas comment il s'y prendrait sans se compromettre lui-même, mais j'étais sûr qu'il le ferait. Telle était la situation dans laquelle je me trouvais, et tel était l'homme à qui j'avais affaire.

J'articulai faiblement :

— Nous verrons.

Je savais que le salut ne pouvait venir que de l'extérieur, et non de mes propres efforts, ni du bon vouloir de Hoskins. Il n'en était pas question. Je ne pouvais me tirer de là que par un accident, un coup de chance — ou que sais-je.

Depuis quelques semaines une série de crimes révoltants, qui devaient bientôt défrayer la chronique sous le titre « les crimes de Raines », avaient l'honneur des manchettes dans toute la presse britannique et une bonne partie de la presse étrangère. Du point de vue journalistique, cette affaire était parfaite : sang, sadisme, épouvante, rien n'y manquait. Enfin c'était, sur le plan officiel, un scandale retentissant, car Raines avait été enfermé dans un asile de fous quelques années auparavant, puis remis en liberté après avoir été déclaré sain d'esprit par un comité de médecins assermentés.

Or, qu'il fût sain d'esprit ou non (il est toujours amusant de confondre les experts), il n'en était pas moins vrai que récemment, en l'espace d'une dizaine de jours, Raines avait attaqué sauvagement, puis étranglé, quatre enfants, dont le plus âgé avait à peine huit ans. Puis il s'était volatilisé.

Bien entendu, il se trouva quantité de gens pour prétendre l'avoir reconnu ici ou là, après avoir vu sa photo dans les journeaux — la photo d'un petit homme chauve, au visage ovoïde, qui faisait tout à fait penser à un évêque de théâtre. Les journaux se plaisaient à répéter qu'il avait l'air d'un « monsieur très bien », et que ses mains étaient parfaitement soignées. La mère d'une des petites victimes déclara qu'il paraissait « la bonté même ».

La bonté même — sans doute distribuait-il fort généreusement des cornets de bonbons, et proposait gentiment que l'on vienne faire un beau petit tour dans sa voiture — mais de là à dire « un monsieur très bien », c'était quand même un peu raide.

Raines avait à son actif le meurtre de quatre enfants, tous assassinés de la même façon, défiant toute description. Pendant un mois, on organisa une chasse à l'homme dans tout le pays; on recueillit une foule d'indices, de témoignages; on crut même l'arrêter à plusieurs reprises; l'opinion publique tout entière s'en émut, puis... plus rien.

La nuit commençait de tomber : cependant je reconnus Raines dès qu'il eut posé le pied sur le pont.

C'est Hoskins qui l'amena naturellement, et le fit monter à bord avec toutes sortes d'égards, comme s'il se fût agi d'un hôte de marque. Debout sur la passerelle, j'eus le loisir d'observer la nuque de Raines pendant que celui-ci descendait avec précaution l'échelle menant au carré. Je me dis : cette fois-ci, la coupe est pleine. Puis j'allai les rejoindre en bas pour être « présenté ». Je me souviens que la poignée de main que nous échangeâmes par-dessus la table, dans la cabine mal éclairée, me parut particulièrement avilissante. Cette main potelée, douce, un peu moite, serra la mienne avec effusion, comme s'il ne doutait pas un seul instant qu'il suffît de ce léger contact pour faire de moi son ami. Je songeai à ce qu'avait tenu cette main quelques semaines plus tôt, et je sentis ma gorge se serrer, ma langue devenir sèche. J'arrachai ma main à son étreinte. Les mots employés par le médecin légiste me revinrent à l'esprit : strangulation manuelle. Désormais, ce n'était plus là seulement des mots pour moi.

Raines ne prononça pas une parole. A la vérité, je crois n'avoir jamais entendu le son de sa voix. Après s'être à moitié soulevé pour me saluer, il retomba assis dans un coin du « carré ». Il avait l'air d'un damné, d'un homme plongé dans une sorte d'enfer, qui, après avoir un instant connu le triomphe de la possession, serait de nouveau retombé dans un abîme de terreur indescriptible. Ah ! tu fiches le camp, pensais-je, avec cela sur la conscience, et c'est nous qui te venons en aide parce que tu nous as achetés. Sans doute sommes-nous les derniers et les meilleurs amis que tu auras jamais sur cette terre.

Je jetai un dernier regard sur ce crâne lisse et chauve, sur ce visage affaissé, en forme d'œuf, et je remontai en courant — au grand air.

Hoskins vint me rejoindre sur la passerelle.

— Comment pouvez-vous...? m'écriai-je, au comble de l'écœurement. Vous devez être fou !

— C'est un boulot. Une cargaison comme une autre.

Il dit cela d'un ton négligent, mais je devinai qu'il n'était pas si à son aise que cela. Il se rendait compte que c'était là le dernier degré de l'abjection, même pour lui, et que la seule façon de le supporter était par conséquent de ne pas s'appesantir sur ses conséquences.

— Ce n'est pas une cargaison comme une autre ! Cet homme est recherché pour viol et meurtre, car c'est de cela qu'il s'est rendu coupable — quatre fois, avec des gosses de sept et huit ans — il y a quelques semaines encore ! (ma voix s'étranglait). Jamais nous n'avons rien fait d'aussi abominable !

— Ecoutez, me dit Hoskins en baissant la voix et se rapprochant de moi. Nous savons, vous et moi, qu'il n'a pas une seule chance de s'en sortir. La police française va certainement le pincer dès qu'il débarquera. En attendant (il fit un petit geste bizarre de sa main droite, comme s'il feuilletait une liasse de billets) nous palpons.

— Peu m'importe ce qu'il paie...

— Raines était très riche, interrompit Hoskins.

Nous parlions maintenant tout bas, pour ne pas être

entendus de cet individu répugnant, assis dans le carré, juste au bas de l'échelle.

— Ecoutez, poursuivit Hoskins. Cet homme avait mis de côté 25 000 livres sterling. Vingt-cinq mille... Maintenant, elles seront à nous — moins cinq mille.

Il m'observait attentivement; ses yeux luisaient dans l'ombre. Sans doute essayait-il aussi de se convaincre lui-même. Je compris soudain que rien de ce qu'il me disait n'avait d'importance pour moi, car ce ne pouvait en avoir. J'étais toujours malade de dégoût mais, au fond de moi-même, je savais que nous ferions ce voyage comme prévu. Ce n'était pas une question d'argent, mais je me trouvais pris dans un engrenage infernal; nous nous occupions de transport maritime, et Raines était une cargaison comme une autre : nous allions le transporter comme nous avions transporté des boissons alcooliques, ou de la drogue, des cadavres, de l'or volé, des immigrants sans passeports. Je compris, toujours dans mon écœurement, que je m'insurgeais pour la forme, et que je resterais là-dedans, avec Hoskins à mes côtés, jusqu'à ce que la mer, ou la justice, mette la main sur nous et nous traite selon nos œuvres.

Lorsque je lui avais dit : « Nous n'avons jamais rien fait d'aussi abominable », je savais déjà que nous le ferions.

Obéissant à une impulsion, je fis quelques pas en avant, et allai de nouveau jeter un coup d'œil à l'intérieur de la cabine, depuis le haut de l'échelle. Raines était toujours assis où nous l'avions laissé, replié sur lui-même, les mains pendant entre les cuisses. Il entendit remuer et leva les yeux dans ma direction. Nos regards se croisèrent, mais le sien n'avait aucune expression. J'eus l'impression d'avoir regardé une limace. Oui, je suis Raines, semblait-il seulement dire. Il se peut que vous ne m'aimiez pas. Personne ne m'aime. Mais vous acceptez mon argent — vingt mille livres — pour me sortir de là. Quand partons-nous?

Je reculai et me dirigeai vers la timonerie. Pauvre

vieux MGB-1087... Avant de mettre les moteurs en marche, je dis tout haut :

— Je crois que jamais le bateau ne pourra supporter cela.

Le vent commença de souffler dès que nous ne fûmes plus à l'abri de Lymington River — un vent du sud-est qui donnait par rafales et promettait de nous en faire voir de dures.

Nous avions un long trajet en perspective. Il nous fallait traverser le Solent, à l'ouest de l'île de Wight, pour gagner ensuite la côte française près de la pointe de Cherbourg, puis continuer vers le sud jusqu'à Saint-Malo. C'était là que Raines voulait être déposé, me dit Hoskins, car dans une région rurale il avait plus de chances d'échapper à la police que n'importe où au nord de Paris. Va donc pour Saint-Malo mais, avant d'y arriver, il fallait parcourir une centaine de milles en pleine mer dans la partie la plus exposée de la Manche, par vent debout et sur une mer houleuse qui était déjà striée et tachée d'écume blanche.

Il n'y a pas d'endroit, sur toutes les côtes de Grande-Bretagne, où le temps puisse se gâter aussi vite.

Nous levâmes l'ancre vers dix heures du soir; à l'aube nous avions déjà traversé le Solent et contournions les Needles, la pointe ouest de l'île de Wight. Ce fut alors qu'il fallut commencer de lutter contre le vent et la fureur de la mer. MGB-1087 se mit à peiner : les vagues le secouaient sans pitié, le forçant à s'écarter sensiblement de sa route. Parfois son étrave disparaissait au creux de la vague; parfois il se trouvait soulevé sur la crête d'une lame, et son hélice, vibrant et tournant follement dans le vide, le secouait tout entier. Nous n'avions pour seul horizon qu'un ciel bas et une mer déchiquetée.

Après avoir lutté trois heures durant contre les éléments déchaînés, je commençai à m'inquiéter. Raines était toujours en bas — « malade comme un chien », me dit Hoskins avec une joie méchante. Hoskins était près de moi sur la passerelle, s'occupant des machines et me remplaçant de temps à autre à la barre.

Nous étions tous deux éreintés et trempés jusqu'aux os, alors que nous venions à peine de quitter les côtes anglaises, et nous savions qu'il nous faudrait encore lutter ainsi pendant des heures, par un temps de plus en plus épouvantable.

— Nous n'y arriverons jamais ! (J'avais dû crier pour me faire entendre, en me penchant vers Hoskins, à l'abri de la rambarde.) Nous ne faisons pas plus de deux ou trois nœuds, et la mer devient de plus en plus grosse. Si les machines ont un pépin, nous sommes dans le bain !

Hoskins jeta un coup d'œil sur ce bouillonnement d'écume et d'eau noire qui nous entourait, nous menaçait :

— Dans le bain, c'est le cas de le dire ! hurla-t-il, et il eut un sourire.

En un instant, je l'aimai presque, croyant avoir retrouvé le vieil Hoskins de jadis, toujours en forme dans les moments critiques, quand tout allait de travers.

Oui, nous étions bien dans une situation critique. Chaque vague soumettait MGB-1087 à une dure épreuve, et il peinait, comme à bout de forces. Tout ce qui se trouvait sur le pont était submergé et nous avions dû descendre ce que nous pouvions dans la cabine et la chambre des machines.

Le vent hurlait maintenant; sous le ciel livide, les vagues semblaient vouloir monter à l'assaut du bateau, le devançant, se jetant contre lui avec une fureur diabolique. Nous savions que, même si nous rebroussions chemin maintenant, nous aurions une peine de tous les diables à regagner la côte; d'autre part, si nous essayions de continuer, il viendrait un moment où notre étrave se trouverait enfouie, pour la millième fois, sous des tonnes d'eau, et n'en ressortirait plus.

Notre bateau avait beau être solide, il n'était pas fait

pour ce genre d'aventure. Nous le savions. Et il le savait aussi.

MGB-1087 prit lui-même la décision que nous n'avions pas su prendre : vers midi, les machines faiblirent imperceptiblement.

Ce doit être l'eau de mer, me dis-je; ou bien les dommages subis lorsque l'hélice tournait à vide; ou bien le niveau d'huile qui n'est plus constant; ou bien encore le poids terrible de toute cette eau qui se jette continuellement sur nous. Ou bien ne serait-ce pas tout simplement que notre bateau a honte de nous... Quoi qu'il en fût, le moteur avait des ratés et tournait de moins en moins vite.

Hoskins et moi échangeâmes un regard; par ce temps horrible, l'idée que nous perdions inexorablement de la vitesse nous remplit d'effroi.

— Il faut faire demi-tour! hurlai-je. Peut-être cela ira-t-il mieux quand nous n'aurons plus le vent contre nous.

Le vent m'arrachait littéralement les mots de la bouche, et de nouveau je dus me pencher à l'abri de la rambarde pour me faire entendre.

Hoskins avait l'œil fixe, le visage tendu. Je vis bien que lui aussi commençait à avoir peur. Nous nous trouvions à 20 milles au sud des Needles, c'est à dire à 20 milles d'un abri quelconque; et pour y arriver, il nous faudrait faire faire demi-tour à MGB-1087, avec mer de travers par ce temps infâme, alors que nos machines commençaient de flancher. Ensuite il faudrait rentrer tant bien que mal, la tempête faisant rage derrière nous. Et même si nous arrivions à tourner sans avatars, nous prenions là un risque terrible, en gouvernant ainsi l'arrière à la lame, et une vague sur deux venant inonder le poste de pilotage.

Mais il fallait tourner, et immédiatement, sinon il serait trop tard et nous n'aurions plus qu'à poursuivre notre route, jusqu'au moment où nous coulerions.

Que MGB-1087 fût capable ou non de continuer, il

se trouvait maintenant acculé à la défaite, et nous étions
— il fallait bien le reconnaître — en son pouvoir.

Ce fut terrible. Cramponné à la barre, pendant près
d'une heure, j'essayai de faire demi-tour sans jamais y
parvenir tout à fait. Le bateau virait parfois de 90 degrés,
puis s'immobilisait en travers de la lame, présentant
le flanc aux assauts répétés de la mer, son hélice battant
dans le vide. Il se plaçait ainsi lorsque je mettais barre
toute, mais les machines tournaient mollement, et jamais
il n'avait la force d'effectuer un demi-tour complet pour
se mettre le dos au vent. Il lui arrivait aussi de renoncer
tout à fait, de se replacer face à la tempête comme pour
essayer une fois, désespérément, de poursuivre sa route.

Tout le temps il souffrait le martyre — pilonné, secoué,
embarquant d'énormes cataractes d'eau noire, tandis
que, en bas, les pièces de rechange, la vaisselle, les
fûts d'essence, glissaient et s'entrechoquaient dans un
effroyable tintamarre.

Et puis subitement la manœuvre réussit — à la faveur
sans doute d'une brève accalmie, ou bien les machines
ayant fait quelques tours de plus. Le bateau pivota sur
lui-même et, après un cruel moment d'hésitation, tourna le dos à la mer déchaînée. C'est alors que commença
la partie la plus atroce du voyage.

J'avais l'impression que notre bateau ne survivrait
pas. Je m'en rendais compte en le touchant, à la façon
dont la barre réagissait mollement entre mes mains, au
son des machines défaillantes : tout cela me disait que
MGB-1087 n'arriverait pas au port. Nous progressions
de plus en plus lentement; bien loin devant nous, je
distinguais vaguement la ligne de côte, mais c'était
comme une promesse irréalisable, jamais plus proche,
jamais plus distincte.

De plus en plus souvent, d'énormes paquets de mer
venaient s'écraser contre l'arrière du bateau, l'englou-
tissant, inondant le pont supérieur avec un grondement
de tonnerre. Hoskins et moi nous cramponnions, impuissants, à la rambarde; je ne sentais plus mes mains,

crispées sur la barre, et j'étais glacé jusqu'aux os. Les machines ralentirent encore leur rythme, tandis que le bateau était envahi, submergé. Déjà il semblait s'être ratatiné devant cet adversaire triomphant, s'être couché dans la défaite.

Il n'opposait plus aucune résistance, comme si cette fois il en avait assez de nous, de tout ce que nous lui avions fait subir. Il renonçait à lutter.

Soudain, au milieu de ce grondement infernal, de ce tintamarre, un autre bruit confus nous parvint de l'intérieur du bateau : le panneau, au-dessus de l'échelle de la cabine, s'ouvrit brusquement. Raines apparut. Il était effrayant à voir : verdâtre, décomposé de terreur. Son visage avait cette étrange pâleur lumineuse que l'on voit habituellement aux morts. Il me rappela les enfants qu'il avait tués... En titubant, il se dirigea vers nous, jetant des regards terrifiés tout autour de lui et montrant du doigt la mer en furie, comme s'il pouvait à peine en croire ses yeux.

Les machines eurent un dernier crachement, et s'arrêtèrent définitivement.

Désormais impuissants, exposés à tous les coups, nous commençâmes à enfoncer dans un bouillonnement d'écume. MGB-1087 n'était plus qu'une épave pleine d'eau, dérivant, inutile, au gré du vent, tandis que la tempête hurlait dans son gréement et que la mer, inlassablement, se lançait à l'assaut de la coque. Hoskins toucha l'épaule de Raines et lui montra du doigt la côte, qui apparaissait vaguement au loin à travers un jaillissement d'écume.

Je ne pense pas que Hoskins ait mis dans ce geste une intention particulière, mais toujours est-il que Raines vit là une directive. Il inclina la tête, donna l'impression de se raidir puis, au moment où un nouveau paquet de mer vint s'écraser sur le pont, nous inondant tous, il sauta...

C'était peut-être ce qu'il avait de mieux à faire, mais il n'était pas taillé pour être un bon nageur; il n'avait pas la vigueur nécessaire. Il se noya sous nos yeux. Une tête chauve s'enfonçant peu à peu, entre des bras qui s'agitaient désespérément : jamais je n'avais vu spectacle pareil. A un certain moment, cette tête, dansant au-dessus de l'eau, ressembla étrangement à quelque œuf irréel en train de mijoter... Même alors, je sentis que ma haine pour lui n'était pas apaisée.

Je haïssais Hoskins aussi, je haïssais l'homme qui nous avait réduits à cela, qui m'avait ainsi traité, ainsi traité notre bateau. MGB-1087 commençait à s'enfoncer — il était plein d'eau, incapable de flotter; de tout leur poids énorme, sa quille, ses machines le tiraient vers le bas. Nous étions tous morts ou mourants : Raines, Hoskins et moi-même. Nous mourions en proie à la haine, à la honte, à la colère, au milieu de la mer déchaînée.

Je sentis la main de Hoskins se crisper sur mon épaule. Je tournai la tête : son visage m'apparut, énorme, tout près du mien... ce visage que je haïssais était maintenant décomposé de froid et de peur. Le moment du châtiment était venu pour lui — pour nous deux. Le bateau tremblait sous nos pieds et s'enfonçait toujours.

Hoskins me cria :

— Je ne sais pas nager !

J'eus envie de rire, mais je tenais surtout à conserver mon souffle. Je dis :

— Moi, ça va.

Bientôt, tandis que le bateau sombrait, je nageai vers le rivage. Jamais je ne revis Hoskins.

Eh bien, voilà mon histoire. Vous devez comprendre maintenant pourquoi je disais, au début, que bien des choses là-dedans ne me paraissaient pas claires. J'ai eu largement le temps d'y réfléchir — dix ans, comme l'avait prédit Hoskins — les versements effectués à mon compte en banque ayant permis de prouver que j'avais participé au hold-up. Au fond, j'ai eu de la chance, car trois des principaux complices furent pendus.

Pourquoi MGB-1087 s'est-il laissé mourir? Car c'est bien cela qui s'est passé, non pas subitement, mais progressivement. Malgré tout le soin que nous prenions de lui, il était devenu de moins en moins sûr et, à la fin, il a tout simplement renoncé à lutter, un peu comme si cette dernière expédition (la plus épouvantable que nous lui ayons jamais demandé d'entreprendre) en avait décidé une fois pour toutes.

Mais c'est certainement pure imagination de ma part. Il n'y avait aucune raison réelle pour qu'il renonçât de la sorte, même lors de ce dernier voyage. Le temps était affreux, mais nous avions déjà eu un temps affreux bien des fois, notamment pendant la guerre, et il s'en était toujours tiré. On avait même l'impression que cela lui convenait admirablement.

Bien sûr, pendant la guerre, nous faisions face aux intempéries pour des raisons bien différentes. Il y avait dans cette lutte d'alors un enjeu dont notre bateau pouvait être justement fier, et il en fut ainsi pendant bien des années.

Ce fut peut-être moi le responsable, et non pas le bateau. Je m'y prenais peut-être mal, ou bien je me montrais distrait. Peut-être avais-je tout bonnement perdu la main... ou bien avais-je honte de toutes ces abominations dont nous nous étions rendus coupables, et cette honte se reflétait-elle dans ce que je faisais — ou dans ce que je ne faisais pas.

Il est possible que ce soit de ma faute si nous avons fait naufrage. Je ne le pense pas cependant. Je crois bien avoir toujours fait de mon mieux.

« AH! ÊTRE EN ANGLETERRE! »

Tandis que la masse énorme et majestueuse du *Queen Anne* (orgueil de la flotte transatlantique) s'écartait lentement du Quai 90, à New York, pour se diriger vers la statue de la Liberté et gagner la haute mer, je consultai la liste des passagers, dans le grand hall du navire. Je suis toujours curieux, chaque fois que j'entreprends une traversée — et j'en étais peut-être à la trentième — de savoir qui sont mes compagnons de voyage. Même sur un bâtiment aussi vaste que le *Queen Mary*, tout l'agrément d'une traversée dépend de ceux avec qui vous la faites.

Je parcourus rapidement la liste des yeux : une actrice de cinéma qui avait remporté d'emblée un succès retentissant; une autre actrice dont le dernier film avait lamentablement échoué en plein Broadway (ce serait intéressant de les voir échanger des propos mielleux); un ambassadeur qui rentrait; un romancier célèbre qui prenait du Martini à son petit déjeuner et passait son temps à invectiver quiconque pouvait l'entendre (il était la terreur des gens accueillants); un financier qui aurait bien dû être en prison, et un gangster britannique que l'on rapatriait pour l'y envoyer.

En somme, cette liste des passagers du *Queen Anne* n'avait rien d'extraordinaire. J'y connaissais une demi-douzaine de personnes. La traversée promettait d'être sans histoire, agréable, luxueuse comme toujours.

Ce fut alors que je sentis une main s'abattre lourdement sur mon épaule, tandis qu'une voix masculine m'interpellait :

— Si c'est moi que tu cherches, je ne figure pas sur la liste !

Je me retournai, stupéfait, et reconnut Sébastien Sibling.

Inutile de vous dire qui est Sébastien Sibling : en ce moment même, on joue au moins une demi-douzaine de ses films (anciens et nouveaux) dans le monde entier. J'avais fait sa connaissance avant guerre, alors qu'il tenait des bouts de rôles dans des films secondaires. Mais, depuis, il avait accédé à des sphères supérieures.

A présent, il était inévitablement la vedette aux gros cachets de ces films ultra-patriotiques, dont le héros domine à lui seul toutes les situations. C'est ainsi qu'on avait pu voir Sébastien Sibling purger l'Atlantique de tous les sous-marins ennemis, repousser les Allemands lors de la bataille des Ardennes, conquérir la Birmanie, soumettre la Corée du Nord, résoudre tous les problèmes du Kénya. C'était lui enfin qui avait eu raison du réseau d'espionnage soviétique à Berlin-ouest. Dans les instants les plus tragiques, on savait que, dès que Sébastien accourait sur les lieux, tout s'arrangeait à notre avantage.

Nous nous serrâmes la main. Il était insolemment beau, fringant, sûr de soi. Deux femmes qui passaient, et étaient pourtant assez âgées pour avoir une certaine expérience, le regardèrent avec adoration. Il leur lança un rapide coup d'œil, puis s'inclina cérémonieusement. J'avais l'impression de n'être qu'un paysan en présence d'un membre de la famille royale.

— Sébastien! m'écriai-je. Comme je suis heureux de te voir! Mais tu ne figures pas sur la liste des passagers. Voyagerais-tu incognito?

J'avais dit cela en plaisantant, mais il me répondit le plus sérieusement du monde :

— Non, non... pas cette fois. Seulement je me suis décidé à venir au dernier moment. C'est tout. Nous allons tourner un film en France.

— Un film sur quoi?

— Dunkerque.

Je poussai malgré moi un soupir de soulagement. L'évacuation — j'en étais sûr — serait en bonnes mains. A la vérité, il ne serait peut-être même pas nécessaire d'évacuer...

Sachant que le *Queen Anne* devait déposer la plupart de ses passagers à Southampton, je demandai à Sibling :

— Tu vas passer quelque temps en Angleterre?

Il prit un air farouche et eut un sursaut qui, chez un homme moins formidable, aurait pu passer pour un frisson.

— Grand Dieu non! répondit-il. Je n'ai pas mis les pieds en Angleterre depuis plus d'un an. Cela me coûterait bien trop cher.

— Allons donc! Plus cher que New York?

— Et l'impôt sur le revenu, vieux? On veut ma peau en Angleterre, c'est moi qui te le dis! Si je débarquais à Southampton, j'en aurais probablement pour 75 000 livres sterling!

— Mais pourquoi une telle somme?

— Oh!... des arriérés d'impôts... expliqua-t-il négligemment. Je serais de nouveau considéré comme résidant en Grande-Bretagne. J'ai toujours une maison à Londres, tu sais...

Il s'interrompit, juste le temps de décocher un séduisant sourire à un trio de jeunes filles qui se sauvèrent, littéralement subjuguées.

— Je réside aux Etats-Unis, reprit-il. A cause des

65

impôts. Et j'ai bien l'intention de continuer comme ça. Vraiment, l'Angleterre est un pays impossible!

Je me dis en moi-même que c'étaient là des propos étranges et assez déplaisants, dans la bouche d'un individu qui avait gagné un argent fou en jouant au cinéma des rôles d'Anglais héroïques, courageux jusqu'à la mort, aveuglement dévoués à leur pays. En somme, en dépit de ses airs fanfarons, Sébastien avait quand même peur de certaines choses...

Je me tins coi cependant, pensant que, lorsqu'on a atteint les sommets (ce qui était certainement son cas) la perspective n'est sans doute plus la même. Nous décidâmes de nous retrouver au bar un peu plus tard, et je le laissai à ses admirateurs.

J'eus souvent l'occasion de le revoir au cours des quatre jours qui suivirent. Le *Queen Anne* est presque aussi vaste qu'un groupe d'immeubles de taille moyenne; cependant les gens ont tendance à s'agglomérer toujours aux mêmes endroits... au Bar anglais, au Grill, richement décoré, perché à l'arrière du navire, ou dans les fauteuils-club du fumoir lambrissé de chêne. C'était en ces lieux que trônait continuellement Sébastien, et je pus l'écouter et l'observer tout à loisir. Ce ne fut pas là un spectacle agréable.

Ses démêlés avec le fisc, et les moyens détournés devant lui permettre de s'en sortir, semblaient exercer sur lui un attrait quasi morbide : pendant des heures d'affilée il nous exposait ses vues à ce sujet. Par exemple, ce n'est pas une fois, mais vingt fois, qu'il nous dit : « Si je débarquais en Angleterre, cela me coûterait 75 000 livres. » Bien que, « juridiquement », il fût toujours sujet britannique, il nous affirmait que l'Angleterre était absolument fichue, que le système fiscal y était pure escroquerie. Tout homme qui se respectait ne pouvait plus décemment y vivre. On y dépouillait les riches, pour distribuer leurs biens à Dieu sait qui. Il était,

66

grâce au ciel, à l'abri de tout cela, maintenant qu'il vivait aux Etats-Unis, et il nous conseillait à tous d'en faire autant.

Or il se trouvait à bord un journaliste anglais, d'humeur peu conciliante, qui s'offusqua de cet odieux monologue, et ne se gêna pas pour le dire. Il essaya d'aiguiller la conversation sur tous les films patriotiques de Sébastien Sibling, dans lesquels celui-ci avait tenu des rôles à la gloire de l'Angleterre. Il voulait ainsi faire ressortir qu'il était incroyable que l'acteur cherchât à se dérober, lorsqu'il s'agissait de payer ses impôts en compensation du privilège d'être sujet britannique. Mais ce fut en pure perte : rien ne pouvait entamer l'assurance de Sébastien.

— Vous rappelez-vous ce film que vous avez tourné sur la Bataille d'Angleterre? lui demanda le journaliste à un moment donné. « Menace dans le Ciel »... C'était bien cela, n'est-ce pas?

— Vous parlez si je me le rapelle! répondit sans s'émouvoir Sébastien Sibling. Il a fait trois millions de dollars, et j'avais un pourcentage!

— Je me souviens qu'à la fin, debout sur les falaises de Douvres, vous récitiez ces fameux vers de Shakespeare...

Sibling se mit incontinent à déclamer de sa grande voix sonore :

« ... Cette Ile impériale!
Cet autre Eden, ce demi-Paradis!
Cette race d'élite, ce petit monde!
Cette pierre enchâssée dans une mer d'argent!
Ce sol béni, cette terre, ce royaume, cette Angle-
[terre! » (I).

Plusieurs personnes, profondément émues, se détour-

---

(1) Richard II. Acte II, scène 1.

nèrent pour sécher furtivement une larme. Mais le journaliste ne broncha pas.

— Alors, demanda-t-il enfin brusquement, vous ne croyez plus à tout cela?

— Bien sûr que si, fit Sébastien Sibling. Du moins, sur le plan historique.

— Mais pas assez pour vouloir débarquer à Southampton et payer vos impôts?

— Si je dois en avoir pour 75 000 livres, certainement pas, ricana Sibling. Il y a des limites à tout, vous savez... On ne m'y prendra pas à faire une bêtise pareille!

Nous mouillâmes devant Southampton, afin d'assurer le transfert de nos passagers dans le bateau qui les attendait (le journaliste, une lueur inquiétante dans les yeux, était du nombre). Puis nous repartîmes en direction de Cherbourg. Le vent soufflait en rafales, et la visibilité était mauvaise. Le *Queen Anne* s'éloigna très, très lentement — et cependant le frémissement qui le parcourut lorsqu'il s'échoua en grinçant sur Calshot Spit fut ressenti par nous tous.

Il n'y eut pas de panique. Les remorqueurs, arrivés aussitôt, nous tirèrent de là sans trop de peine. De nouveau il fallut jeter l'ancre et, pendant que les hommes-grenouilles plongeaient pour se rendre compte de l'importance des dégâts, les passagers se pressèrent autour du bastingage ou allèrent se consoler en buvant du whisky, du Martini, du cognac ou du gin, tout en parlant bien haut des périls de la mer. Ici Sébastien Sibling se fit remarquer tout particulièrement. Ce qui venait de se passer, déclara-t-il, lui rappelait ce film merveilleux dans lequel il jouait le rôle de Francis Drake (le vainqueur) et épargnait à l'Angleterre une épouvantable catastrophe maritime.

Il y eut un moment de surprise au Bar lorsqu'un officier du *Queen Anne* fit son entrée, monta sur l'estrade et réclama le silence d'un geste de la main.

— Mesdames et Messieurs, voici les dernières nouvelles, annonça l'officier. Nous n'avons subi que des avaries légères — juste quelques rivets, en somme. Cependant, il va nous falloir retourner à Southampton. Bien entendu, la Compagnie assurera le transport par avion des passagers devant se rendre à Cherbourg.

Je m'aperçus que Sébastien Sibling écoutait avec une attention surprenante et, bien que la soirée fût fraîche, il semblait avoir étonnamment chaud.

Il se dressa dès que l'officier eut fini de parler, et demanda d'un ton inquiet :

— Le bateau n'ira donc pas à Cherbourg?

— Un peu plus tard, répondit l'officier. Nous devons d'abord le mettre en cale sèche, pour voir un peu tout ça.

— En cale sèche? bafouilla Sébastien Sibling, qui avait enfin perdu sa superbe.

— Oui, fit l'officier d'un ton rassurant. C'est la « George V », la seconde cale sèche du monde. Par bonheur, elle peut juste nous recevoir.

Ce fut véritablement un instant inoubliable — pour moi, pour bon nombre d'autres passagers, et aussi sans doute pour les deux individus en chapeau melon postés au bord du quai — lorsque le lendemain matin, de bonne heure, le *Queen Anne* (transportant Sébastien Sibling) pénétra de plusieurs centaines de mètres à l'intérieur des terres pour aller installer carrément, délibérément, ses 80 000 tonnes en territoire britannique.

RÉCONCILIATION

JAMAIS JE N'ACCEPTERAI
de divorcer, James, déclara Marjorie Howgill.

James songea tristement que même cette phrase, qui
aurait dû être prononcée avec emportement, d'un ton
convaincu, paraissait d'une platitude insipide. Oui, Marjorie serait capable de rendre l'énumération des Sept
Péchés capitaux aussi fastidieuse qu'un catalogue de
jardinage.

Ils étaient assis l'un en face de l'autre, dans leur maison londonienne — une maison confortable, un peu guindée, très bourgeoise. La radio jouait un air de danse
quelconque, une sorte de valse; le chat ronronnait devant l'âtre; il tombait une petite pluie fine sur les
trottoirs bien entretenus d'un square — également bien
entretenu — de Chelsea. Et c'est comme cela depuis
dix ans au moins, se dit-il : leur « mariage idéal »
s'était mué précocement en l'union la plus terriblement
banale.

Il venait précisément d'annoncer son intention d'en
finir, et cela sans aucune raison particulière (il n'y avait

pas d'autre femme, du moins rien de sérieux) mais tout simplement parce que ce genre de vie lui pesait si affreusement qu'il lui fallait à tout prix recouvrer sa liberté.

Il s'était dit que, s'il cessait d'être le mari de Marjorie — de cette Marjorie qui, de jeune et tendre épousée, s'était transformée en quelques mois, et une fois pour toutes, en une femme trop mûre, trop posée — il pourrait encore courir sa chance avec une autre, avant qu'il ne fût trop tard. Il n'avait que 35 ans, que diable, mais s'il ne rompait pas tout de suite...

Elle l'interrompit dans ces réflexions en demandant :

— Me direz-vous toute la vérité, James? Y a-t-il une autre femme?

— Non, je vous l'ai déjà dit, répondit-il en haussant les épaules, excédé.

— Alors pourquoi cette lubie?

Lubie! En voilà un mot pour qualifier ce mécontentement qui bouillonnait en lui...

— Je veux simplement être libre, voilà tout. C'est parfaitement insipide de vivre ainsi. Nous ne sommes plus rien l'un pour l'autre.

— Oh! je ne trouve pas... fit sa femme.

— Eh bien, moi, je trouve! dit-il brusquement, de plus en plus furieux.

Il l'observait, assise là, en face de lui. Comment fichtre, dans un moment pareil, trouvait-elle le moyen d'être aussi détendue... Elle était jolie, bien sûr, mais tellement, tellement fade... Depuis des années, ils n'échangeaient plus un seul mot qui ne fût atrocement banal; quant au côté sentimental...

— Il ne reste rien de notre union, poursuivit-il, et vous le savez fort bien.

— Vous avez tout simplement besoin de prendre un bon congé, conclut-elle tranquillement.

— Je n'ai pas besoin de « bon congé », ni même de congé tout court! jeta-t-il, criant presque.

Il était d'autant plus irrité que Marjorie n'était pas la seule personne qui lui ait dit cela ces derniers temps :

le médecin, qu'il avait consulté pour son asthme, lui avait donné le même conseil; et aussi un des crétins du bureau. Quelle bande de foutus radoteurs!...

— J'ai besoin d'être libre, c'est tout! fit-il en détachant ridiculement ses mots. Et je vais l'être!

— Jamais je n'accepterai le divorce. Je n'y crois pas.

— C'est ce que nous allons voir... Quoi qu'il en soit, je vais vous quitter.

— Me quitter? répéta-t-elle consternée. Mais où irez-vous donc?

Avec une joie perverse, il remarqua que c'était la première fois, aussi loin qu'il pût se rappeler, qu'il la voyait manifester une certaine émotion.

— A l'hôtel. N'importe où!

Il s'était levé maintenant, et donnait bien l'impression d'un homme poussé à bout.

— Je ne peux plus supporter une vie pareille, poursuivit-il. Nous ne faisons que moisir sur place, tous les deux. Je ne veux pas qu'il en soit ainsi jusqu'à mon dernier soupir!

— Mais vous ne pouvez pas partir dans la nature... comme ça!

— Ah! Vous croyez!

— James, dit-elle gravement. C'est sérieux ce que je viens de vous dire. Quoi que vous fassiez, jamais je n'accepterai le divorce. Pour ma part, j'estime que nous sommes toujours mariés. Un point, c'est tout.

— C'est ce que nous verrons... Je m'en vais maintenant.

Mais ce fut Marjorie qui eut le dernier mot — et aucune femme n'aurait pu en imaginer de plus déconcertant :

— Bien. Je vais faire votre valise.

James prit donc un congé : rien de plus indiqué, semblait-il, à la veille d'une rupture. Il alla passer trois semaines dans un petit hôtel, sur les bords d'un lac italien : la nourriture était exquise, le soleil merveilleux, et il put jouir enfin de sa liberté recouvrée. Jamais, depuis dix longues années, il ne s'était senti aussi jeune, aussi heureux... Il noua une brève idylle avec une jeune Française qui sut se montrer en l'occurence si compréhensive, si généreuse aussi, qu'il eût fallu être un goujat ou un imbécile pour y demeurer insensible. Rien de sérieux, naturellement; simplement deux bateaux qui se croisent, sans trop se presser, dans la nuit, mais cela lui parut de bon augure pour l'avenir et il s'en réjouit. La vie n'était pas encore finie pour James Howgill.

De retour à Londres, il s'installa dans une petite garçonnière, non loin de Jermyn Street. Rien de Marjorie. Il ne chercha d'ailleurs pas à la joindre, même indirectement, voulant ainsi lui prouver qu'il était toujours résolu à vivre seul aussi longtemps qu'il lui plairait, et que leur mariage (divorce ou pas divorce) était chose morte.

Cependant, au bout de quelques mois, cette situation commença de lui peser. Les amis paraissaient avoir accueilli la nouvelle de leur rupture avec l'esprit de tolérance qui caractérise cette génération : il était admis désormais, le plus simplement du monde, que les Howgill avaient décidé de se séparer. Lui-même était pourtant loin d'être satisfait. Il n'avait cure de ce genre de liberté. Il continuait d'être marié sans l'être. Si des « occasions » venaient à se présenter, il ne pourrait toujours pas en profiter à son aise. Le merveilleux sentiment de liberté qu'il avait éprouvé en Italie s'était transformé en quelque chose de sordide, d'un peu douteux : il se sentait encore vaguement pris dans les filets conjugaux.

N'y tenant plus, il alla consulter l'étude d'avoués qui s'occupait de ses affaires depuis quinze ans. Ces messieurs n'étaient pas précisément à la page, mais du moins pourraient-ils lui être de bon conseil.

M. Johnstone — l'un des directeurs généraux de Seymour, Johnstone, Cripps et Knatchbull — le reçut avec la déférence due à un agent de change dont les moyens ne sont pas négligeables, et avec toute la discrétion dont sait faire preuve un homme de loi chargé d'administrer les affaires des autres. Bien qu'ayant appris indirectement dans quelle situation se trouvait James Howgill, il avait espéré que l'étude n'aurait pas à s'en occuper. Seymour, Johnstone, Cripps et Knatchbull n'appréciaient pas beaucoup les histoires de divorce. A la vérité, c'était à peine si, du temps de Seymour, on osait prononcer ce mot.

Lorsque James Howgill eut exposé son cas, M. Johnstone s'exclama :

— Mon cher Howgill, vous m'en voyez tout surpris !

En fait, il n'avait pas du tout l'air surpris, et manifestait seulement une attention pleine de dignité; mais cela suffisait.

— Et vous dites qu'il n'y a aucune chance de réconciliation ?

— Pas la moindre, répondit James Howgill d'un ton ferme.

M. Johnstone s'enquit avec délicatesse :

— Peut-être avez-vous — comment dirais-je — des projets personnels ?

— Pas pour le moment, dit James. Bien entendu, il se pourrait que par la suite... A l'heure actuelle, je désire simplement recouvrer ma liberté.

— Ah ! La liberté ! articula M. Johnstone.

Il parut vouloir longuement broder sur ce thème, mais se ressaisit à temps.

— Et vous dites que Mme Howgill ne prendra elle-même aucune initiative, quelles que soient les circonstances ?

— C'est ce qu'elle m'a dit. Et je la crois, en effet.

M. Johnstone pressa les mains l'une contre l'autre, pinça les lèvres, et se donna un instant de réflexion.

— Alors, fit-il enfin, puisque votre décision est irrévocable, c'est à vous qu'il appartient de faire les démarches nécessaires. Voyons un peu les motifs qu'il vous

serait possible d'évoquer : cruauté mentale ou physique?
Howgill secoua négativement la tête :

— Non, ce n'est pas du tout son genre.

— Abandon de domicile?

— Je ne vois pas comment cela pourrait coller.

Cette expression d'argot fit tiquer M. Johnstone.

— Ça ne pourrait pas coller... Ah! oui... oui. Disons donc que l'abandon — si abandon il y a — vous est imputable... Il y aurait aussi... (il parut se raidir, comme quelqu'un qui se voit contraint d'aborder un sujet délicat) l'éventualité d'un autre homme.

De nouveau James secoua négativement la tête :

— Non. Elle n'est pas comme ça non plus.

— En êtes-vous certain?

— Aussi certain qu'on peut l'être.

— Il arrive parfois qu'une femme, n'étant pas habituée à vivre seule... (il eut une petite toux). Il faudra nous renseigner sur ce point.

— Que voulez-vous dire?

M. Johnstone se pencha. Et si jamais un homme aussi pacifique eut l'air d'un conspirateur, ce fut bien M. Johnstone en cet instant précis.

— Nous la ferons surveiller, dit-il enfin.

— Par des détectives? demanda James Howgill, un peu terrifié.

M. Johnstone l'interrompit d'un geste de la main :

— Une agence privée, des plus discrètes. J'ai exactement ce qu'il vous faut. Je vais vous mettre en rapport avec elle.

L'agence privée « des plus discrètes » se matérialisa trois jours plus tard : James Howgill vit arriver un individu répondant au nom, particulièrement discret aussi, de Bates. Bates n'avait pas l'air d'un détective. A la vérité, on ne voyait pas du tout de quoi il pouvait avoir l'air. Il était petit, gris, désespérément ordinaire; il ne portait même pas de chapeau melon. On ne pourrait pas le repérer dans une foule, se dit James Howgill en l'observant avec curiosité; d'ailleurs, c'est tout juste si on le remarquerait dans une pièce vide.

Sans bien s'expliquer pourquoi, James Howgill se sentit un peu rassuré à la vue de cet être anonyme. Il éprouvait un certain sentiment de culpabilité à la pensée de faire surveiller sa femme par des détectives et voilà que cet homme venait en quelque sorte l'innocenter. James ne tenait pas à trop se compromettre; et la personne de Bates, si peu compromettante, semblait lui en donner la plus sûre garantie.

Tous deux convinrent assez rapidement de ce qu'il était nécessaire à Bates de connaître pour commencer son enquête : l'adresse de Marjorie; l'aspect physique de celle-ci (James montra une photo prise l'année précédente); les habitudes qu'on lui connaissait (fort peu); les gens qu'elle fréquentait. Puis Bates plia soigneusement la feuille sur laquelle il avait pris des notes, et se leva en disant :

— Faites-nous confiance, M. Howgill. Si elle vous joue des tours, nous saurons bien le découvrir.

Cette petite phrase ne fut pas du tout du goût de James Howgill :

— Je ne pense vraiment pas... commença-t-il avec une certaine raideur.

Bates enchaîna sans l'écouter :

— C'est humain. On croit avoir tout vu et vlan! vous recevez un coup en pleine figure... Comment couvrons-nous?

— Je vous demande pardon? fit James, interloqué.

— On ne peut demander à personne de travailler 24 heures sur 24, expliqua Bates.

Le fait d'avoir à discuter de tout cela, et (sans doute aussi) de questions d'argent, semblait lui avoir conféré une certaine autorité. Il poursuivit :

— Cela aussi, c'est humain, dans un autre ordre d'idées... A la longue, nous avons mis au point une technique qui donne les meilleurs résultats. Il faut trois hommes. Trois « quarts » par conséquent : de 8 h du matin à 16 h; de 16 h à minuit; de minuit à 8 h

— Comme dans la marine, dit James Howgill.

— C'est ça. Vous voulez les trois?

— Je ne pense pas que cela soit nécessaire...

— Seulement deux sur les trois, alors?

— Mon Dieu... oui.

— Lequel des trois jugez-vous inutile?

James Howgill se sentit mal à l'aise.

— Le quart de nuit, dit-il enfin. Je ne crois pas...

Bates parut surpris :

— La surveillance qui s'exerce entre minuit et 8 heures du matin est cependant la plus fructueuse, dit-il. S'il se passe vraiment quelque chose de louche...

James ressentit soudain un violent désir de mettre fin à cette conversation :

— Pour l'instant, ne nous occupons pas de la surveillance de nuit, dit-il avec fermeté. Les deux autres suffiront largement.

Bates eut un mouvement d'épaules :

— Comme vous voulez.

Au moment de partir, Bates annonça de façon inattendue :

— Vous ne me reverrez pas. Désormais, plus que des rapports écrits. Une fois par jour : ils vous seront remis directement. En cas d'urgence, un de mes collègues vous téléphonera. En cas de toute première urgence, je vous appellerai moi-même.

— Parfait, dit James.

— Les conditions maintenant... fit Bates, de plus en plus sûr de lui. Cinq livres sterling par vacation et par jour. Réglables d'avance.

— Parfait, dit encore James.

— Tous frais en sus.

— Parfait.

— Photographies selon accord.

RECONCILIATION

Les deux premiers jours, alors que James Howgill s'efforçait d'oublier que le petit jeu qu'il jouait là n'était pas très joli, et qu'il n'y avait pas lieu du tout d'en être fier, les rapports de Bates furent d'une terrible banalité, ce qui ne fut d'ailleurs pas pour le surprendre. « Assuré contact visuel avec la Personne et le domicile de celle-ci », lisait-on dans le premier rapport — et dans le second : « La Personne a fait des achats dans Regent Street et Picadilly : rayon des dames exclusivement. » Sans parler même de cette affreuse phraséologie, James Howgill eut l'impression de ne pas en avoir tout à fait pour son argent, sauf peut-être sur le plan de la moralité. Encore quelques rapports aussi dénués d'intérêt, et il était disposé à tout laisser choir sans plus attendre. Mais ne furent anodins que les deux premiers rapports.

Le troisième, plus long, était du genre narratif : « Un homme, non identifié, est passé au domicile de la Personne à 18 h 20. Ont reparu à 19 h. Paraissaient en bons termes. La Personne riait fréquemment. Avons suivi le taxi jusqu'au Savoy, où la Personne et son compagnon ont pris chacun trois Martinis et des sandwiches. Se sont rendus ensuite au théâtre de Haymarket. Quatrième rangée des fauteuils d'orchestre. Ressortis à 23 h 10 pour se rendre en taxi à la Cascade (cabaret ultra-chic de Clarges Street). Avons abandonné surveillance à minuit, conformément aux instructions. La Personne n'avait pas encore reparu. »

James parcourut une seconde fois, très attentivement, ce dernier rapport. Il était étonnamment déprimé. Bien des passages ouvraient des perspectives prometteuses, et pourtant il se sentait surtout déçu. Comme tout cela ressemblait peu à Marjorie... « une compagnie masculine »... « en bons termes »... « trois Martinis »... « un cabaret ultra-chic de Clarges Street ». Cela ne pouvait aboutir qu'à un désastre. Et à minuit elle n'était toujours pas rentrée... Pareille chose ne lui était pas arrivée depuis bien, bien longtemps.

Mais, apparemment, il n'avait plus qu'à en prendre

son parti, car le quatrième rapport lui en donna encore bien plus long à penser. « La Personne sortie de chez elle à midi 10... S'est rendue en taxi au Browns Hotel, où a déjeuné avec compagnon de la veille. Tous deux été ensuite à l'Odéon, à Leicester Square. Dernière rangée des balcons. La main dans la main. Rentrée chez elle à 17 h 45, ressortie à 19 h 30 en robe du soir. En taxi à l'hôtel Barchester : rejoint dans le hall compagnie masculine (autre que la précédente) qu'elle a appelée « mon chéri ». Sont montés au huitième étage, chambre 807, où un souper leur a été servi à 21 h (homard, champagne et divers). Abandonné surveillance à minuit comme convenu.

« Note : Désormais les compagnies masculines seront désignées par des numéros. N° 1 est de taille moyenne, sobrement vêtu, d'allure militaire. N° 2 figure sur les registres de l'hôtel sous le nom de Jack Carpenter, de New York, citoyen américain. »

En lisant cela, James Howgill était en proie à une foule de sentiments si confus qu'il eût été bien en peine d'en définir un seul, lorsque la sonnerie du téléphone retentit. C'était une voix d'homme, basse, autoritaire.

— M. Howgill ?

— Oui.

— J'ai un message à vous transmettre de la part de M. Bates.

— De la part de qui ? demanda James Howgill, tout dérouté par ce ton mystérieux.

— De M. Bates.

— Ah ! parfaitement ! Le...

— C'est ça, se hâta de dire son interlocuteur. Voici : compte tenu des données dont nous disposons actuellement, désirez-vous que l'on étende la surveillance ?

— Ma foi, je n'en sais rien, répondit James Howgill.

Et vraiment il n'en savait rien. Le dernier rapport avait été ahurissant; il en venait de nouveau à regretter d'avoir déclenché tout cela, mais pas du tout pour les mêmes raisons qu'au début. Sa femme... au cinéma, la main dans la main avec un homme... Des soupers fins avec des Américains, tard dans la nuit... Elle devait avoir perdu la raison... Cherchant à gagner du temps, il s'enquit :

— Vous êtes... hum... un des... (comment diable disait-on ?) une des personnes chargées...

— En effet, dit la voix sur un ton extrêmement réservé.

— Lequel ?

— Vous voulez dire, à quel moment de la journée ?

— Oui.

— Je quitte mon service à minuit, fit la voix.

— Et vous pensez vraiment...

— M. Bates estime qu'il nous est impossible de mener cette affaire à bien si notre surveillance ne s'exerce pas 24 heures sur 24.

— Très bien, fit tristement James Howgill après un moment d'hésitation. En ce cas, faites le nécessaire.

— Je puis vous dire que M. Bates est très optimiste, conclut la voix avant de raccrocher.

Sans doute M. Bates était-il optimiste — mais James Howgill ne l'était guère. A la vérité, il était profondément dégoûté... Comment Marjorie osait-elle se conduire ainsi !.. Jamais elle n'avait agi de la sorte avec lui ; un des aspects les plus déconcertants de leur vie conjugale avait été précisément qu'elle ne désirait jamais aller nulle part ; elle se contentait de demeurer paisiblement chez elle. Or, maintenant qu'il l'avait plantée là, elle donnait l'impression de dérailler complètement.

Il se sentit dévoré de jalousie, chose qui ne lui était pas arrivée depuis dix ans. Comment ce N° 1, « à l'allure militaire », osait-il tenir la main de sa femme dans l'obscurité d'un cinéma ? Comment ce citoyen américain, Jack Carpenter, avait-il le front de la bourrer de homard et de champagne, jusqu'à minuit et au-delà ? Sapristi ! N'était-elle pas pourtant une femme mariée, une femme respectable ?

Mais il ne connaissait pas encore le pire.

Ce fut tout d'abord le cinquième rapport, qui annonçait tout de go : « Des fleurs ont été remises, vers 10 h, au domicile de la Personne. Des roses, apparemment. Elle a déjeuné avec N° 1 au restaurant du Jardin Zoologique. N° 1 paraissait de mauvaise humeur et, après un échange de propos assez vifs devant la Cage aux Serpents, est parti. La Personne est rentrée chez elle; est ressortie un peu plus tard pour se rendre en voiture au Barchester, où elle a dîné au Grill-Room en compagnie du N° 2 (Carpenter). Après avoir pris un peu de vin, la Personne a déclaré : « J'ai le cafard. » Réponse Carpenter : « L'avion de Lucio... (nom inintelligible) doit arriver cette nuit. Allons à sa rencontre. » La Personne s'est exclamée « Comment! Vous le connaissez? » Réponse Carpenter « Nous sommes copains depuis toujours. »

« A minuit dix, ils ont hélé un taxi pour les conduire à l'aéroport de Heath Row. Ai passé les consignes à mon successeur qui les a filés, et fournira certainement des détails. Au moment où le taxi démarrait, on a entendu la Personne demander : « Est-il vraiment aussi fracassant qu'on le prétend? » Réponse inaudible. »

James Howgill, de plus en plus horrifié, digérait tout cela lorsque retentit la sonnerie du téléphone. Cette fois-ci, c'était M. Bates en personne : il paraissait au comble de l'agitation.

— M. Howgill, je crois que nous sommes sur une piste importante.

— Que voulez-vous dire?

— Impossible vous donner détails par téléphone, répondit Bates d'un ton bref. Mais je vous fais remettre un message par courrier spécial. Vous le recevrez d'une minute à l'autre.

— Par courrier spécial, répéta James Howgill, angoissé. De quoi s'agit-il donc?

— Vous avez bien pris connaissance du dernier rapport?

— Bien sûr.

— Vous n'ignorez donc pas que la Personne a été attendre une autre Partie à Heath Row?

— Une autre Partie?

Cette expression grotesque lui fit mal, comme s'il avait un nerf à vif.

— Impossible de vous expliquer au téléphone, répéta M. Bates. En tout cas, je puis vous dire une chose, M. Howgill : c'est qu'en demandant une surveillance complète, vous en avez cette fois largement pour votre argent!

James déchira l'enveloppe : dès la première phrase, le nom lui sauta aux yeux, et il se sentit comme submergé par une vague colossale.

« Le voyageur qui a débarqué à Heath Row est Lucio Ambrosini. Vous connaissez sûrement. La Personne, son compagnon et Ambrosini ont pris place dans une Rolls-Royce (de louage) après salutations très animées, interviews, etc. Après aussi qu'Ambrosini eut embrassé la Personne en disant « Vous me plaisez, mon chou. On va mettre cette affaire en route. » Se sont tous trois rendus d'abord au Barchester, où Ambrosini occupe, au 14e étage, l'appartement dit « présidentiel », puis (à 3 h) sont partis en voiture successivement au Cascade Club, au Milroy (Park Lane), chez Giotti (Conduit Street) et enfin dans un cabaret près de Grosvenor Square. A leur retour au Barchester, à 6 h du matin, le N° 2 (Carpenter) a pris congé dans le hall en annonçant : « J'avoue que je suis complètement à plat ». La Personne et Ambrosini sont montés dans l'appartement « présidentiel ». Ambrosini : « Et vous, mon chou, êtes-vous à plat? » La Personne : « Mais je commence seulement. Qu'y a-t-il pour le petit déjeuner? » Ambrosini : « De l'Ambrosini à la poêle! » Tous deux ont ri. La Personne se trouvait toujours dans l'appartement « présidentiel » à 8 heures. »

Lucio Ambrosini... Ce nom constitue à lui seul un motif suffisant de divorce, se dit furieusement James Howgill. Déjà à cinq reprises, Ambrosini avait été mêlé à des histoires de ce genre. Cela avait provoqué chaque fois un scandale de tous les diables et la presse, de part et d'autre de l'Atlantique, s'en était emparé bruyamment. Il était riche, élégant, avait beaucoup voyagé; son nom était sur toutes les bouches — beaucoup trop d'ailleurs. C'était un véritable « play-boy » international, bien qu'il occupât un vague poste diplomatique qui ne devait jamais l'absorber plus d'une semaine par an. Il lançait les voitures de course dans les arbres, les chevaux sur les obstacles, et plongeait les femmes dans le ravissement ou les larmes. C'était Lucio Ambrosini, trois fois marié, la terreur des maris, de Capri au Cap Cod. On prétendait qu'il lui suffisait de regarder une femme...

James froissa le rapport dans ses mains et le jeta dans la cheminée. Puis il attrapa son chapeau. Cette histoire ridicule avait assez duré.

Debout dans le salon — son propre salon — James Howgill regardait sa femme.

— Mais où donc étiez-vous? demanda-t-il une fois de plus. Je suis pendu à la sonnette depuis près d'une semaine.

Il aurait voulu prendre un ton sévère, mais il avait dit cela d'une voix presque plaintive — ce qui correspondait d'ailleurs à son état d'esprit du moment. Marjorie était vraiment ravissante. Tous ces hommes... et — il ne manquait plus que ça — Lucio Ambrosini... Elle devait avoir « quelque chose » après tout, quelque chose qu'il n'avait jamais su découvrir... James Howgill sentait ses idées tourbillonner dans sa tête, alors que Marjorie, par contre, paraissait calme et détendue, ce qui le déroutait complètement.

— Je m'étais absentée, James, répondit-elle. Je m'ennuyais toute seule. J'ai pris de petites vacances.

— Des vacances? Où ça?

— Chez des amis! En Ecosse.

— Quels amis?

— Vous ne les connaissez pas, mon chéri, fit-elle en souriant.

RECONCILIATION

Il était difficile d'interpréter ce sourire : était-il secret, ou timide? En tout cas, il ne le lui connaissait certainement pas — à moins qu'il ne l'ait pas remarqué jusquelà.

— Vous avez été si longtemps absent, poursuivit-elle, que je me suis fait naturellement de nouveaux amis.

— Combien de temps êtes-vous partie?

— Six semaines environ.

Il la dévisagea avec jalousie, avec méfiance, mais sans arriver à conclure quoi que ce soit. Il savait qu'elle mentait, mais comment le lui dire sans avouer l'histoire des détectives, dont il avait honte — comme de bien d'autres choses? De plus, s'il lui parlait des détectives, elle serait probablement furieuse, et le mettrait à la porte. Or il ne se sentait pas en mesure de supporter cela. Pas maintenant.

— J'espère que vous ne vous êtes pas sentie trop seule, fit-il gauchement.

— Non, pas trop. Mais vous m'avez manqué, bien sûr.

De nouveau Marjorie sourit, de ce même sourire. Il en fut ennuyé, torturé, intrigué tout à la fois. Il se sentit comme noyé de stupeur : après toutes ces années, elle l'intéressait soudain... Elle doit avoir « quelque chose » malgré tout, se répéta-t-il.

Et cette fois, en la regardant, il comprit que ce « quelque chose » devrait être à lui désormais. Marjorie n'était plus comme il l'avait connue jusqu'ici. Elle était fascinante, féminine, neuve. Surtout elle était sienne, et il devait la protéger des intrus. Si d'autres la jugeaient attirante, eh bien, ils n'avaient qu'à garder leurs distances !

Cédant à une brusque impulsion, il s'approcha d'elle et l'embrassa. Sa bouche même lui parut différente. Il se jura intérieurement que cette bouche devait être à lui — à lui seul.

— C'est bon de rentrer chez soi, dit-il d'un ton mal assuré.

Elle répondit en lui touchant légèrement la main :

— On est vraiment bien chez nous, n'est-ce pas?

Un instant elle fut sur le point de lui dire que, pendant qu'il avait été parti, elle avait loué la maison — leur maison — et à une actrice, par-dessus le marché... Mais elle jugea préférable de se taire. James avait des idées bizarres à ce sujet. Et il était tellement collet monté. Il ne comprendrait peut-être pas. Or elle ne voulait pas, pour un empire, gâcher le moment présent : James se montrait positivement ardent. Vraiment, tout avait paru si triste sans lui.

— Je suis bien contente que vous soyez de retour, dit-elle. Restez, je vous en prie.

— Oui, toujours! fit-il d'un ton ferme. D'autant plus que je ne pense pas qu'il soit prudent de vous laisser livrée à vous-même.

— Grand Dieu, James, que voulez-vous dire?

Il répondit d'une voix chaude et assurée :

— Vous le savez fort bien. Mais n'en parlons plus...

LE COMMISSARIAT DU
District se dressait, telle une forteresse, au centre de ce
village du Bassoutoland — un village poussiéreux, brûlé
par le soleil. Ce bâtiment était le symbole de l'autorité,
parfois du châtiment, mais il pouvait représenter aussi
la sécurité, voire l'espoir.

Pour Daniel Mfutu, le jeune et mince Bassouto qui,
péniblement, gravissait en ce moment la rude montée,
c'était l'espoir, l'ultime espoir.

Enveloppé dans son pagne jaune, un chapeau de
paille tressée sur la tête, Mfutu était semblable à tant
d'autres, jeunes et vieux, qui bavardent sans fin à
l'ombre des huttes de terre, ou vaquent paisiblement
à leurs occupations. Mais bientôt, si tout allait bien, si
l'espoir de sa vie venait à se réaliser, il pourrait rejeter
le pagne traditionnel, pour lequel il n'avait que mépris,
et endosser les vêtements de l'homme blanc : des pantalons, une chemise, peut-être même un veston d'un
beau gris lustré. C'est alors qu'il serait vraiment un
homme.

LE BATEAU QUI MOURAIT DE HONTE

Lorsque Mfutu arriva à proximité du Commissariat, juste devant la sentinelle en kaki à demi assoupie sous la « stoep » (1), il ralentit le pas, s'efforçant de distinguer ce qu'il cherchait : le placard vert du tableau d'affichage, dont dépendait en grande partie la vie quotidienne de la tribu. Tout ce qui pouvait se trouver sur ce tableau, il le savait par cœur : d'innombrables directives concernant le bétail, les chèvres, la protection des eaux du barrage, ou bien l'ordre de se rassembler ici, et non pas là.

Mais c'était un nouvel avis qui l'intéressait, et bientôt il sentit son cœur bondir dans sa poitrine : il venait de l'apercevoir.

Son propre nom lui sauta immédiatement aux yeux : « N° 7. Mfutu Daniel. » Il était reçu! Il se mit alors à lire la notice avec soin :

« Liste des Candidats ayant subi avec succès, en novembre dernier, les épreuves en vue du recrutement d'Employés de Bureau, Catégorie VIII (Classement et Divers). »

Dix noms seulement figuraient sur cette liste. Il compta avec soin. Oui, il était bien septième.

Il avait commencé par sentir son cœur bondir dans sa poitrine, mais à présent il éprouvait de nouveau ce sentiment de panique, ressenti maintes fois au cours des dernières semaines. Il n'avait pas été facile, cet examen qui devait transformer toute sa vie et faire de lui un homme important, alors qu'il n'était qu'un pauvre Bassouto. Pourtant il s'en était tiré, sans faire trop d'erreurs stupides, pas trop de fautes d'orthographe. C'était l'attente qui avait été le plus pénible : dans la solitude de sa petite hutte, jour et nuit, tandis que l'homme blanc lisait et annotait ses réponses, il avait connu toutes les affres de l'échec.

Or voilà que, maintenant, c'était pire encore. Il était septième. Mais le bruit avait couru avec insistance que,

---

(1) Veranda (Afrique du Sud).

lorsque le moment serait venu pour le Commissariat d'engager du personnel, il n'y aurait que cinq emplois vacants. Ainsi, après tous ces espoirs, toutes ces angoisses, le classement qu'il avait obtenu n'était pas suffisant.

A la recherche d'un secours immédiat, il se tourna vers la sentinelle qui somnolait, appuyée sur sa carabine.

— Puis-je parler? demanda-t-il.

Le soldat, un gros bonhomme écrasé de chaleur, sursauta :

— Qu'est-ce qu'il y a? Que veux-tu, petit?

Du doigt, Mfutu désigna le tableau :

— Mon nom figure sur cette liste. Je suis reçu, dit-il.

— Gloire à toi! fit la sentinelle d'un ton moqueur. Il va se passer de grandes choses dans le Bassoutoland.

— Je suis septième, reprit patiemment Mfutu.

— O prodige! dit la sentinelle.

— Le nombre des postes à pourvoir est-il déjà connu?

Le soldat se gratta la tête et lui lança un regard irrité :

— S'il est « déjà connu », répondit-il, singeant le jeune homme, en tout cas pas de moi.

— Comment savoir?

— T'as qu'à attendre, dit la sentinelle.

— Mais il faut que je sache, fit Mfutu, désespéré.

— Faut attendre, répéta la sentinelle.

Soudain quelqu'un appela de l'intérieur. C'était la voix d'un homme blanc — une voix aux riches intonations, mais irritable, excédée.

— Qu'est-ce que c'est, caporal?

— Rien, chef, dit la sentinelle.

— Alors, ne faites pas ce raffût du diable!

— Bien, chef, répondit le soldat comme on lui avait appris à le faire.

— Demandez-lui! insista Mfutu, tout bas.

— Va-t'en ! fit la sentinelle. Tu troubles l'ordre public. C'est un délit.

— Mais comment savoir?

— Va voir un de tes sorciers, mais ne m'embête plus.

Comme son propre père l'avait fait avant lui, Mfutu gravit péniblement le chemin de la colline menant à la demeure de Péremboli — Péremboli le Sage. Jamais il n'y avait été lui-même, et cette démarche lui faisait peur, lui répugnait. Mais le moment était venu d'être prêt à tous les héroïsmes, de faire face à toutes les épreuves.

— Je te salue! fit-il lorsqu'il fut parvenu sur le seuil, dans la pénombre de la hutte.

Péremboli était un vieillard, au corps noueux; il était revêtu d'une peau de bête, affreusement sale, ornée de queues de singe. Il observa Mfutu sans mot dire.

— J'ai besoin d'aide, chef! dit Mfutu.

— Et c'est moi que tu viens voir? articula Péremboli sans cesser de le dévisager d'un air furieux. Je croyais que tu étudiais pour devenir un homme blanc! Les hommes blancs ne viennent pas consulter Péremboli. Ils vont consulter d'autres hommes blancs ou bien (il cracha par terre) les membres de la police.

— J'ai besoin d'aide, répéta Mfutu, pris d'une terreur abjecte.

Il était prêt à faire n'importe quoi, à supporter toutes les injures, pourvu qu'il soit au nombre des élus — des cinq premiers — et qu'il puisse échapper à sa vie si terne, à son triste sort.

— Oui, tu as besoin d'aide, dit Péremboli avec un brusque ricanement. Tu figures sur la liste! Mfutu Daniel, numéro 7.

— Combien en prendra-t-on? demanda Mfutu, sans même s'étonner que Péremboli en sût déjà si long.

Mais Péremboli ne savait-il pas tout?

— Cinq, paraît-il.

Mfutu avala sa salive.

— Il faut absolument que l'on me prenne! fit-il.

— Absolument? répéta Péremboli. Tu tiens donc tant que ça à devenir le toutou de l'homme blanc?

— C'est ma chance, Péremboli, ma seule chance. Si

je ne suis pas pris, je ne serai rien, rien du tout, jamais rien. Peux-tu m'aider, Péremboli?

Péremboli le fixa longtemps, de ses vieux yeux mauvais, où l'on pouvait lire toute la sagesse, toute la ruse accumulée pendant près d'un siècle.

— Nous verrons, dit-il enfin. Ce n'est pas facile...

Il brandit soudain sa main décharnée :

— Tu vas m'apporter trois choses. D'abord, la copie de la liste. La liste des noms.

— Bien, dit Mfutu.

— Et puis vingt shillings.

— Bien, fit encore Mfutu qui sentit pourtant le cœur lui manquer.

— Et ensuite un papier avec ta signature.

— Un papier comment? demanda Mfutu ahuri.

— Une promesse. La promesse que, si tu es pris, tu me donneras la moitié de ce que te paiera l'homme blanc. Toujours. Jusqu'à ce que l'un de nous deux meure.

Le lendemain, le cœur en deuil, mais sachant qu'il ne pouvait pas reculer, Mfutu y retourna. Péremboli le tenait en son pouvoir — Péremboli en qui, malgré tout, il avait secrètement confiance. Il avait recopié la liste. Il avait emprunté les 20 shillings, moyennant un taux abusif, à l'usurier du village. Il avait rédigé sa « promesse » — cette promesse qui devait le priver à jamais de la moitié de son salaire. Mais il fallait absolument qu'on le prenne. Il le fallait! Il le fallait!

Péremboli enfouit la lettre dans les plis de son pagne en peau de bête, puis examina longuement la liste. Dans la hutte à demi obscure, les mouches bourdonnaient, et Mfutu, debout devant lui, tremblait et transpirait.

Péremboli parla enfin.

— La chose est claire, dit-il. Je vois là deux noms mauvais. Des noms d'hommes faibles... Si l'on parvient à effacer ces noms, c'est toi qui seras le numéro 5.

91

— Et comment les effacer? demanda peureusement Mfutu.

— L'un d'eux est Korale, un infirme qui boite, poursuivit Péremboli sans prendre garde au jeune homme. L'autre est Thomas Bira. Sa femme le hait.

Mfutu attendit.

— Les boiteux comme Korale meurent facilement. Je vois déjà la mort pour lui.

— Quel genre de mort?

— La mort par l'eau, prononça Péremboli (on aurait dit une incantation). Il boite, et il vit seul. C'est lui qui va puiser près du barrage l'eau dont il a besoin. Il y va en cachette, à la nuit tombée, parce qu'il a honte de faire cela. Il a peur d'être vu par les femmes...

La voix de Péremboli n'était plus qu'un murmure.

— Un boiteux, avec une lourde cruche d'eau, au bord du réservoir, dans la nuit... Est-il surprenant que je voie la mort pour Korale?

Il y eut un long silence, puis Mfutu demanda avec effort :

— Et Thomas **Bira?**

— Korale d'abord, répondit Péremboli. C'est lui qui doit mourir le premier.

Deux jours après, Mfutu retourna chez Péremboli, mais cette fois en cachette, et de nuit. Il avait peur; cependant la crainte et l'espoir lui servaient encore d'aiguillon. Un jour viendrait où il serait un employé important dans les bureaux de l'homme blanc. Jusque-là, il lui faudrait en passer par les volontés de Péremboli.

Debout dans l'ombre, Mfutu annonça :

— Korale est mort.

— Oui, dit Péremboli. Hélas...

— Et maintenant?

Invisible dans l'ombre, Péremboli remua. L'herbe à fumer, l'herbe défendue, les enveloppait tous deux de son odeur lourde et âcre. Lorsqu'il parla enfin, les mots qu'il prononça résonnèrent de nouveau comme une incantation maléfique.

— La femme de Thomas Bira, dit-il, s'est tenue bien souvent là où tu te tiens à présent. Mais n'y vois aucun mal ! Je suis vieux et elle est laide... Ce fut d'abord pour avoir un enfant. Mais elle n'a pas pu. Elle déteste Thomas Bira ; il la déteste aussi. Une telle union ne saurait porter de fruits. Elle m'a demandé ensuite si elle serait riche un jour — elle avait un oncle dans le village, là-haut. Mais quand l'oncle est mort, on a découvert qu'il était pauvre... Puis elle a voulu savoir si Thomas Bira, son mari, ne pourrait mourir à son tour.

— Alors ? demanda Mfutu, s'armant de courage.

— Au dernier moment, elle n'a pas osé. Elle est résignée. Elle le supportera jusqu'au bout.

— Alors ? répéta Mfutu.

— Elle est résignée, disais-je, parce qu'elle est laide. Mais si elle avait un amoureux — un jeune homme, par exemple — qui accepterait de l'épouser une fois qu'elle serait libre... peut-être qu'elle reprendrait courage.

— J'ai vu la femme de Bira, dit Mfutu qui sentait son cœur se soulever. Elle est affreuse et elle est vieille.

— Elle a une trentaine de printemps.

— Je n'en ai que dix-sept, dit Mfutu.

— Un employé du gouvernement des hommes blancs est toujours fort apprécié des femmes, interrompit Péremboli. Le mariage n'a aucune importance. Si sa femme est belle, c'est bien ; si elle est vieille et laide, c'est bien aussi. Il ne sera jamais privé d'amour.

Mfutu s'en retourna chancelant, au clair de lune. Une fois de plus, bien que son cœur lui fît mal, il savait ce qui lui restait à faire.

Dans la nuit, sous les arbres, à l'extrémité du barrage, on ne pouvait voir la laideur de la femme, et elle se montra douce et pressante. On ne pouvait voir son visage, marqué de petite vérole. Et pourtant Mfutu horrifié, les yeux fermés, le voyait. L'amour de cette femme n'était pour lui que rite lubrique. Il était horrifié — mais il ne s'agissait plus de reculer.

Vers le matin, elle déclara :

— Il faut que je parte. Mon mari dort comme une brute, mais il pourrait se réveiller et voir que je ne suis pas là...

Elle lui toucha l'épaule :

— Tu promets ?

— Je promets, dit Mfutu.

— Dis « J'aime Reneira Mira, et je l'épouserai ».

— J'aime Reneira Mira et je l'épouserai.

— Quand as-tu commencé de m'aimer ?

— Quand je t'ai vue près du réservoir, en compagnie des autres femmes, dit-il (ses mensonges l'étouffaient). Tu étais belle. C'est alors que j'ai su.

— Nous serons bientôt l'un à l'autre pour toujours, soupira-t-elle.

— Tu me promets, toi aussi ?

— Je te promets.

— Quand ?

— Ce soir, si tout va bien. J'ai soigneusement caché les herbes. Il s'endormira, puis la mort viendra.

— Sois prudente, dit-il avec inquiétude.

— Je serai prudente, promit-elle, à cause de notre grand amour.

Une semaine plus tard, Mfutu, debout à l'ombre du « stoep », découvrait une nouvelle notice sur le tableau d'affichage. On y lisait « Liste des Candidats. Correctif. » et plus bas : « Numéro 5. Mfutu Daniel. »

Son cœur se gonfla de fierté au point d'en éclater, tant sa joie était grande. Il avait fait des choses terribles, mais tout cela était fini. Il lui faudrait verser à Péremboli la moitié de son salaire, épouser une femme affreuse et qu'il détestait, mais il était déjà marqué du Signe de la Gloire. Il saurait se libérer de son passé ; il deviendrait un homme respecté, un homme important, un employé chargé du classement.

Ce fut alors que son regard tomba sur un paragraphe qui avait été ajouté au bas de l'avis :

« Dans l'intérêt des candidats désireux d'obtenir immédiatement un emploi, nous signalons que, dans l'état actuel du personnel, il n'est prévu que trois vacances, pour la Catégorie VII, au cours des deux prochaines années. A l'expiration de cette période, il sera procédé à de nouveaux examens. »

Mfutu lut et relut indéfiniment, avec une inquiétude croissante. Ce n'était pas un texte facile, mais il parvint cependant à en saisir le sens. Ainsi, après tous ces efforts désespérés, ce n'était plus cinquième, mais troisième qu'il fallait être à présent.

Lorsqu'il eut compris cela, il comprit du même coup toutes les angoisses que l'avenir lui réservait encore. Cependant, si proche des sommets, il se sentait déjà plus fort. Sans un mot, il repartit et, de nouveau, péniblement, se dirigea vers la hutte de Péremboli.

Sur les eaux du Saint-Laurent, près de Montréal, à l'endroit où l'immense fleuve s'élargit encore pour devenir le lac Saint-Louis, un beau petit canot automobile était au mouillage, et dans le canot automobile trois hommes semblaient attendre : trois hommes qui formaient un ensemble si extraordinairement disparate que seul quelque crime spectaculaire avait dû pouvoir les réunir.

L'un d'eux, un petit bonhomme chauve répondant au nom de Curly Bates, faisait mine de pêcher; le second, qui avait l'air d'un Italien, mais d'un gros Italien, sensuel et lourd, se prélassait au soleil, rêvassant comme à son habitude de femmes et de violence; le troisième homme s'appelait Paxton (Son nom de famille? son prénom? nul ne le savait exactement, et personne ne se serait jamais aventuré à le lui demander), le troisième homme, enfin, était maigre, d'aspect rébarbatif, et paraissait être le patron. Paxton était le seul des trois à faire quelque chose : son occupation consistait pour l'instant à braquer ses jumelles, des Zeiss 10 x 15, vers l'amont du fleuve, et il y mettait une telle concentration que la tranquillité du lac tout entier semblait en être menacée.

Autour de ce bateau aux aguets régnait la douce langueur d'un après-midi de juin; la rive américaine du fleuve s'estompait derrière un écran vaporeux; du côté canadien, seul le Royal Saint Lawrence Yacht Club manifestait quelque activité : on y voyait hisser et amener des voiles; de grosses vedettes passaient et repassaient, glissant lentement; les yachts se laissaient aller dans l'air immobile comme deux bateaux de papier. Partout ailleurs, c'était une oasis de paix. L'eau qui léchait l'étrave du canot automobile se faisait l'écho mélodieux de choses minuscules, de petites vagues, de petits poissons, d'herbes vertes et légères se gonflant comme des cheveux de femme. Même le gros avion de transport qui venait de décoller non loin de là, à Dorval, donnait l'impression de flotter nonchalamment, sans effort, dans l'azur du ciel.

Bientôt, Curly Bates, celui qui faisait semblant de pêcher, leva la tête et se mit à secouer sa ligne d'un air irrité, puis il cria sans se retourner :

— Hé, Pax ! Raconte-nous un peu !

De son enfance passée (il y avait quarante ans de cela) dans les bas quartiers de Londres il conservait un terrible accent faubourien, terne et nasillard.

Dino, l'Italien, s'arracha à sa contemplation du ciel pour dire avec un gros rire épais :

— Qu'est-ce qui ne va pas, Curly? Ce ne sont pas les poissons qui te mordent, pour sûr. Qu'est-ce que t'as, Curly?

Paxton, le patron, ne broncha pas. Il était installé à l'avant du canot, tournant le dos aux deux autres, ses grosses jumelles toujours braquées sur l'extrémité du lac.

— Hé, Pax ! répéta Curly Bates.

Il n'aimait pas Dino; il s'en méfiait; il ne voulait pas lui parler. Il était au service de Paxton et son boulot consistait uniquement à piloter le canot automobile... le véhicule flottant qui leur servait à décamper.

Paxton, toujours absorbé, jeta par-dessus son épaule :

— Quoi ?

— Qu'est-ce qui se passera s'ils changent d'avis ? S'ils vont ailleurs ?

— T'es pas toqué ? interrompit grossièrement Dino. Y a six mois que c'est prêt. Qu'est-ce que tu veux dire : s'ils changent d'avis ?

— On change d'avis, non ? répondit Curly d'un ton boudeur. Et puis d'abord, je ne te cause pas, Dino. Ça risque pas !

Paxton abaissa ses jumelles et se tourna vers eux. Son pâle visage avait une expression sévère.

— Fini de vous chamailler ? demanda-t-il d'un ton cassant. On dirait deux vieilles bonnes femmes... Ne te tracasse pas, Curly : les hommes de l'espèce de John Harper Harrison ne changent pas d'avis. Avec du fric comme il en a, on prévoit à l'avance. Compris ? S'il dit qu'il va passer une quinzaine de jours sur la rive canadienne du Saint-Laurent, au mois de juin, c'est qu'il le fera. S'il dit que son bateau mouillera ici, au Yacht Club, le 12 juin, ce sera ce jour-là. Et si sa fille doit l'accompagner, sa fille l'accompagnera.

— Sa fille ! s'exclama Dino en faisant mine d'en voyer un baiser de ses gros doigts bruns. J'ai vu des photos d'elle. Ce sera un plaisir...

Paxton poursuivit sans prendre garde à Dino :

— D'ailleurs, s'il devait y avoir un changement, Joe nous le dirait. C'est pas pour rien que j'ai envoyé un homme à bord, hein ? Si quelque chose ne tourne pas rond, ou si Harrison est obligé de regagner New York en vitesse pour se faire un million de dollars de plus, Joe nous préviendra.

— Ce Joe ! s'exclama encore Dino, cette fois avec mépris. Quel Mex !

— Ferme-la ! ordonna froidement Paxton. C'est un

Mexicain. Toi, tu es un Wop (1). Quelle différence?

— Et moi, je suis un Limey (2), gloussa Curly Bates. Et toi, Pax, tu es quoi?

— Le patron, répondit Paxton. Allez! Essayez de travailler un peu, sacré nom de Dieu!

De nouveau il braqua ses jumelles; Curly Bates lâcha un peu de fil; Dino s'effondra sur la banquette arrière. Le silence se rétablit dans le canot. Une faible détonation retentit un peu plus loin, vers le Yacht Club, et plusieurs gros yachts de course s'ébranlèrent, avançant lentement, imperceptiblement, à contre-courant. Partout ailleurs, c'était l'été paisible et chaud.

Au bout d'une demi-heure, après avoir fixé un certain point avec une attention particulièrement soutenue, Paxton annonça :

— Le voilà!

Le gros yacht de plaisance, tout blanc, descendait le fleuve. Il apparut d'abord comme un point lumineux, puis grandit peu à peu, se précisa, et bientôt on put distinguer la solide embarcation derrière le moutonnement laiteux de sa lame d'étrave. Après avoir franchi le passage balisé, dépassé Pointe-Claire, il se rapprocha de la bouée rouge près de laquelle le canot automobile était amarré, puis, virant de bord, il se dirigea vers le Yacht Club et son poste de mouillage. Il était d'un blanc éblouissant et l'on apercevait son pont immaculé ainsi que les longs toits d'acajou de ses cabines. Il passa assez près des trois hommes pour que ceux-ci pussent lire l'inscription sur la partie arrière : « *Shearwater.* R.Y.C. Rochester, N.Y. »

Lorsque le yacht fut tout près d'eux, Paxton lâcha ses jumelles et interpella Dino : « Regarde de l'autre côté, abruti! » puis, s'adressant à Curly Bates : « Pêche donc, toi! Tourne ta manivelle, et ensuite laisse de nouveau aller ta ligne! » L'instant d'après, le grand yacht,

---

(1) Wop : argot militaire. Un Italien.
(2) Limey : argot militaire. Un Anglais nouveau débarqué.

les ayant dépassés, se rapprochait de la rive canadienne.
Paxton murmura : « Joe est dans la coquerie : j'ai vu
sa tête... Harrison est à la barre... sa fille à côté de lui...
Cette fois, on dirait que nous y sommes pour de bon. »

Ils en savaient pas mal sur le *Shearwater*, ces trois-là,
et bien plus encore sur John Harper Harrison, le propriétaire du yacht, et sa fille Ellen ; à la vérité, ce bateau,
et tout ce qui s'y rattachait, absorbait toute leur attention depuis six mois. Ils savaient que Harrison (Veuf,
magnat de la métallurgie et des transports aériens ; revenu imposable annuel : 280 000 dollars environ) devait
faire en ce moment sa croisière annuelle sur le Shearwater. Il y a deux ans, il avait été aux Bermudes, l'année
dernière en Floride — cette année, c'était sur le Saint-
Laurent, entre le lac Ontario et Québec.

Ils savaient que sa fille (dix-huit ans, très jolie, et
défrayant toujours la chronique mondaine) l'accompa-
gnait, qu'elle aimait sortir seule dans son petit canot
(5 mètres, 22 nœuds) que l'on apercevait, fixé à des
bossoirs, sur le pont du *Shearwater*. Ils savaient que le
Shearwater (une vingtaine de mètres, moteur Diesel
jumelé, 14 nœuds) transportait en tout cinq passagers :
Harrison, sa fille, un marin professionnel, un mécanicien, et Joe, le steward — c'est à dire « leur » steward... Ils savaient enfin que tout ce monde arrivait
aujourd'hui au Royal Saint Lawrence Club pour y passer
cinq jours au maximum.

Ils savaient aussi quelles étaient les mesures prises en
cet honneur par la police de Dorval, la ville la plus
proche ; ils savaient dans quelles circonstances on pouvait faire appel à la Police Montée canadienne ; ils savaient exactement de quelle façon et dans quelles limites
les autorités locales pouvaient entrer en liaison avec le
F.B.I. Ils savaient quelle était la fréquence des patrouilles fluviales à 150 milles en amont du fleuve,
dans la région dite des « Thousand Islands » (un

millier d'îles à une cinquantaine de kilomètres en aval du lac Ontario). Ils savaient qu'au Canada, pour un délit d'enlèvement, on risquait au plus l'emprisonnement à vie, alors que dans 42 des 49 États américains on était presque fatalement condamné à mort pour le même délit.

— Bien. Allons-y comme prévu, dit Paxton lorsque, le *Shearwater* ayant jeté l'ancre, John Harper Harrison, tel un monarque en visite officielle, eut mis pied à terre.

Et, d'une voix brève et contenue, Paxton se mit à donner de multiples directives, comme si tout cela eût été une question de logique pure et simple :

— Curly, en route ! Remonte sur Pointe Claire... Et quand nous y serons, toi, Dino, tu descendras chercher la voiture et tu iras au Yacht Club prendre contact avec Joe. Rendez-vous : tous à 21 h, motel Brion.

— Et si Joe peut pas débarquer ? s'enquit Dino tandis que Curly, après avoir rangé sa ligne, lançait le moteur.

— On attendra, répliqua sèchement Paxton. Joe trouvera bien un truc... Il faut qu'il aille se ravitailler : ça tombe sous le sens. Qu'il aille chercher le courrier, ou du lait... ou n'importe quoi. Attends-le, voilà tout. Mais ne t'approche à aucun prix du yacht. Ne pénètre pas non plus avec la voiture dans le parc du Club. Laisse Joe se débrouiller.

Le moteur s'étant mis en marche après quelques crachements, Paxton commença de haler la chaîne de l'ancre.

— Joe doit encore nous donner un tuyau, ajouta-t-il. Il faut savoir combien de temps ils vont rester pour fixer le moment de l'enlèvement.

John Harper Harrison, même assis, paraissait de taille imposante. Il fixait d'un œil furibond, par-dessus la table du déjeuner, une chaise vide (« elle » est encore en retard, que diable! Pas un homme à New York n'oserait agir avec « moi » de la sorte!) Il se plaisait à affecter un air menaçant, n'avait pas son pareil pour désarçonner, d'un coup d'œil, ses interlocuteurs, et jouissait dans tout le pays, même parmi ceux qui étaient les mieux qualifiés pour soutenir son regard, de la réputation d'être un expert en l'art de dévisager les gens. Or ce regard — après s'être fixé sur la place laissée vide par sa fille, avoir fait le tour du rouf où était dressé, sous un vélum, la table du déjeuner, s'être posé sur le pont supérieur, tout étincelant, puis sur le ponton le long duquel ils étaient amarrés — s'arrêta sur la personne de Joe, le steward... John Harper Harrison décida sans plus tarder que Joe lui servirait de cible en attendant mieux.

— Joe! appela-t-il brusquement.

Joaquin Barzan, occupé à contempler l'autre extrémité du lac d'un air qui pouvait passer pour « ahuri », s'anima soudain. Il était petit, brun et nerveux, et portait une veste et des pantalons d'un blanc immaculé, le tout bien trop vaste et bien trop beau pour son humble personne. Il donnait l'impression de vouloir remplir ses vêtements à tout prix comme si, étant tombé quelque part où il n'aurait jamais dû être, et dans un costume qui n'était pas fait pour lui, il espérait s'en tirer honorablement avec un peu d'aplomb.

— Monsieur, vouloir? interrogea-t-il, les yeux résolument fixés sur l'élégante chemise bariolée de John Harper Harrison.

— As-tu prévenu ma fille que le déjeuner était prêt?

— Monsieur, oui.

— Où était-elle?

— Club, monsieur, dit Joaquin en faisant un geste en direction du rivage.

John Harper Harrison poussa un grognement. Ce n'était pas un son rassurant, mais un signe certain d'irritation voulant dire : encore en train de folâtrer, de boire en compagnie d'une bande de jeunes serins... A quoi bon avoir un bateau comme celui-ci si elle n'y est jamais? Puis il se rendit compte que tout ce qu'il ruminait était absurde; son air furieux se mua peu à peu en un petit sourire. Ellen était en retard parce qu'elle était jeune, et qu'elle s'amusait avec des gosses de son âge. Il fallait être un vieux père gâteux pour en prendre ombrage — ce n'était certes pas le cas de John Harper Harrison, qui avait plus de bon sens dans son petit doigt que...

Remarquant aussitôt le sourire et l'expression générale de mansuétude de son patron, Joaquin Barzan s'arma de tout son courage :

— Monsieur, combien de temps rester ici, si vous plaît?

John Harper Harrison, qui contemplait avec une juste fierté la façon dont le pont supérieur du *Shearwater* s'incurvait gracieusement vers l'avant, demanda avec vivacité :

— Quoi donc?

Pour quelqu'un doté d'un caractère inquiet, le ton avait quelque chose d'un peu menaçant, mais Joaquin avait beau être un inquiet, il avait aussi une mission à remplir. Il prit une fois de plus son courage à deux mains :

— Combien de temps rester ici, monsieur, si vous plaît?

Harrison fronça le sourcil :

— Qu'est-ce que ça peut te faire? Quand j'aurai envie de partir, je le ferai savoir au capitaine.

Joaquin se passa la langue sur les lèvres :

— Monsieur, y faut acheter légumes, lait, glace, eau minérale, pain, viande...

— Bien, bien! interrompit John Harper Harrison sur le point de se fâcher de nouveau. Compris... Prévois pour quatre ou cinq jours.

Cette réponse était bien loin de suffire à Joaquin, mais il n'osa pas insister. Ses yeux se portèrent sur l'extrémité du bassin, puis il annonça :

— Monsieur, mademoiselle venir.

— Pas trop tôt, grommela John Harper Harrison.

Et il s'abandonna à la joie de voir arriver sa fille dans un cadre qui, vraiment (il le reconnaissait à contre-cœur en tant que citoyen américain), n'était pas mal, pas mal du tout.

Les pelouses du Club — magnifiquement dessinées, ombragées d'arbres immenses, entourées de bassins, de pontons flottants, et d'une foule d'embarcations de tous genres — constituaient le milieu idéal pour une fille qui était vraiment d'une très grande beauté. Evidemment (songea John Harper Harrison, qui avait fait 12 millions de dollars parce qu'il cherchait la perfection en tout) elle s'habille de cette façon ridicule qu'affectent presque tous les jeunes gens à l'heure actuelle : de blue-jeans qu'un ouvrier qui se respecte aurait tôt fait de jeter à la poubelle le jour de sa paye; un « dessus » dont sa mère n'aurait même pas fait un mouchoir... Cependant l'effet général était certainement très réussi. Ellen Harper Harrison avança le long du bassin, comme si celui-ci et le monde entier lui appartenaient. En chemin, elle sema deux jeunes gens, dit au revoir de la main à un troisième, et se fraya résolument un passage à travers un groupe de jeunes marins canadiens de tempérament impressionnable. Elle n'était là que depuis une journée à peine, et déjà tout le monde s'était donné le mot. Tel était le genre de fille, et beaucoup de garçons étaient prêts à affirmer avec enthousiasme qu'on ne pouvait rêver mieux...

Aussitôt montée à bord, elle se débarrassa de son sac de plage et alla s'asseoir sous le vélum — le tout en une succession de mouvements si gracieux qu'il était sans doute dommage qu'il n'y eût pas davantage de spectateurs.

— Salut, papa !

— Y a pas de « salut, papa ! » bougonna John Harper Harrison. J'ai faim et tu es en retard... En admettant que tu ne puisses pas te lever pour le petit déjeuner, tu pourrais au moins être à l'heure pour le déjeuner !

— Ça ne te ferait pas plaisir de me voir au petit déjeuner, je suis un épouvantail quand je me lève, répliqua Ellen qui trouvait toujours une échappatoire.

Harrison observa sa fille pendant que Joe servait le consommé glacé. Elle était absolument ravissante — ravissante, volontaire, adorée.

— Tu veux me faire dire que tu es toujours merveilleuse ?

— C'est vrai, papa ? Oh ! merci mille fois !

— Ta mère avait la même façon de m'arracher des compliments... Tu t'amuses, fillette ?

— Ah ! oui ! Je m'amuse toujours quand nous voyageons ainsi. J'ai beaucoup aimé le trajet à partir de Kingston. Et toutes ces petites îles sont gentilles comme tout. Quant aux travaux d'aménagement du Saint-Laurent...

— De la bonne construction, dit le père (il ne s'extasiait jamais sur les efforts des autres). Et ici, ça te plaît ?

— Oui, Enormément.

— Beaucoup de garçons ?

— Des tas.

— Et Greg ?

Ellen eut un mouvement de tête assez « vieux jeu » :

— Oh !... celui-là !

— Oh !... celui-là ! répéta John Harper Harrison en l'imitant. Pas plus tard qu'il y a un mois, jeune fille, c'était toujours Greg Perring par-ci, Greg Perring par-là. Il devait faire une vaste synthèse de la science et de la philosophie. Tu allais l'épouser, enfin... Où en est-ce, tout ça ?

Ellen baissa les yeux sur son assiette où Joe venait de déposer un blanc de canard qu'il avait tiré comme par enchantement du fond de la coquerie, puis elle répondit en haussant les épaules :

— Il est si mou... D'abord, il devrait être ici, puisque j'y suis bien, moi... (elle dit cela d'un ton si péremptoire qu'elle devait manifestement être de mauvaise foi). Pourquoi n'y est-il pas? Après tout, Montréal n'est qu'à quelques kilomètres d'ici.

— Il travaille peut-être, dit John Harper Harrison légèrement sarcastique. Tu sais : « Travailler »... Bon Dieu, Ellen, donne-lui une chance! Voyons, c'est un scientifique, pas un de ces sacrés play-boys qui ne pensent qu'à rigoler. S'il a dit qu'il viendrait te rejoindre, c'est qu'il viendra.

Elle dévisagea son père :

— Je croyais que tu n'aimais pas Greg...

— Je n'aime pas Greg parce qu'il n'est pas digne de toi, répondit John Harper Harrison. Mais si quelqu'un peut l'être, c'est encore lui.

— Il n'a pas d'argent.

— Moi non plus je n'en avais pas.

— Il est terriblement sérieux.

— Ça ne ferait pas de mal un peu plus de gens comme ça à l'heure actuelle.

— Et puis il est si mou...

Elle paraissait prendre plaisir à répéter ce mot.

— Ce qui veut dire exactement?

Elle répliqua de façon inattendue :

— Ça veut dire qu'il me laisse faire tout ce que je veux. Ce n'est pas un lutteur.

— C'est un crime?

— Pis. C'est ennuyeux.

Bien des regards durent suivre le petit canot lorsque celui-ci se détacha du *Shearwater* après le déjeuner : Ellen Harper Harrison, répétons-le, passait difficilement inaperçue. Cependant deux hommes s'y intéressèrent tout particulièrement. John Harper Harrison lui cria en agitant la main : « Sois prudente! » A quoi elle répondit : « Ça va! Je vais simplement prendre mon bain de soleil un peu plus haut! » Joaquin Barzan, lui aussi, la suivit des yeux, tout en s'efforçant de ne pas regarder dans la direction de cette autre embarcation mouillée au milieu du fleuve et qu'il pouvait maintenant reconnaître parmi des centaines d'autres.

Il aurait bien voulu s'informer encore une fois de la date du départ, mais il n'avait pas osé. Il valait mieux attendre le moment propice... Il tremblait, sans qu'il sût bien pourquoi; mais ce tremblement avait des causes multiples, angoissantes dans leur diversité. Joe était un chien couchant, pas un homme. On l'appelait Joe, alors que son véritable nom était Joaquin, un nom honorable. Il était exaspéré, il avait peur, il était jaloux. Il était cupide, par-dessus le marché.

Tant pis, se dit-il en allant retrouver sa vaisselle sale dans la coquerie. On avait beau rire et se moquer de lui, son heure viendrait. Et quand son heure viendrait, il toucherait sa part : 50 000 dollars. 50 000 dollars yankee. On ne rirait peut-être plus alors...

Pendant trois journées interminables, depuis les premières lueurs de l'aube jusqu'au coucher du soleil, les trois hommes du canot automobile épièrent tout ce qui se passait à bord du *Shearwater*. Chaque fois, ils porttaient ailleurs leur poste d'observation; mais, que ce fût en amont, ou sur les hauts-fonds au large de Dorval Island, ils s'arrangèrent toujours pour que le gros yacht soit à portée de leur vue. Paxton fut ainsi à même d'établir un « emploi du temps » journalier incroyablement détaillé et remarquablement exact.

A 8 h Joe descendait à terre, et rentrait quelque temps après, porteur de divers petits paquets, probablement le lait, le courrier, ou les deux à la fois. Il jetait un regard dans leur direction mais sans jamais faire le moindre signe. A 9 h, John Harper Harrison prenait son petit déjeuner sous le vélum; il était toujours seul, plongé dans son journal qu'il lisait avec beaucoup de soin. Entre 10 h et 11 h, sa fille faisait son apparition et, après avoir un peu bavardé avec lui, allait faire son petit tour sur le rivage. Vers l'heure du déjeuner, une douzaine de personnes — des jeunes garçons pour la plupart — se réunissaient à bord. (Voilà le genre de fille, expliqua Paxton, et Dino, faisant de nouveau mine d'envoyer un baiser, déclara : elle sait y faire... Ce sera un plaisir !) Les invités prenaient un verre et, quelquefois, restaient à déjeuner.

Après le déjeuner, c'était toujours pareil : le petit canot était lâché et on voyait la jeune fille remonter le fleuve pour aller prendre un bain de soleil dans son coin favori. Elle n'emmenait jamais personne; elle tirait son embarcation sur le même endroit désert du rivage, à 4 ou 5 milles de là, et y restait trois heures environ. (Deux fois, ils la suivirent discrètement, l'autre fois, ils attendirent de la voir rentrer). A son retour, les visiteurs se pressaient de nouveau sous le vélum; au coucher du soleil le *Shearwater* s'illuminait, et les trois hommes du canot automobile, leur journée finie, regagnaient leur port d'attache : la jetée de Pointe Claire, le plus proche village en amont. Arrivés là, ils rangeaient l'embarcation le long du quai, allaient prendre leur voiture, et rentraient au motel.

Trois jours s'étant passés de la sorte, sans rien faire d'autre, et sans que Paxton daignât fournir la moindre explication, Dino, toujours indiscret, osa demander :

— Alors, t'as mis ça au point, Pax ?

— Peut-être bien, répondit sèchement Paxton.

Etendu sur son lit, dans la chambre du motel, Paxton buvait à petits coups son whisky tout en regardant le plafond; Dino était vautré sur l'autre lit; Curly Bates, installé dans l'unique fauteuil, « bricolait » une pièce du gouvernail qui avait besoin d'une petite réparation.

— Quand commence-t-on, dis ? reprit Dino.

— Quand on sera fin prêts.

— Moi, je suis prêt, annonça Dino. T'as qu'à voir...

Curly Bates fit entendre un reniflement qui en disait

long : c'était le reniflement de mépris du petit cockney
à l'adresse de l'Italien tout gros et fort qu'il fût.

— T'as pris froid, Curly? interrogea Dino d'un ton
agressif.

— J'ai pas pris froid, et pas pris chaud non plus, répondit Curly dédaigneusement. J'ai bien vu, Dino, comme
tu regardais la fille quand elle prenait son bain de soleil. Si tu te mets des idées dans la tête, nous ferions
aussi bien de nous passer de toi.

— Je suis un homme, répliqua Dino avec hauteur.

— T'es un... commença Curly Bates.

— Fermez-la ! jeta Paxton qui regardait toujours son
plafond. Je réfléchis.

Il y eut un silence. Curly Bates ajusta un écrou. Dino
se mit à faire des exercices d'assouplissement.

— Il faut que nous mettions encore une fois la main
sur Joe, histoire d'être tout à fait sûrs, dit enfin Paxton
en se laissant glisser sur le côté du lit. Curly, il vaut mieux
que ce soit toi, ce coup-ci. Dino a déjà bien assez traîné
autour du Yacht Club comme ça...

Le visage de Paxton prit une expression morne, concen-
trée, tandis qu'il répartissait les diverses attributions, donnait les ordres.

— Tu prendras la voiture et tâcheras de joindre Joe.
Il doit tourner près du bateau, s'il a pour deux sous
de malice. Mais reste bien sous les arbres, où il fait
sombre. Amène Joe ici, s'il arrive à se libérer. Sinon,
demande-lui s'il y a du nouveau, s'il est absolument
certain du jour du départ.

— D'ac, patron, répondit Curly Bates.

— Et ne te fais pas piquer, ajouta Paxton. Ils sont
gardés, ne l'oublie pas. Ne te montre pas.

— Il vaudrait mieux que ce soit moi, Pax, fit Dino.
On peut facilement me prendre pour un membre du
Club, moi. Pas vrai?

— On te prend plutôt pour une merde, dit Curly Bates
en mettant sa veste. Fais-moi confiance, patron, je te
le ramène.

Joaquin Barzan n'était pas dans son assiette. L'éclairage cru de la chambre du motel lui faisait mal aux yeux; le regard de Paxton était trop fixe, trop pénétrant; le mépris de Dino trop évident. Seul Curly Bates paraissait disposé à se montrer généreux et sociable — seulement, voilà, Curly Bates était un chien, un chien tout comme lui-même.

— Mettons les choses au point, dit Paxton pour la troisième fois. Tu es absolument sûr du jour de leur départ?

— Après-demain, répondit Joaquin. C'est-à-dire... je crois.

— Tu « crois » seulement?

— J'ai demandé deux fois. J'ai peur de demander encore, dit Joaquin d'un ton pitoyable.

Il lui semblait que tout, autour de lui, n'était que méfiance et mépris accumulés à son égard, comme si, quoi qu'il dise, ces gens ne le croyaient jamais qu'à moitié.

— Peur de quoi? demanda Dino.

— Trop de questions, expliqua Joaquin.

Dino poussa un grognement :

— « Trop de questions », imita-t-il. Et pourquoi penses-tu qu'on a mis toi sur bateau? Servir cocktails? Faire lits? Beaucoup d'argent sans te donner de peine, hein, Joe?

— Je travaille dur, dit Joaquin. Je trouve des choses, je viens et je fait rapport.

— En voilà une affaire !

— Fermez-la ! dit Paxton. Chacun a son boulot. Combien de fois vous l'ai-je dit ! (il jeta un coup d'œil furieux à la ronde) Croyez-vous que je me serais embarrassé de vous, têtes de lard, si je n'y avais pas été obligé? Vous me faites penser à une équipe de puces savantes... chacune étant de race différente. Ecoutez tous ! C'est aujourd'hui lundi : s'ils doivent repartir mercredi, il faut faire le coup demain. Nous sommes déjà bien assez éloignés de notre base des Iles. Cent cinquante milles, ça fait environ sept heures de trajet. Nous ne pouvons pas risquer de les voir partir encore plus loin. Ça pourrait être Québec, leur prochaine étape... Nous disons donc : demain.

Tous le regardaient : ils s'étaient préparés depuis longtemps, et cependant ils ne se sentaient plus sûrs d'eux au moment de mettre leur projet à exécution. Paxton s'en rendit compte et, jetant les pieds par terre, il s'assit tout droit sur le bord du lit. Par ce simple mouvement il donna l'impression de reprendre le contrôle de la situation.

— Curly, dit-il, ramène tout de suite Joe au Yacht Club... Joe, une fois à bord, fais comme d'habitude, n'ouvre pas le bec; ne cherche jamais plus à nous atteindre. Surtout ne quitte pas ton poste. Reste avec Harrison jusqu'à ce qu'il te liquide. Quand la police viendra, fais comme je t'ai dit : tu ne sais rien, c'est un travail que tu as pris pendant l'été, tu n'as pas d'amis, tu n'as parlé à personne...

— Je fais ça, dit Joaquin.

Debout, les mains sur les hanches, Paxton continuait de donner ses ordres :

— Nous ne te reverrons pas, du moins pendant quelque temps. Tu auras ta part quand on pourra te l'envoyer sans danger. Mais surtout... surtout, ne viens pas près de nous, même si tu sais où nous sommes. Si la police a l'œil sur quelqu'un à bord, ce sera toi. N'oublie pas.

— J'oublie pas.

— Ce serait aussi bien, intervint férocement Dino. Si tu les mets sur la piste, je t'avertis que je te coupe la gorge. Je m'en chargerai moi-même. Tu peux y compter.

Joaquin était énervé, malheureux. Il ne savait que faire. Il aurait voulu leur dire qu'il ne les laisserait pas tomber, qu'on pouvait avoir confiance en lui, et aussi qu'il n'aimait pas être houspillé et menacé, qu'il était leur égal... mais les mots ne sortaient pas. Alors il tourna les talons, gauchement, et s'en fut, suivi de Curly Bates.

— Pas besoin de faire pression comme ça sur lui, Dino, fit Paxton une fois Joe parti. Il fera ce qu'il faut.

Dino expulsa la fumée de sa cigarette, et dit avec dérision :

— Je connais ce genre de gars. S'il tombe entre les pattes de la police, il est cuit. Il dégoisera.

— Tu oublies qu'il n'a rien à dégoiser. Nous allons déguerpir dans les Iles. Il y en a un millier. UN MILLIER. Joe ne sait même pas laquelle...

Ellen Harper Harrison avait le cafard, du moins autant qu'il lui était possible de l'avoir. Oui, le trajet de Rochester à Montréal avait été amusant. Leur port d'attache, le Royal Saint Lawrence Yacht Club était très beau, très gai aussi. Enfin, elle avait tout lieu d'être satisfaite, et même flattée, du nombre de jeunes gens qui avaient paru manifester quelque intérêt à l'égard du *Shearwater* car (bien que ce fussent des marins) cet intérêt n'avait rien de « nautique ». Enfin, elle aimait beaucoup ces jeunes Canadiens : ils paraissaient moins rudes, plus civilisés que leurs homologues américains. Lorsqu'elle en avait demandé la raison à son père, celui-ci avait répondu : « C'est une démocratie parlementaire » — réponse qu'elle avait trouvée pour le moins étrange.

Malgré tout, elle avait le cafard et en savait la cause : George Perring, qu'elle considérait récemment encore comme son fiancé, lui manquait. Naturellement cette constatation achevait de la mettre de mauvaise humeur.

Assis sous le vélum du *Shearwater,* son père était, sans penser à mal, plongé dans la lecture de son journal. Levant les yeux par hasard, il aperçut le visage de sa fille et y lut une si profonde contrariété qu'il fut instantanément sur le qui-vive.

— Qu'as-tu, mon trésor ? On dirait que tu es prête à nous saborder de tes blanches mains ?

— Absolument pas, papa, répondit-elle en se détendant un peu sous ce regard inquiet. Je réfléchissais, c'est tout.

— Tant mieux si je ne suis pas dans le coup... du moins je l'espère.

— Oh! ce n'est pas toi, sois tranquille. Rien à voir non plus avec le *Shearwater*. Comment cela serait-il possible : C'est... oh! j'imagine que c'est Greg!

— Ce jeune homme si « mou » ?

— Oui, ce jeune homme si mou (piquée au vif, elle fit face). Quel est son jeu? Dis-le moi si tu peux! Il habite ici. Pourquoi n'est-il pas venu me voir?

— Sait-il que tu es ici?

— Bien sûr. Je le lui ai dit.

— Quand?

— La dernière fois que je lui ai écrit.

Voyant l'ombre d'un sourire sur les lèvres de son père, elle ne put s'empêcher de réagir aussitôt :

— Bon, ça va! C'était il y a un mois; mais il le sait. Il est si méthodique! Il a dû le noter sur son agenda. Alors, pourquoi n'est-il pas ici?

— Et si tu lui téléphonais?

— Voyons, papa! Tu perds la tête!

John Harper Harrison poussa un petit grognement qui ne l'engageait à rien. Il n'était pas du tout de son avis, mais il ne connaissait non plus pas grand-chose à toutes ces histoires, surtout quand il s'agissait de jeunes gens de cet âge. Si Ellen était convaincue que les us et coutumes des années cinquante ne lui permettaient pas de téléphoner à un jeune homme, sans doute avait-elle raison, et lui, son père, avait-il tort. Voilà tout. Il avait découvert cela bon nombre de fois au cours de ces dernières années, et en avait pris son parti.

Avant de reprendre la lecture de son journal, il demanda pour changer de sujet :

— Tu prends le canot aujourd'hui?

— Je pense que oui, répondit-elle sans conviction. A la vérité, je ne me sens pas très courageuse. C'est possible que je ne sorte pas.

Un bruit soudain, tout près d'eux, les fit sursauter : c'était Joe qui, jonglant avec un cendrier, avait fini par le lâcher, et le cendrier s'était fracassé sur le pont.

— Joe! s'exclama John Harper Harrison sur un ton de reproche. Au nom du ciel...

— Monsieur! Très triste! dit Joe.

Il se mit en devoir de ramasser les débris mais s'y prit si maladroitement qu'il en laissa de nouveau tomber la plus grande partie, et dut s'y reprendre à deux fois. Cela fait, il se redressa et demanda à Ellen :

— Vous prenez le canot, si vous plaît?

— Je ne sais pas, Joe. Ça ne fait rien : je dirai au mécanicien si j'en ai besoin.

— Belle journée, aujourd'hui. Beaucoup soleil, dit Joe avec une curieuse insistance.

— Je dirai au mécanicien, répéta Ellen.

— Tu sais, interrompit John Harper Harrison (sa voix semblait avoir pris subitement une intonation nouvelle) je crois que tu vas sortir, finalement...

Et, regardant par-dessus la tête de sa fille, il dit avec un large sourire :

— Montez à bord, Greg!

Ils allèrent se promener sur le rivage bras dessus bras dessous, observés du coin de l'œil par une demi-douzaine de jeunes garçons qui auraient sacrifié n'importe quoi (jusqu'à l'espoir de gagner la prochaine régate) pour jouir d'un semblable privilège. Cependant cet air de parfaite camaraderie était illusoire car ils ne tardèrent pas à se chamailler.

— Voyons, chérie, dit Greg Perring. J'avais vraiment beaucoup à faire. Nous avions du travail par-dessus la tête et étions en plein milieu d'une chose très importante... Je ne pouvais absolument pas me libérer.

— Dis plutôt que tu ne voulais pas te libérer.

Greg était très bien de sa personne, quoique trop mince, de l'avis d'Ellen. Il avait toujours un air lointain, un peu absorbé, et elle lui reprochait souvent de ne pas être « présent ». Il eut l'imprudence de répondre :

— C'est absolument exact : je ne le voulais pas. Comme je viens de te le dire à l'instant, ce que j'avais à faire était extrêmement important.

Aussitôt elle retira son bras du sien, et ils s'arrêtèrent au bout du bassin, à l'ombre des grands platanes :

— Qu'est-ce qui est plus important que moi ? demanda-t-elle.

— Cela dépend de l'angle sous lequel on se place, répondit judicieusement Greg Perring (bien trop judicieusement, il faut l'admettre). En un sens, c'est toi qui as le plus d'importance, puisque je t'aime; d'autre part, le projet dont nous nous occupons en ce moment en a encore plus puisque c'est l'essence même de mon travail...

— Inutile de m'expliquer, interrompit Ellen avec véhémence.

Mais elle reprit presque immédiatement :

— De quoi s'agit-il, en somme ?

Greg eut un sourire soudain, exaspérant :

— C'est un nouveau genre de métal, répondit-il, se prêtant au mécanisme de déclenchement de la...

— Greg Perring ! s'indigna-t-elle. Je crois bien que tu le fais exprès ! Tu cherches tout simplement à me contrarier. Un mécanisme de déclenchement ! Serait-ce par hasard plus important que de venir me voir ?

D'un air grave, dissimulant un sens du ridicule bien plus contrariant encore, il répondit :

— Espérons que l'Histoire se chargera de répondre par l'affirmative à cette question.

— Eh bien, moi, je dis non !

Et elle ajouta, l'observant avec une aversion évidente :

— Heureusement, tout le monde n'est pas de ton avis.

— H'm...

— Il y a un tas de garçons qui me mettent en tête de liste.

— H'm...

— Que signifie ce bruit stupide? demanda-t-elle en lui jetant un regard furieux.

— Mettons que cela signifie que je ne suis pas de taille à lutter.

— Ce qui veut dire encore?

— Je t'en prie, Ellen, dit-il, commençant d'en avoir assez. Tu comprends fort bien. Si tu m'aimes, c'est magnifique. Si tu t'amouraches d'un autre pendant mon absence, vraiment je n'y puis rien.

— Tu pourrais quand même faire un petit effort.

— Pas question d'effort, mais simplement il faut que tu saches ce que tu veux.

— Jamais de ma vie je n'ai vu quelqu'un d'aussi mou...

— Ce n'est pas être mou, mais tout bonnement faire preuve de sens commun. Je n'aime pas la bagarre, mon chou. Tu le sais bien. Je suis un type raisonnable, ou, du moins, je m'efforce de l'être.

— Je me demande parfois, répondit-elle exaspérée, si tu es vraiment un homme...

— C'est à toi aussi d'en décider.

— Greg Perring! Tu le fais exprès!

Après le déjeuner, tandis que John Harper Harrison les observait tous deux de cet air à la fois détaché et intrigué qu'arborent bien des parents dans une situation analogue, Ellen annonça qu'elle allait sortir en canot.

— Je peux venir aussi? demanda Greg.

— Habituellement, je sors seule, répondit froidement Ellen.

— Bien sûr, quand je ne suis pas là...

— C'est mon dernier jour, aujourd'hui.

— Raison de plus.

— Bon, bon!

Alors que le canot s'éloignait, John Harper Harrison aperçut par hasard le visage de Joaquin : il y lut une telle angoisse qu'il ne put s'empêcher de le regarder avec stupeur. Puis il se rasséréna, décidant que Joe devait simplement avoir mal aux dents. Aucun sou-

ci au monde ne pouvait vous donner une expression
pareille...

Or cette expression de désespoir qui avait traversé
le visage de Joaquin Barzan, au moment où le canot
du *Shearwater* s'était mis en route, ayant à bord Ellen
Harper Harrison et ce passager indésirable, Greg Perring, n'était rien à côté de l'accès de rage et de stupeur
qui secoua Paxton quelques minutes après. De son poste
habituel au milieu du fleuve, il avait bien vu le canot
se détacher du yacht et se diriger en amont mais ce ne
fut qu'un peu plus tard, lorsque la petite embarcation
se rapprocha d'eux, qu'il aperçut, derrière Ellen qui ma-
nœuvrait la barre avec compétence, un jeune homme
confortablement assis, et regardant autour de lui d'un
air paisible et satisfait.

Paxton eut un sursaut lorsque ses jumelles lui confir-
mèrent cette mauvaise nouvelle; puis ce fut au tour de
ses deux compagnons de remarquer la seconde silhouette,
et l'émoi fut général.

— Hé, Pax! dit vivement Curly. Regarde : il y a
quelqu'un avec elle !

— Mamma mia! s'exclama Dino. Pax, il y a un
homme...

— J'y vois clair ! glapit Paxton.

Les yeux toujours collés à ses jumelles, il réfléchis-
sait intensément à la tournure prise par les événements.
La seconde silhouette était celle d'un très jeune homme
— ce n'était qu'un gosse, mais néanmoins un second
passager, une complication, un bâton dans les roues.
Jusqu'ici la fille avait toujours été se promener seule,
aussi une telle éventualité ne s'était-elle pas présentée
à l'esprit de Paxton. Et, naturellement, comme un fait
exprès, il fallait que ce soit aujourd'hui...

Le canot passa à leur hauteur, à un demi-mille, puis
poursuivit sa route en amont, les laissant là, haletants,
consternés.

Le visage de Dino était ruisselant de sueur.

— Que fait-on? demanda-t-il avec angoisse. Elle n'est

pas seule, ce coup-ci. Si seulement je pouvais mettre la patte sur ce Joe de malheur — ce Mex...

— Il n'y est pour rien, dit Curly Bates.

— Il aurait pu nous prévenir, fit Dino presque fou de rage.

— Et comment ça? demanda Paxton d'un ton cinglant.

— Est-ce que je sais, moi, comment? bafouilla Dino. C'était son boulot, il me semble. Il devait nous dire quels étaient leurs projets. Et nous voici avec deux personnes au lieu d'une. Qu'est-ce qu'on fait, Pax? Dis-le-moi, au moins.

— Il faudra remettre ça à plus tard, c'est tout, dit Curly.

Paxton lâcha ses jumelles, se frotta les yeux puis jeta autour de lui un regard menaçant en disant :

— C'est moi qui décide. Moi qui donne les ordres... Une chose est certaine, c'est que nous ne pouvons remettre ça à plus tard. C'est le dernier jour. Demain ils seront partis.

— Mais on ne peut pas les enlever tous les deux...

— Pourquoi pas? jeta Paxton.

— On veut la fille, un point c'est tout. C'est ce qui était prévu. On ne va pas tout changer maintenant.

— Pourquoi pas? répéta Paxton.

— C'est vrai, au fond! s'exclama Dino reprenant courage. Nous allons les enlever tous les deux. C'est pas si difficile que ça. De quoi il a l'air, Pax?

— C'est un gosse. 22 à 23 ans, par là.

— Je m'en charge, annonça Dino. Je me charge de tous les deux.

Le canot automobile, bercé par le courant, se balançait mollement. Les trois hommes sentaient sur leur dos la chaleur du soleil. Pendant ce temps la petite embarcation s'éloignait rapidement, apparaissait de plus en plus petite. Elle transportait toujours ses deux occupants, mais ce n'était plus aussi grave maintenant que les trois hommes en avaient pris leur parti.

— Mettons cela sur pied, dit Paxton dont les yeux froids avaient repris un peu de vivacité. Le boulot doit se faire aujourd'hui, sinon nous sommes foutus. Joe n'y est pour rien. Ce type a dû arriver au dernier moment. Nous sommes encore trois contre deux, n'oubliez pas ça ! C'est la poisse, mais c'est pas le bout du monde. Dino, quand nous débarquerons, c'est toi qui te chargeras du garçon.

— Compte sur moi ! ricana Dino.

— Pas d'excès de brutalité, prévint Paxton. Juste ce qu'il faut... Curly, toi, tu t'occupes du bateau. Qu'il soit prêt à démarrer. Je me charge de la fille.

— Ça me plaît pas, dit Curly avec agitation. C'est pas ce qui était prévu.

— On s'en fout que ça te plaise pas, grogna Dino. Occupe-toi de faire marcher le bateau.

— Tu veux dire, demanda Curly à Paxton, qu'on va les emmener tous les deux dans les Iles ?

— Pourquoi pas ? Y a de la place.

— Mais c'est pas lui que nous voulons....

— Son père est peut-être un richard, suggéra Dino. T'as pensé à ça, Pax ?

— On verra, dit Paxton. En tout cas il faut le prendre avec nous. Nous ne pouvons ni les séparer, ni le laisser en arrière — à moins de l'enterrer, évidemment.

Il avait dit tout cela sur le même ton, et ce fut aussi tranquillement, d'un air presque joyeux, que Dino répondit :

— C'est une idée... Tu te vois avec une pelle, Curly ?

— Assez ! dit Curly d'une voix terrifiée. Vous aviez promis tous les deux...

— Ça va... poursuivit Paxton sans laisser à Curly le temps de finir. Il doit venir avec nous. Rien d'inquiétant pour nous. L'embêtant, c'est qu'il soit venu. Embêtant pour lui, je veux dire.

Il leva ses jumelles et jeta un dernier regard sur le petit canot qui n'apparaissait plus que comme une minuscule tache blanche sur l'immense surface du lac.

— Il n'y a rien de changé. Donnons-leur une demi-heure d'avance sur nous, comme prévu. Ensuite, nous nous mettrons en route.

— Franchement, tu ne peux pas croire ça ! dit Ellen d'un ton méprisant. C'est tellement...

Se rendant compte qu'elle faisait un emploi abusif de l'adjectif « mou », elle en trouva un autre à la dernière minute :

— Tellement inutile ! Même s'il ne doit plus y avoir de guerres, la concurrence existera toujours dans le monde ! Surtout en Amérique. Fais-toi une raison, sinon tu resteras pour compte.

— Ça ne me dérange pas de rester pour compte, dit Greg.

— Mais il y a bien de la concurrence dans ce que tu fais ?

— Au contraire, répliqua-t-il du ton exaspérant d'un maître d'école. La recherche scientifique est un travail d'équipe, pas autre chose. Je ne tiens pas à être « avant » Martin, avant Sep Johannsen et les autres. Je travaille avec eux, voilà tout.

— Mais tu voudrais pourtant que ton équipe soit la meilleure ?

— Certainement.

— Alors, tu vois bien ! C'est ça la concurrence.

— Oui, mais pas sur le plan personnel.

Il la regarda, gracieusement étendue à côté de lui, se dorant au soleil ; puis, remarquant qu'elle avait pris un air courroucé, il poursuivit :

— Voyons, Ellen, à quoi bon insister... C'est bien simple : je n'aime pas me bagarrer, donner des coups de pied dans tous les sens, et autres choses de ce genre. C'est précisément cela qui ne va pas dans le monde actuel. On passe son temps à se chamailler, à montrer les dents, alors qu'il vaudrait mille fois mieux aider le voisin et partager avec lui. Telle est ma conviction. C'est comme ça que je suis.

Ellen laissa couler du sable entre ses doigts fins, puis elle demanda :

— Tu ne te battrais pas pour moi?

— Je n'en vois pas la nécessité. Le monde n'est pas une jungle — du moins, il ne tient qu'à nous qu'il n'en soit pas une.

— Bon; c'était simplement pour savoir.

Bientôt, désireux de combler un silence qui menaçait de devenir embarrassant, Greg se souleva sur un coude et regarda autour de lui : à quelques mètres de l'endroit où ils se trouvaient, l'eau léchait doucement l'arrière du canot; la petite plage était paisible et déserte; quant au lac, c'était un spectacle enchanteur... Mais, au même moment, Greg s'aperçut que cette tranquillité allait être troublée.

— Zut! s'exclama-t-il. Un bateau.

— Et alors? Qu'est-ce que cela peut bien faire? demanda Ellen faisant mine de ne pas comprendre.

— Je voulais t'avoir pour moi seul.

— Eh bien, Greg Perring! Ce n'est pas de la rivalité, cela? Tu ne tiens donc pas à me partager avec le monde entier?

— Tu sais bien que non, dit-il sans quitter l'intrus des yeux.

Il vit le canot automobile longer le rivage, puis s'immobiliser sur la grève à quelques pas de l'endroit où ils avaient traîné leur petit bateau. Il y avait trois hommes à bord. Lorsque l'embarcation eut atteint les hauts-fonds, deux de ses occupants — les deux plus grands — en descendirent et pataugèrent dans l'eau jusqu'à la plage. L'un était brun et gras, l'autre paraissait maigre, mais tous deux avaient l'air étonnamment résolus.

— Ils viennent nous parler, dit Greg agacé.

— N'oublie pas que nous sommes tous frères, répondit Ellen sans ouvrir les yeux.

— Ho ! Dites-donc, vous n'auriez pas un peu d'essence, par hasard... cria de loin le grand maigre.

— Je regrette, commença Greg, nous n'avons que...

— Aucune importance, dit le grand maigre. Nous n'en avons pas besoin.

Et subitement Greg s'aperçut que les deux hommes, les mains dans leurs poches, étaient tout près de lui et d'Ellen. Comme dans un rêve, il vit sortir deux revolvers. Le grand maigre les regardait avec une expression bestiale. Le gros souriait, mais pas d'une façon rassurante.

— Ellen, appela Greg angoissé.

— Debout ! ordonna Paxton. Tous les deux. Mais tout doux : mes amis sont vifs. Quant à moi (il abaissa son revolver de sorte que le canon en était dirigé sur le visage horrifié d'Ellen) je ne suis qu'un paquet de nerfs.

Pris au dépourvu, ils ne pouvaient rien ; c'était toujours comme un rêve fantastique, mais qui ne devait pas tarder à prendre fort mauvaise allure.

— Debout ! répéta Paxton s'adressant à la jeune fille.

Dans sa main, l'arme ne tremblait pas. Vu d'en bas, Paxton parut énorme à Ellen. Enorme et froidement menaçant.

— Tous les deux ! Allez, oust !

— Mais c'est absurde... commença Greg Perring.

Il poussa un cri de douleur : Dino s'était avancé et lui avait décoché un méchant coup de pied dans le genou.

— Vous n'avez pas entendu ? dit brutalement l'Italien. On vous a dit de vous lever. Y sait ce qu'il dit.

Ils se levèrent. Sur le visage d'Ellen on lisait un mélange de stupéfaction et d'effroi grandissant.

— Mon père...

Mais elle s'interrompit terrorisée. En cet instant, l'univers inexpugnable de John Harper Harrison semblait vraiment bien loin. Elle se tourna vers Greg Perring :

— Greg ! Fais quelque chose !

— Ne faites rien, Greg, dit Paxton avec une répugnante familiarité. Ça pourrait ne pas être ce qu'il faut.

Contentez-vous de nous suivre jusqu'au bord de l'eau...

— Vous êtes fou, répondit bravement Greg. Je ne ferai certainement rien de la sorte. Je ne sais pas ce que vous avez en tête, mais ne vous imaginez pas que vous allez vous en tirer comme ça !

Il regarda autour de lui : sur le lac, pas une embarcation en vue; aucune aide possible. Ils étaient isolés, pris au piège, à la merci de leurs ennemis : cela faisait partie de ce rêve épouvantable.

— Vous êtes fou, répéta-t-il. Que cherchez-vous donc ? De l'argent ?

Dino s'avança de nouveau et empoigna le jeune homme par le col de sa chemise, puis, de sa grosse main vigoureuse, il frappa brutalement Greg sur la bouche. Celui-ci se recula, portant la main à ses lèvres qui étaient en sang.

— Grand temps que vous appreniez à obéir, conclut Dino.

Paxton regarda la jeune fille et dit le plus naturellement du monde :

— Ça m'ennuierait d'avoir à vous traiter de la même façon, mais s'il le fallait...

Prise entre la peur et un dégoût affreux, Ellen eut un sursaut :

— Brute ! cria-t-elle sauvagement. Ignobles, écœurants personnages... Greg, frappe-le ! Tu es plus grand que lui, et ce n'est qu'un gros tout flasque !

— Il a une arme, marmonna Greg dont la bouche enflait déjà.

— Jamais il n'osera s'en servir ! tu sais bien comme ils sont, ces gangsters de rien du tout !

— Ma jeune dame, intervint Dino, même sans armes, je suis très capable de tuer votre petit ami. Après (il eut un rictus) ce sera votre tour.

— Ça ne sert à rien, Ellen, dit Greg.

— Voilà qui est parlé comme un homme, approuva Paxton. Un homme raisonnable, mais un homme, quoi !

— Que voulez-vous donc ? demanda Ellen.

— Vous, répondit Paxton. Vous et votre amoureux. Dans ce bateau là-bas (il désigna le canot automobile). Allez, en route !

Le canot automobile comprenait une cabine exiguë : tout juste une espèce de caisse placée sous le pont avant. Ce fut là qu'Ellen Harper Harrison et Greg Perring furent confinés pendant au moins sept heures pénibles et angoissantes, tandis que l'embarcation filait vers l'ouest, d'abord de jour, puis durant le long crépuscule, et enfin sous le couvert de la nuit. Parfois le canot fonçait, et le ronronnement du moteur faisait impitoyablement vibrer leurs tympans dans l'espace restreint où ils étaient confinés; ou bien, lorsqu'on franchissait des écluses, c'était un long silence coupé seulement par des bruits de pas, des cris échangés entre la rive et le canot, le frottement de cordes sur le pont. Greg et Ellen ne parlaient pas, comme si la peur, une sorte de honte, les tenaient éloignés l'un de l'autre; ils ne cherchèrent même pas à appeler quand ils auraient pu le faire. Dino avait passé sa tête par la porte de la cabine pour les mettre ne garde.

— Si vous faites du bruit, vous faites pas deux fois, leur dit-il avant que le canot automobile parvienne à la première écluse. N'oubliez pas.

Puis, du canon de son revolver, il effleura l'épaule d'Ellen; ce fut comme une sorte de caresse, grotesque, révoltante.

— Laissez-la tranquille ! dit Greg en se soulevant sur un coude. Nous n'appellerons pas.

— Bon garçon, fit Dino.

L'étroite cabine avait un petit hublot à travers lequel Greg put, tant qu'il fit jour, suivre le chemin parcouru. Après avoir dépassé l'île Perrot, à l'extrémité du lac, l'embarcation atteignit enfin Cornwall et les gigantesques installations d'aménagement du Saint-Laurent, puis elle ralentit peu à peu, le fleuve se rétrécissant et les rapides successifs l'obligeant à emprunter canaux et écluses. Greg connaissait bien le coin : il était né dans une petite ville sur le Saint-Laurent. Il aimait toute cette région qu'il jugeait la plus belle du Canada, et trouvait particulièrement déprimant de la contempler dans des circonstances aussi tragiques.

Il avait le genou enflé et raide; sa lèvre lui faisait atrocement mal; il avait honte de lui-même et une peur bleue pour Ellen, car il s'agissait évidemment d'un enlèvement préparé de longue date. Deux des trois hommes donnaient l'impression qu'ils ne reculeraient devant rien. Le troisième cependant (Greg en prit note presque inconsciemment) ne semblait pas de la même trempe. Sans doute était-il le point faible de l'équipe, mais cette dernière n'en était pas moins formidable. Greg se reprochait intérieurement de n'avoir pas fait davantage, de n'avoir même rien fait quand tout cela avait commencé. Mais comment appeler au secours quand il n'y a pas une âme à portée de la voix? Comment prendre une décision quelconque avec un revolver dans les côtes? Comment discuter avec un homme armé? Ellen avait dit « Fais quelque chose! » Il ne pouvait oublier cet instant infamant. Peut-être un autre que lui aurait-il « fait quelque chose » mais il n'était pas ce genre d'homme. Peut-être, comme elle avait dit aussi, n'était-il pas un homme du tout. Et maintenant ils se trouvaient tous deux dans une situation dramatique — Ellen surtout.

Il se retourna et s'étendit de nouveau, écœuré, tandis que le canot prenait de la vitesse. Le bruit du moteur se fit intolérable, résonnant jusqu'au fond de son cerveau.

Vers dix heures du soir, ils ralentirent de nouveau comme pour franchir une nouvelle écluse, ou se frayer un passage dans un endroit difficile. Greg regarda par le hublot mais ne vit que quelques lumières lointaines. Ils ralentirent de plus en plus. Puis le moteur stoppa. Il y eut un léger choc. Enfin la porte de la cabine s'ouvrit livrant passage à Dino :

— En route! Oust!

Tant bien que mal, ils s'extirpèrent en rampant de leur

réduit, les membres raidis après cette longue inaction, grelottant dans leur légère tenue de sport. Furtivement, Greg jeta un coup d'œil autour de lui : le bateau était rangé le long d'une petite jetée; une maison, qui paraissait entourée d'eau, se découpait au clair de lune. A ce moment Dino le frappa brutalement dans les côtes :

— En avant, et pas de blagues !

Paxton, suivi d'Ellen et de Greg, prit la tête du groupe, Dino et Curly formant l'arrière-garde. Un mauvais chemin empierré menait à la maison qui était plongée dans l'obscurité. Paxton ouvrit la porte et ils pénétrèrent à l'intérieur.

— Tire les rideaux, Curly, ordonna Paxton.

Quand ce fut fait, il alluma l'électricité.

« Cela ressemble à tout ce que l'on veut », se dit Greg : une sorte de salon d'été, avec des meubles de rotin en mauvais état, des murs recouverts d'un crépi, un escalier conduisant à une galerie de bois. On aurait dit un pavillon de chasse, ou un chalet d'été. L'éclairage était faible et d'épais rideaux garnissaient les fenêtres.

— Bien, fit Paxton (il s'affala dans un fauteuil, poussa un long soupir, et regarda Ellen). C'est comme ça. Vous feriez aussi bien d'en prendre votre parti. Nous ne comptions pas sur le petit ami, mais ce n'est pas la place qui manque. Si vous êtes sages tous les deux, tout ira bien. Si vous faites la moindre gaffe, ce sera dommage pour vous.

— Que comptez-vous faire? demanda Ellen qui était glacée de froid et ne pouvait s'empêcher de trembler de tout son corps.

— Vous êtes sur une île, poursuivit Paxton comme s'il ne l'avait pas entendue. Une petite île. A peine plus grande que la maison, et à deux ou trois milles de la côte, où que vous regardiez. Pas de téléphone. Le canot est cadenassé. On a bouché vos fenêtres. D'ailleurs, je ne vois pas à qui vous pourriez faire des signes.

— Mais que va-t-il arriver? demanda encore Ellen. Que voulez-vous donc?

— Un demi-million de dollars, répondit Paxton.

— De mon père?

— Exact.

— Vous n'y arriverez jamais, dit Greg.

— Dans ce cas, tant pis pour vous deux... Je lui ai écrit. Vous êtes un type instruit (il se tourna vers Greg d'un air ironique). Qu'est-ce que vous dites de ça?

Il tira un bout de papier de sa poche et lut : « Nous avons votre fille. Elle est encore en vie. Nous vous dirons plus tard ce qu'il faut faire. »

— Court et bien senti, commenta Dino dans le silence qui s'ensuivit. Quand vas-tu envoyer ça, Pax?

— Dans deux ou trois jours. Il faut le laisser transpirer un peu.

— Maintenant, nous sommes fixés, dit John Harper Harrison.

Il était assis dans la cabine principale du *Shearwater*, avec, de l'autre côté de la grande table, en face de lui, un agent de police. Il ne ressemblait plus du tout à ce qu'il était une semaine plus tôt. Il donnait l'impression de s'être ratatiné. Il était moins grand, moins sûr de lui, moins formidable. Cette semaine avait été épouvantable. Jamais il n'en avait connu de pareille. La découverte du canot abandonné à trois milles en amont du lac; les multiples hypothèses; cette affreuse incertitude surtout. Tout était possible, depuis la noyade jusqu'à une fugue. La monstrueuse publicité faite autour du drame (« Disparition mystérieuse de la Princesse milliardaire ») avait été particulièrement pénible. Et pourtant la presse avait été secourable, et l'intérêt manifesté par des inconnus souvent bien intentionné.

Cette fois, il savait. C'était peut-être pire que tout ce qu'il avait pu imaginer. La lettre était sur la table, entre lui et le sergent de la police locale : « Nous avons votre fille. Elle est encore en vie. Nous vous dirons plus tard ce qu'il faut faire. »

— C'est le cachet de la poste de Montréal, dit le sergent. Ça ne nous aide pas à grand-chose...

Le sergent de police était un homme tranquille, un Canadien français au parler lent. Il avait souvent eu l'occasion, au cours de la semaine, de s'entretenir avec John Harper Harrison, et ce dernier, habitué à une image plus dynamique du Bras de la Justice, le trouvait un peu irritant. Ce garçon devait avoir besoin d'être un peu secoué, ou peut-être même de découvrir une bombe sous son chapeau...

— Mon Dieu, c'est un début, soupira Harrison.

Il y a une semaine, il aurait arpenté la cabine, frappé de grands coups sur la table, téléphoné, fait un boucan de tous les diables. Maintenant il se contentait de rester assis, sans bouger, affreusement triste, terrifié.

— Qu'est-ce qu'on va faire? demanda-t-il.

— Examiner la lettre, répondit le sergent. Je vais la soumettre au Bureau. Ensuite nous rechercherons tous les individus suspects du secteur.

— Mais elle est peut-être à des centaines de kilomètres d'ici, probablement aux Etats-Unis, objecta Harrison. Il faut en référer au F.B.I., immédiatement.

— Un crime commis en territoire canadien... commença le sergent.

— Au diable le protocole! s'exclama Harrison avec un peu de sa vieille énergie. Je veux retrouver ma fille. Il faut que cette affaire soit menée convenablement... (il surprit le regard du policier). Oui, je sais que vous ferez de votre mieux, mais c'est un événement! C'est un délit puni par la loi fédérale, je ne sais comment vous appelez cela ici !

— Un crime qui tombe sous la juridiction du Code criminel, applicable à toutes les provinces, répondit dignement le sergent.

— Alors? Ne pouvez-vous alerter le F.B.I.? Comment fait-on ici?

— Nous avons la Police locale, à Dorval; la Police

provinciale, à Québec, dont je fais aussi partie; et la
R.C.P.M. : la Police Montée.

— La Police Montée? répéta Harrison d'un ton dubi-
tatif. Des uniformes rouges ? Des chevaux ? C'est bien
ça? Ne pourrions-nous pas nous adresser à des gens
un peu plus à la page?

L'orgueil provincial, l'honneur national — tout cela
se reflétait sur le visage du sergent. Il dit enfin :

— Vous pourrez constater que la Police Montée est
tout à fait moderne...

— Son autorité s'étend-elle à tout le pays? Comme le
F.B.I. chez nous?

— Oui.

— Bon. Appelez-la.

— La Police provinciale...

— Ecoutez, interrompit Harrison, je veux que l'on
m'aide par tous les moyens. Et j'ai besoin aussi d'être
conseillé. Il faut que je sache si je dois en parler à la
presse, si je dois casquer lorsque les gangsters me le
demanderont, ou s'il faut leur tendre un piège. Ce que
je veux avant tout, c'est que ma fille me soit rendue.
Et si cela doit me coûter un million de dollars... eh
bien, soit !

— C'est une très grosse somme.

— Je n'ai qu'une fille, dit Harrison, et je suis convaincu qu'ils le savent.

Le sergent de la Police Montée était un grand gaillard
solide, impeccable dans sa tenue marron (et non pas
rouge, comme on aurait pu s'y attendre. Le rouge est
surtout pour les circonstances officielles, expliqua-t-il.)
Il alla droit aux faits.

— Pour commencer, M. Harrison, dit-il, je vous deman-
derai de ne pas parler tout de suite de cette lettre à la
presse. Plus tard, nous verrons, mais, pour l'instant, il
faut manœuvrer le plus discrètement possible. Je pense,
naturellement, que vous êtes disposé à nous aider.

— Bien entendu, je vous aiderai.

— Je veux dire par là, ajouta le sergent en regardant fixement Harrison, que vous devez vous engager à faire ce que nous allons vous suggérer, et uniquement cela. Si vous avez par hasard dans l'idée de payer la rançon en douce, autant nous le dire tout de suite. Pas la peine de brouiller les cartes.

— Je veux qu'on me rende ma fille.

— D'accord. Nous aussi nous tenons à la retrouver, mais nous voudrions également mettre la main sur ces oiseaux-là. Si vous cherchez de votre côté à mener l'affaire à votre façon, sans nous prévenir, quelqu'un en pâtira certainement.

— Vous voulez dire... ma fille?

— Oui, monsieur.

— D'accord, je vous aiderai.

— Puis-je considérer cela comme un engagement formel de votre part, monsieur?

John Harper Harrison sentit la moutarde lui monter au nez, et regarda le sergent; mais celui-ci n'était pas homme à se laisser impressionner.

— Vous avez ma parole, dit enfin Harrison.

— Merci, monsieur Harrison... Voyons, ce jeune homme qui est avec elle (il consulta son carnet), Greg Perring. Que savez-vous de lui? Serait-ce possible qu'il fasse partie de la bande?

— J'avoue n'avoir jamais envisagé cela. Vraiment je crois ne rien pouvoir vous dire de mieux, répondit Harrison. C'est un garçon très bien. J'ai en lui une confiance absolue. Il est chargé de la recherche scientifique à la Baker Steel.

— Quel genre de travail, exactement?

— Confidentiel, je crois. Ce qui veut dire, je pense, que les Services de Sécurité possèdent une fiche le concernant.

— Cela simplifie les choses... dit le sergent en portant une note sur son carnet. Qui y a-t-il d'autre à bord?

— Le capitaine et un mécanicien. Ils sont avec moi

depuis plus de cinq ans. J'ai aussi toute confiance en eux. Ah ! oui, et puis Joe, le steward. Joaquin je ne sais quoi, de son vrai nom. Il n'est à mon service que depuis cette année. A la maison, il me sert de boy.

— Comment est-il ? Je vous demande cela car il est évident que ces individus étaient au courant de tous les faits et gestes de votre fille, de même que de tout ce qui se passait à bord. Il n'a pas suffi pour cela qu'on se contente de vous épier de loin. Un bateau est trop mobile. Ils avaient probablement une connivence à bord, ou dans vos bureaux si, comme je le suppose, vous êtes toujours en contact...

— Je suis en contact, répondit Harrison avec une pointe d'ironie. Ma fois, Joe... c'est Joe. Un Mexicain. Un bon garçon, un peu sournois — mais c'est sans doute une idée de ma part (soudain il fronça le sourcil). Au fait, il y aurait peut-être quelque chose... Il m'a bel et bien demandé à deux reprises quand nous devions repartir, que sais-je... Il m'a dit qu'il lui fallait s'approvisionner, ce qui était vrai d'ailleurs. Mais, maintenant, quand j'y repense...

— Voyons un peu ce Joe, dit le sergent de la Police Montée.

Ce qui s'ensuivit fut un interrogatoire modèle : concis, habile, d'une longueur raisonnable, mais contenant juste assez de menace pour faire rentrer Joaquin sous terre. Joe était terrorisé, cela sautait aux yeux, et cela donna au sergent un avantage initial qui lui permit de conclure, en quelques minutes et incontestablement, que jamais Joaquin Barzan ne s'était trouvé dans un pareil pétrin. Ensuite, ce fut un jeu d'enfant : Joe s'effondra au bout d'une heure à peine.

Vers la fin de l'interrogatoire, le sergent déclara d'un ton glacial :

— Pour enlèvement : prison à vie. Pour complot en vue d'enlèvement, ou complicité avant ou après : idem. Allons, Joe... ils t'ont planté là avec le marmot sur les bras, et c'est avec le marmot que tu iras en prison.

Tu te figures qu'ils vont t'envoyer ta part de butin? Faut
que tu sois cinglé. Tu n'entendras plus jamais parler d'eux.
Au fait, qu'est-ce qu'ils t'ont promis?

Mourant de peur, Joaquin regardait droit devant lui.
C'était vrai, ce que venait de lui dire le sergent. Paxton,
Dino, Curly (eh! oui, même Curly...) le traitaient plus
bas que terre. Ils étaient loin maintenant et ne lui
donneraient pas un sou pour sa peine. Ils s'étaient mo-
qués de lui. Ce policier savait tout. On allait le mettre
en prison pour toujours. Joe avala sa salive, un peu
comme s'il avalait du même coup toute son amertume.
Mais ils ne perdraient rien pour attendre!

— Ils ont promis 50 000 dollars, dit-il dans un souffle.

John Harper Harrison se leva d'un bond, serrant les
poings :

— Sale petite vermine, fils de...

Le sergent l'arrêta d'un geste :

— Un moment, monsieur. Il est bien tout ce que vous
dites, et plus encore, mais les instants sont précieux dans
une affaire comme celle-ci...

Il se leva à son tour, dominant de sa haute taille Joe
qui tremblait comme une feuille :

— Bon. Vas-y.. Où sont-ils?

Joe avala de nouveau sa salive :

— Vous me laisserez aller?

— Parle d'abord. Je ne promets rien.

— Dans les Iles, dit Joe.

— Où ça dans les Iles?

— Je ne sais pas. Une des Iles, quoi? Ils ne m'ont pas
dit laquelle.

On sentait qu'il disait la vérité.

— Dans une maison sur une des Iles?

— Une maison, oui.

— Eh bien, fit John Harper Harrison, cela limite un
peu le champ de nos recherches.

— Ça le limite, répondit le sergent de la Police Montée, au secteur des « Thousand Islands », ce qui n'est

pas tellement brillant, Au dernier recensement, on en a
compté plus de 1 700...

Dix jours passés dans la maison, volets clos, épais
rideaux tirés devant les fenêtres, avaient entamé le moral des cinq personnes qui s'y trouvaient enfermées. En
effet, la ligne de démarcation entre captifs et ravisseurs
ne tenait pour ainsi dire qu'à un nerf. La peur, la haine
les liaient tous entre eux; pas un seul des cinq n'était à
l'abri de faire un faux pas; pas un seul ne connaissait
l'espoir du lendemain.

Ellen se montrait agressive, mais sans jamais oser
aller trop loin. C'était uniquement sur Greg qu'elle déver-
sait son indignation : elle l'accusait de lâcheté, d'indécision, d'incapacité, bref de tout ce qu'un Américain du
Nord considère comme un péché grave. Il ne lui en tenait
pas rigueur, conscient qu'il était de la peur qu'elle éprouvait et de sa propre indécision. Quand elle se lamentait,
il lui répondait invariablement : « Attends, chérie. Sûrement il arrivera quelque chose », et il se rassurait lui
même en ajoutant : « Je réfléchis; je ne cesse pas d'ouvrir l'œil. » C'était vrai, mais sans pour cela être
d'une bien grande consolation, ne fût-ce que d'amour-
propre.

Paxton, qui avait préparé l'opération méticuleusement,
prudemment, n'avait jamais pensé qu'il serait à ce point
difficile de garder son équipe en main. Curly Bates était
un type sûr, mais faisait preuve ces derniers temps d'une
très grande nervosité : par exemple, lorsqu'il s'occupait de « bricoler » leur canot automobile, on le voyait
s'y reprendre à plusieurs fois pour la même vétille, et,
quelques heures après, il recommençait tout. Il n'était
pas satisfait non plus du rôle qui lui était assigné, esti-
mant qu'il était le seul à faire toutes les corvées : c'était
lui qui s'occupait de la cuisine, avec une extrême mauvaise grâce; lui qui avait été à Montréal chercher la

voiture et poster la lettre de rançon — soit environ 300 milles aller-retour — sachant fort bien qu'il lui faudrait y retourner d'ici peu.

La question de la répartition des tâches était un perpétuel sujet de querelles entre lui et Dino... Dino, l'indolent, le satisfait, qui se jugeait bien au-dessus de besognes aussi humbles et qui, en cherchant un exutoire à son énergie, commençait lui aussi à donner des ennuis mais dans un tout autre ordre d'idées.

C'est ce que Greg exposa, un soir, à Ellen tandis qu'ils essayaient tous deux de faire le point de la situation. Leur humeur variait de jour en jour, selon le bon plaisir d'Ellen. Parfois, il leur arrivait de ne pas se dire un mot, comme s'ils étaient séparés l'un de l'autre par un mur de silence dans la prison de leur chambre; ou bien ils se serraient étroitement l'un contre l'autre, cherchant tout simplement le réconfort de leur affection mutuelle.

— Ils sont très différents tous les trois, expliqua Greg à Ellen. Paxton, c'est le vieux loup solitaire dans toute l'acception du terme; il est rusé, froid comme le marbre. Dino est tout le contraire : c'est un gorille, un gros animal sensuel. Quant au pauvre vieux Curly, c'est une sorte de garçon de courses, une vieille fille tatillonne. Je ne parviens pas à comprendre comment il a pu se fourvoyer là-dedans, mais je jurerais qu'il le regrette à présent. C'est lui le point faible de la bande.

Ellen eut un mouvement de tête irrité :

— C'est ça... ils ne se ressemblent pas. Et à quoi cela nous avance-t-il ?

— Pardon, ma chérie, dit Greg en souriant tristement. C'est tout simplement un raisonnement logique : puisqu'ils ne se ressemblent pas, ils ne peuvent être éternellement d'accord, et il se peut, par conséquent, qu'ils finissent par se bagarrer sérieusement. C'est notre unique espoir.

— Ainsi, nous allons attendre tout simplement de voir ce qui va se passer ?

— Nous n'avons guère le choix.

— Eh bien, espérons alors que mon père est un peu plus entreprenant !

Greg dit, comme se parlant à lui-même :

— Evidemment, on pourrait pousser un peu à la roue.

La fois suivante, lorsque Curly vint apporter leur repas, Greg annonça :

— Je veux voir Paxton.

— Vraiment? fit Curly d'un ton méprisant. Et pourquoi?

— Je n'aime pas la façon dont Dino passe son temps à rôder autour de notre chambre... toujours à ouvrir la porte et à regarder ce qui se passe.

— Qu'est-ce que vous voulez dire?

— Tu sais très bien ce que je veux dire, répondit Greg. Il faut que je voie Paxton.

— Ça ne va pas changer grand-chose.

Cependant Curly dut s'empresser d'en parler à Paxton, et peut-être avec une certaine véhémence, car une demi-heure plus tard la haute silhouette hostile, menaçante, apparut à la porte.

— Que signifie cette histoire au sujet de Dino? demanda Paxton. Qu'est-ce que vous manigancez?

— Il s'agit bien d'un enlèvement, n'est-ce pas? dit Greg d'un ton extrêmement mesuré, un peu comme s'il voulait aider un ami à résoudre quelque problème. Le père de Miss Harrison doit vous payer une rançon? Cela fait, elle pourra retourner chez elle?

— Quelque chose dans ce goût-là.

— Est-ce également l'avis de Dino?

— Que voulez-vous dire? C'est moi qui commande.

— Nous voyons souvent Dino, dit Greg. Bien trop souvent. Il vient à chaque instant. Miss Harrison semble l'intéresser tout particulièrement...

— Alors?

— Cela cadre-t-il avec vos plans? Ou bien ne vous souciez-vous pas de ce qui peut arriver?

— Qu'est-ce que vous chantez là?

Greg le regarda :

— Si cet Italien fouinasseur arrive à ses fins, il risque de vous amener des complications. A moins que vous ne soyez de connivence, et que cela fasse partie de son butin...

Paxton lui jeta un coup d'œil glacial :

— Ce n'est pas ma façon de travailler, répondit-il (on sentait la colère monter en lui). Ni celle d'aucun de nous. Nous avons été obligés de vous brutaliser un peu... c'était un plaisir, comme dirait Dino. Pas plus que lui je n'aime les morveux. Quant à la fille...

Il marmonna quelque chose, et Greg enchaîna tranquillement :

— Ce serait à surveiller...

Or Dino ne tarda pas à leur fournir des armes contre lui-même. Ce fut sans doute la fatalité. Deux fois au cours de la journée suivante, il ouvrit la porte et resta un moment à parler en regardant Ellen. Les deux fois, Greg, après avoir attendu quelques minutes, appela avec insistance Paxton et Curly, et Paxton hurla quelque chose du rez-de-chaussée. Les deux fois Dino, furieux, humilié, battit en retraite : il revint cependant une troisième fois, mais ce devait être la dernière.

Il était ivre, car il y avait de l'alcool dans la maison et pas grand-chose à faire, sinon de le boire. Il entra comme à son habitude, et resta à traîner devant la porte. Ellen, étendue sur son lit, lisait un vieux journal sans prêter à Dino la moindre attention. Dino finit par dire :

— Vous, très jolie fille !

— Assez Dino ! fit Greg d'une voix exagérément forte.

— Fermez le bec ! repartit Dino avec colère. Je vous fiche en bouillie, si vous me tapez encore sur les nerfs !

— Laissez-la tranquille, reprit Greg élevant encore la voix.

— Je touche pas la fille, protesta Dino.

Puis il bascula un peu en avant, ses pieds ayant glissé sur le plancher mal équarri :

— Mais j'aime bien... Vous dites quoi, Ellen? Jolie fille, rien à faire? Vous aimez bien parler à Dino?

Il s'était rapproché du lit, son corps se balançant légèrement. Ellen, qui ne le regardait pas et ne faisait qu'à moitié attention à ce qui se passait, fut saisie d'entendre Greg lui souffler bruyamment à l'oreille :

— Hurle!

Elle en laissa tomber son journal :

— Hein?

Il répéta d'une voix tendue qu'elle ne lui connaissait pas :

— Fais ce que je te dis! Hurle! A pleins poumons!

Le hurlement qu'elle poussa fut très convaincant; il résonna dans toute la vieille maison, montant jusqu'aux solives du toit. Dino recula, confondu, ahuri. On entendit des pas rapides dans l'escalier. Paxton apparut sur le seuil et, repoussant Dino d'un coup d'épaule, pénétra dans la pièce.

— Que se passe-t-il?

Greg, debout, montrait du doigt Dino. Il faisait mine d'être au paroxysme de la colère et de l'indignation.

— Cet homme... dit-il d'une voix tremblante. Ce répugnant gorille.. Il a essayé... Mon Dieu, vous ignorez donc ce qui se passe? Chassez-le d'ici!

Paxton fit volte-face :

— Qu'est-ce que c'est, Dino? Ne t'avais-je pas dit...

— Je ne fais rien. Je lui parle et elle crie, répondit bêtement Dino en se dirigeant à reculons vers la porte qui donnait sur la galerie de bois.

Puis il parut se ressaisir, revint sur ses pas et, l'air boudeur mais résolu, il se planta devant Paxton :

— Je lui parle si ça me plaît, annonça-t-il.

— Laisse-la tranquille, dit Paxton hors de lui. Je te l'ai déjà dit. Sinon tu vas tout gâter, sale...

Au lieu de terminer sa phrase il appuya les deux mains sur la poitrine de Dino. Il avait seulement l'intention de le chasser une fois de plus de la pièce, mais il était furieux, à bout de nerfs, et Dino avait tellement

bu qu'il n'était plus solide sur ses jambes. Il n'en fallut
pas plus : Dino chancela; en reculant, il alla heurter la
balustrade et, celle-ci n'étant pas très haute, il passa
par-dessus. Son corps décrivit un arc de cercle et vint
s'écraser trois mètres plus bas, sur les dalles du rez-de-
chaussée, avec un craquement effroyable. A la façon
dont sa tête cogna sur le sol, la chute ne pouvait être que
mortelle.

Un son cadencé, comme si l'on creusait quelque chose,
leur parvenait maintenant de la cave : le frottement
d'un métal contre un sol dur, le bruit de la terre que
l'on soulève par pelletées, celui aussi d'un piétinement
énergique et régulier. Curly Bates à qui Dino avait
demandé une fois : « Tu te vois avec une pelle, Curly? »
donnait à celui-ci une preuve cynique de sa compétence.

— Jamais je ne me lasserai d'écouter ça, annonça
Greg.

Dans la petite pièce mal entretenue, il était le seul
à paraître à son aise. Il était assis sur le divan à côté
d'Ellen; Paxton était en face d'eux, installé dans un
fauteuil, son revolver sur les genoux. Bien qu'il fît
de son mieux pour le dissimuler, Paxton était encore tendu. La façon dont il croisait et décroisait les jambes,
une légère contraction de la bouche, les yeux inquiets,
en auraient dit long à un observateur attentif. Il n'était
plus l'image de l'homme fort, en pleine possession de
ses moyens et, sous le sang-froid apparent, on devinait
qu'il était de moins en moins sûr de lui.

Ellen avait été terriblement secouée. Tout cela s'était
passé si vite, en quelques heures. C'était pour elle comme
si, après la tension nerveuse des derniers temps, elle se
fût trouvée subitement plongée dans le plus complet désarroi. Parfois, elle avait l'impression que Dino l'avait
bel et bien menacée, et que Paxton — non pas Greg, son
gardien naturel — était venu à son secours. Elle ne

parvenait pas à effacer de sa mémoire la façon dont Dino avait soudain disparu du balcon, comme s'il avait été effacé d'un coup d'éponge, et le bruit affreux qu'il avait fait en s'écroulant... L'assurance et la désinvolture dont Greg faisait preuve en la circonstance ne pouvait donc passer aux yeux d'Ellen que pour une provocation ridicule.

Elle dit sa façon de penser, bien que son esprit fût loin d'être clair :

— Je sais que tu peux écouter, Greg, fit-elle maussade, mais il me semble que cela ne sert pas à grand-chose. Tu n'as pas lieu d'être si content de toi.

— Oh! je ne suis pas content de moi, répondit Greg d'une voix pleine de légèreté et d'insouciance. Pas encore. Nous progressons, cependant.

— Vraiment? gronda Paxton.

— Cela me paraît évident.

— Pas à moi! déclara Ellen.

Et, subitement à bout de nerfs, elle jeta d'une voix stridente :

— Oh! Ne prends donc pas tes airs supérieurs! Tu n'étais pas tellement rapide à la détente quand cet horrible garçon a essayé de m'attaquer. Il aurait fallu, pour ça, avoir quelque chose dans le ventre!

— Merci, chère madame, fit Paxton en inclinant la tête. Heureusement, j'ai aussi quelque chose dans le crâne.

— Oh! je ne suis pas tout à fait de cet avis, intervint Greg comme s'il se fût agi d'une troisième personne dont il n'était pas nécessaire de ménager la susceptibilité. Après tout, c'est arrivé, hein?

— Bon, bon, vous êtes un crack, dit Paxton. Racontez-nous un peu ça! (Il cligna de l'œil et transféra son arme d'un genou sur l'autre.) Racontez un peu comment le valeureux petit Canadien a sauvé la situation.

— Si je m'en étais mêlé, dit Greg avec un geste large, il m'aurait probablement tué, aussi me suis-je arrangé pour que vous fassiez le boulot à ma place. Du coup, votre équipe se trouve amputée... d'un homme sur trois. Nous sommes presque à égalité.

— Racontez encore... insista Paxton.

L'ironie aurait peut-être porté si Paxton avait été plus sûr de lui, mais il prononça ces quelques mots comme s'il cherchait vraiment à se renseigner.

— Alors, que va-t-il se passer ensuite?

— C'est bien simple, répondit Greg (furtivement, il pressa le poignet d'Ellen, comme pour demander à celle-ci d'être patiente et de se contrôler), votre équipe commence à se désagréger. Au début, il y avait vous, Dino et Curly. Vous avez tué Dino, à cause de nous... et n'allez pas croire un seul instant que je ne vous en suis pas reconnaissant... Vous n'avez plus que Curly. Curly s'affole facilement. Vous avez remarqué ça? Je vais essayer de lui faire peur. Vous aussi vous lui ferez probablement peur, accidentellement, car vous ne pouvez pas vous en empêcher. De toutes façons, il prendra peur. Si vous l'envoyez quelque part, il s'effondrera certainement. Si vous le gardez ici près de vous, vous êtes isolé. Pas moyen d'aller acheter un paquet de cigarettes, à moins que vous n'y alliez vous-même. Et il y a bien d'autres choses à acheter que des cigarettes, pas vrai? Il va falloir remettre ou poster une seconde lettre pour fixer la rançon. Vous ne pouvez pas y aller vous-même parce qu'il est encore plus dangereux de laisser Curly seul ici que de l'envoyer au dehors. Il faudra donc que ce soit Curly... Vous ne le reverrez jamais. Il ne restera donc plus que vous.

Paxton ne le quittait pas des yeux, hypnotisé par cette voix calme. Il mourait d'envie de le faire taire d'un grand coup de gueule, mais il savait combien cela serait vain.

— Dites-moi maintenant comment vous vous y prendrez avec moi?

— Je trouverai bien quelque chose, répondit froidement Greg. Il existe une arme pour chaque espèce d'animal.

Paxton laissa échapper un torrent d'injures plus sales et grossières les unes que les autres, puis se raidissant, parvint à dire d'un ton posé :

— Vous m'ennuyez, le petit ami...

— Attention, dit Greg Perring, c'est peut-être cela, mon arme...

Lorsqu'ils furent seuls dans leur chambre, Ellen se pendit au cou de Greg :

— Greg, tu es étonnant ! Je crois que j'ai compris subitement. Je sens que je tombe de nouveau amoureuse de toi !

— Je dois avouer ne m'en être pas aperçu, dit-il en lui caressant les cheveux.

— Pardon... Je ne sais plus où j'en suis. Je me sens soudain si fatiguée. Mais je t'aime. Que puis-je faire pour t'aider ?

— Garde ton sang-froid. Ce n'est qu'une partie d'échecs, après tout; une opération de harcèlement. Et c'est nous qui allons gagner.

— Comment peux-tu en être aussi sûr ?

Greg lui toucha le front, puis frappa sur le sien :

— L'intelligence... L'intelligence : ce qui fait la différence entre l'homme et le singe (il dressa l'oreille : quelqu'un montait l'escalier). C'est Curly, cette fois. Il est temps de nous remettre au travail.

— Que dois-je faire ?

— Fais mine de le plaindre.

Curly Bates fit son entrée, porteur d'un plateau; un colt sortant bêtement de sa poche lui donnait un air canaille qui ne lui allait pas du tout. On aurait dit un mauvais acteur contraint de se déguiser en pirate, alors qu'il aurait été bien meilleur dans le rôle un peu comique du cuistot. Il déposa son plateau sans rien dire, contrairement à son habitude, et se préparait à se retirer lorsque Greg lui dit doucement :

— Alors, Curly ? Tu as un peu bêché ?

Curly Bates ne répondit rien.

— Qu'est-ce que tu as, Curly ? On n'est plus copains ?

Pourtant, ça ne te ferait pas de mal d'avoir un ami, dans le pétrin où tu te trouves...

Curly Bates se retourna. Il avait l'air d'une bête traquée. D'un coup de pied — mais furtivement, comme s'il cherchait à se cacher de lui-même — il ferma la porte, et dit tout bas :

— Pax m'a dit que je ne devais pas vous parler... Pourquoi vous dites que je ferais pas mal d'avoir un ami?

— Tu as fait le fossoyeur? poursuivit Greg.

— Vous le savez fichtrement bien.

— Tu as creusé pour combien de personnes — une ou deux?

Curly le regarda stupéfait, sans comprendre :

— Pour une, pardi! Pauvre vieux Dino. Où voulez-vous en venir?

— Une fosse, c'est assez pour le moment. Mais vous êtes encore deux.

— On n'en touchera que plus, dit Curly avec désin-volture.

— Bien sûr. Et qui aura la plus grosse part?

— Pax et moi. Tous les deux pareil.

— Celui qui aura la plus grosse part, c'est celui qui restera, dit Greg.

— Pauvre Curly, dit Ellen.

Curly Bates eut un sursaut. Son regard incertain allait de l'un à l'autre.

— Pax ne me ferait pas ça, à moi, murmura-t-il d'une voix rauque. Ce qui est arrivé à Dino, c'est un accident. Vous avez bien vu.

— J'ai bien vu, répondit Greg. Possible que Paxton ait la spécialité des accidents. Des accidents qui arri-vent aux autres.

— Il ne me ferait pas ça, répéta Curly.

Comme si toute cette scène avait été parfaitement chronométrée, la porte s'ouvrit brutalement, et Paxton fonça dans la pièce. Il tremblait de colère — mais pas seulement de colère.

— Curly! cria-t-il. Si tu me désobéis encore, je te règle ton compte une fois pour toutes!

— J'étais simplement... balbutia Curly.

— Ferme-la! glapit Paxton. Il y a un bateau qui vient... une grande vedette. Descends ces deux-là à la cave. Attache-les. Bâillonne-les. Et fais-le bien, sinon je t'écrase la tête! Rejoins-moi ensuite. Possible que ce ne soient que des étrangers qui fouinassent autour de l'île, mais on ne sait jamais. Va, et fais vite...

Ce fut lorsqu'Ellen et Greg, tenus en respect et étroitement surveillés par leurs geôliers, se trouvèrent en bas, sur le palier, qu'ils perçurent à leur tour le battement régulier d'un gros moteur.

Le caporal de la Police Montée qui se trouvait à la barre du grand patrouilleur s'y entendait à manier un bateau, et n'en était pas peu fier. Il avait passé dans la Marine les cinq années de la guerre. Non seulement il souscrivait de tout cœur à l'« Evangile » de la R.C.P.M., selon lequel tout homme appartenant à cette formation devait être capable de faire n'importe quoi en ce bas monde, mais aussi il était personnellement convaincu qu'un brin de navigation ne pouvait faire de mal à personne, voire même à un policier. Manœuvrant à contre-courant, il fit décrire à la puissante embarcation une large boucle fort spectaculaire, afin de se rapprocher de l'île dans la mesure où la profondeur de l'eau le permettait à cet endroit. Sur un ordre, un petit horsbord fut détaché de la rampe arrière, et dépêché vers l'objectif à atteindre.

Cette manœuvre, effectuée alors que le grand bateau filait toujours ses 20 nœuds, était la joie et l'orgueil du caporal. Elle fut, comme toujours, exécutée à la perfection et avec ce « je ne sais quoi » qui distingue les gens de la marine du commun des mortels.

Le petit canot à moteur piqua droit sur l'île. A bord se trouvait le sergent qui avait interviewé John Harper

Harrison à Dorval : il avait été détaché spécialement pour se livrer à cette chasse systématique qui durait déjà depuis dix longs jours. L'île où il se rendait cette fois n'était jamais qu'une de plus sur la longue liste dressée par ses soins avec l'aide des agents immobiliers, et après avoir interviewé une quantité de résidents, écouté les bavardages des gens du cru, pris note de tout ce qui avait été loué au cours des 12 derniers mois dans le secteur des « Thousand Islands ». Il en était arrivé au chiffre 130. La maison vers laquelle il fonçait à présent était la quatre-vingt-quatrième.

En tant que sergent de la Brigade Criminelle, il avait été à une dure école et savait que ce genre de travail n'avait rien de prestigieux. Jamais il n'était question d'y faire preuve de brillantes capacités de déduction. La plupart du temps, il fallait simplement procéder par élimination et se remuer. Cette affaire le montrait bien, et déjà il en avait plein le dos. Il avait interrogé des masses de gens, depuis des écrivains venus se réfugier sur une des îles pour travailler en paix — et qui ne furent pas contents du tout qu'on vînt officiellement les y déranger — jusqu'à des couples en « lune de miel » qui furent moins contents encore.

Cela n'avait rien donné. Pas une des quelque quatre-vingts maisons qu'il avait visitées ne donnait l'impression d'être un repaire de brigands, et personne (qu'il s'agît ou non de gens d'aspect normal) n'avait trahi une gêne, ou un sentiment de culpabilité pouvant le mettre sur une piste quelconque.

Il en venait à se demander si Joe Barzan ne s'était pas trompé. Le reste de la bande avait très bien pu dire n'importe quoi au jeune garçon, et la maison en question n'était peut-être pas située sur une île, mais tout simplement sur une des rives du fleuve. Peut-être aussi n'était-elle pas louée, mais appartenait-elle à un résident de longue date qui serait devenu un criminel, ou bien encore à un résident de longue date qui aurait lui-même été retenu prisonnier... Il se pouvait que ce

fût une maison abandonnée et vide (il y en avait beaucoup dans le coin) auquel cas il ne restait plus au sergent qu'à refaire toute sa liste.

Bref, les possibilités ne manquaient pas. En attendant, l'affaire durait maintenant depuis une quinzaine
de jours. La presse et l'opinion publique s'impatien-
taient. Le Commissaire, réagissant de façon très humaine
au prestige doré du richissime John Harper Harrison,
se mettait à envoyer de longs messages ronéotypés débu-
tant invariablement en ces termes : « On s'étonne que... ».

Le sergent poussa un soupir et héla le policier qui
était à la barre :

— J'aperçois un ponton, là-bas au coin... Il y a sûrement quelqu'un car un canot automobile est rangé le
long du bord.

Ils ralentirent, et le sergent put contempler la maison :
rien ne distinguait celle-ci des 83 autres, excepté que
tous les rideaux étaient soigneusement tirés à l'intérieur.

Dans la pièce du bas, Paxton épiait par la minuscule
fente des rideaux, pendant que s'approchait le canot de
la police. Le brio avec lequel la manœuvre venait d'être
exécutée (le lancement du petit bateau par le grand) avait
déclenché en lui toute une série de pensées désagréables,
et maintenant la vue des deux silhouettes en uniforme
achevait de l'inquiéter. C'était trop bien organisé pour
ne pas être alarmant... Cette dernière journée avait
été épouvantable; la mort de Dino, la façon dont Greg
ne cessait de le harceler, le faible réconfort qu'il trouvait en la personne de Curly, tout cela avait fini par
entamer son moral et la plaisanterie de Greg sur l'équipe
qui commençait à « se désagréger » lui revint à la mémoire. Et voilà que la police se trouvait pratiquement
sur son paillasson, en un moment crucial où il aurait
souhaité avant tout ne pas faire parler de lui.

Tandis qu'il regardait, un mince rayon de lumière
passant par la fente des rideaux éclairait son visage
aux traits profondément marqués — un visage crispé,

tendu. Il était prêt à lutter, mais soudain il ne se sentait plus maître de la situation.

— Alors? demanda-t-il brusquement à Curly qui venait d'apparaître à ses côtés.

— C'est fait, Pax. Y peuvent pas bouger. Je me suis servi du chatterton pour les bâillonner.

— Parfait.

Curly jeta un coup d'œil par la fente des rideaux :

— C'est qui, en somme?

— La police.

— Merde! fit Curly visiblement ému. On fait quoi?

— Rien. C'est à eux. Nous n'avons à nous inquiéter de rien.

— Pourquoi ils sont là?

— Est-ce que je sais! Ils repartiront. Réponds comme il faut (il regarda fixement Curly) et pas de connerie.

— Tu me connais, Pax.

— C'est justement pour ça que je ne suis pas tranquille.

Le coup frappé à la porte d'entrée leur parut résonner indéfiniment dans le silence.

— On n'a qu'à pas bouger, suggéra Curly avec agitation.

— Et notre bateau, crétin... Ils ont vu qu'il y avait quelqu'un...

Paxton ouvrit la porte et adressa un petit signe de tête au sergent.

— Oui?

— Bonjour, monsieur, dit le sergent pour la 84ᵉ fois. C'est juste pour un petit contrôle des habitations du secteur.

— Que se passe-t-il?

— Rien, dit le sergent. Un simple contrôle. On peut entrer?

— Sans doute, répondit Paxton d'assez mauvaise grâce et il fit pénétrer le policier dans la pièce dont les rideaux étaient toujours fermés.

— Vous aimez l'obscurité, remarqua le sergent.

— On s'est réveillé tard.

Le sergent consulta sa montre :

— Très tard, en effet, dit-il.

Curly surgit de l'ombre :

— Bonjour, fit-il d'un air gêné. Je vais faire un peu de lumière.

Lorsque Curly ouvrit les rideaux, il en sortit un épais nuage de poussière que le soleil éclaira impitoyablement. La pièce en désordre n'en parut que plus sordide encore.

— Voilà qui est mieux, dit le sergent en se retournant vers ses interlocuteurs. Puis-je avoir les noms, pour commencer ?

— Barber, répondit Paxton (c'était sous ce nom qu'il avait loué la maison). Et voici Phillips.

— Longtemps que vous êtes ici ?

— Deux mois environ.

— Citoyens canadiens ?

— Américains.

— Où avez-vous passé la frontière ?

— Au pont des « Thousand Islands ». Pourquoi ça ?

— Nous effectuons un contrôle dans le secteur, répéta le sergent d'un ton bref. En vacances ?

Paxton se contenta de faire un signe de tête affirmatif mais Curly répondit obligeamment :

— On pêche un peu.

— Ah ! oui ? dit le sergent. Ça donne bien ?

— Pas trop mal.

— Pris des « yeux d'or » ?

— Quelques-uns, répondit Curly.

— Veinard, dit le sergent.

Il regarda autour de lui : sur la table, des tasses, des assiettes en désordre, et aussi un plateau portant deux couverts.

— Personne d'autre dans la maison ?

— Non, dit Paxton.

— Un peu de vaisselle en retard, hein ? dit le sergent.

148

— Vous savez ce que c'est, en vacances, intervint aimablement Curly. Ça s'entasse.

— C'est vrai... Combien de temps restez-vous encore ici?

— Un mois, je pense, dit Paxton.

— Ça fait de bonnes longues vacances.

— Nous nous plaisons ici.

— Vous êtes les bienvenus chez nous, dit le sergent.

Des yeux, il fit de nouveau le tour de la pièce, prêtant l'oreille : dans toute la maison régnait un silence absolu. Il eut l'impression que les deux autres aussi tendaient l'oreille. On entendit une planche craquer, et Curly Bates se mit aussitôt à siffler, très fort et très faux.

— Eh bien, dit le sergent, c'est à peu près tout. Je vous laisse.

— Bonne chance, dit Curly.

— Merci, répondit le sergent.

Il était presque affable maintenant, et c'était en quelque sorte bien plus inquiétant que sa manière cassante du début. Il ajouta à l'adresse de Curly :

— Bonne chance à vous aussi, pour la pêche... et pour la vaisselle !

— Triple imbécile ! rugit Paxton. Pourquoi as-tu ouvert les rideaux ? Tu n'as pas vu la poussière qui en sortait ? Il a bien dû comprendre qu'on ne les a pas ouverts depuis un temps fou.

— Ça avait l'air drôle, expliqua Curly, d'avoir de la lumière quand il faisait grand jour dehors.

— C'est bien plus drôle encore, à la façon dont tu t'y es pris (il fixa sur Curly un regard chargé de haine). Et cette histoire de pêche ? Tu avais bien besoin d'en faire tout un plat ?

— Juste pour causer.

— Je t'avais interdit de prononcer un mot... C'est quoi ce poisson dont il a parlé ?

— C'est pas moi qui vais te le dire! Quelque chose de doré...

— Tu lui as dit en avoir pris! vociféra Paxton de plus en plus hors de lui. C'est probablement un poisson qu'on ne trouve qu'à des milliers de kilomètres d'ici! Tu es donc complètement crétin! Il voulait tâter le terrain, voilà tout!

— On dirait que je ne fais jamais rien de bien, gémit Curly.

— C'est foutrement vrai... Et cette ineptie au sujet de la vaisselle! (sauvagement il se mit à singer Curly) « Vous savez ce que c'est... Ça s'entasse. »... Pour qui te prends-tu? Pour une vieille bonne femme qui jacasse sur le pas de sa porte?

— Pourquoi tu ne me fous pas la paix? dit Curly d'un ton à la fois chagrin et furieux. Tout le temps à me chercher des poux... D'abord, qu'est-ce que ça fait, la vaisselle?

— Ça fait parce que...

Paxton s'interrompit : ses yeux venaient de se poser involontairement sur la table. Il demeura un instant sans rien dire, sa respiration s'échappant en un long sifflement.

— Ça fait plus que tu ne le crois, petite tête! dit-il soudain venimeux. C'est toi qui as posé ce plateau sur la table?

— Bien sûr que c'est moi. Je l'ai descendu quand nous...

— Le flic l'a vu, dit Paxton comme se parlant à lui-même. Un plateau séparé du reste, avec deux couverts.

— Bon Dieu, Pax! fit Curly alarmé. Je ne me suis pas rendu compte... Jamais je n'aurais pensé...

Le regard de Paxton se posa de nouveau sur Curly — un regard mauvais, haineux :

— Pour un peu, je t'abattrais — là, comme ça.

Curly se recula en criant d'une voix perçante :

— Me touche pas ! Il m'avait bien dit, le gosse, que ça arriverait !

Paxton marcha sur lui :

— Qu'est-ce que tu veux dire, abruti ?

— Tu as liquidé Dino, hein ? Maintenant, c'est moi que tu voudrais liquider !

Paxton fit un effort surhumain pour recouvrer son calme. Le front ruisselant de sueur, il se raidit. Greg Perring ne s'était pas trompé, l'équipe se désagrégeait, et lui, Paxton, devait empêcher à tout prix que cela aille plus loin. Il était horrifié à la pensée que, dans un accès de colère aveugle, il avait été sur le point de frapper Curly Bates, de le battre à mort, peut-être même de lui tirer dessus comme il l'en avait menacé. S'il l'avait fait, il serait tout à fait seul maintenant. L'affaire serait dans l'eau. Tous ses projets se trouveraient réduits à néant.

Il s'assit et se prit quelques secondes la tête dans les mains. La situation se résumait à ceci : Curly Bates était le roi des crétins, mais Curly Bates était tout ce qui lui restait.

— Pardon, Curly, dit-il après un instant. Ne m'en veux pas.

— Ma foi... hésita Curly, offensé et inquiet.

— Ne m'en veux pas, répéta Paxton. Il faut que nous nous sortions de là.

— Tu crois vraiment, hasarda bientôt Curly, que le flic a remarqué quelque chose ?

— Peut-être pas, répondit Paxton (de tout cœur il espérait que c'était vrai). Après tout, le plateau pouvait avoir été préparé pour toi et moi... quoi qu'il en soit, ne perdons pas de temps. Ça ne sert à rien de rester à ne rien faire. Il vaudrait mieux que tu ailles déposer la seconde note, comme prévue.

— Quant ça ?

— Ce soir.

— Ma foi... fit encore Curly.

— Pourquoi attendre ? Si la police est à nos trousses,

nous nous en apercevrons toujours assez tôt. Autant en finir le plus vite possible. Plus longtemps nous resterons ici, plus nous attirerons l'attention.

— Oui, c'est vrai.

— Pars ce soir, dès qu'il fera nuit. Tu iras prendre la voiture et il faudra ensuite poster la lettre à Kingston.

Après avoir donné encore quelques directives à Curly, Paxton conclut :

— Nous ne sommes plus que nous deux, Curly. Je me suis emballé tout à l'heure. Encore une fois, ne m'en veux pas. Nous pouvons encore nous en tirer si nous nous en donnons la peine.

— Pour sûr, Pax... Tu crois qu'il n'y a pas de danger avec la police?

— Pas question (il importait avant tout de remonter le moral de Curly). Ce flic n'avait pas l'air si fort que ça... Attends seulement quinze jours, et nous serons tous les deux en Amérique du Sud.

Curly eut une réaction absurde :

— Olé! dit-il.

— A la bonne heure, Curly!

Il faisait nuit. Les rideaux étaient une fois de plus tirés sur le monde extérieur : seul était vaguement perceptible le clapotis de l'eau qui venait frapper doucement au pied de la vieille maison. Une fois de plus, ils se trouvaient tous les trois réunis dans la pièce du bas : Greg et Ellen sur le divan; Paxton en face d'eux, dans le fauteuil, les observant. Cependant, on pouvait déjà déceler un changement minuscule — un changement que Paxton essayait, mais en vain, d'ignorer : il avait cessé d'être le plus fort; Greg et Ellen formaient toujours une équipe, alors que son équipe à lui n'existait plus. Il était seul — un homme solitaire ne pouvant plus compter que sur lui-même.

Sans doute était-ce ce sentiment d'isolement qui l'avait poussé à aller délivrer les deux autres. Geôlier et prisonnier à la fois, il avait éprouvé le besoin d'une présence, fût-ce celle de ses prisonniers, pour l'aider à supporter cette pénible situation.

Par contre, Greg était d'excellente humeur, comme si, sachant toujours exactement ce qu'il convenait de dire en toute occasion, il se trouvait cette fois particulièrement cn verve.

— Comment était le type de la police? demanda-t-il. Pas les yeux dans sa poche, hein? Flairait-il quelque chose?

— Pas précisément, répondit Paxton.

— Faut toujours se méfier avec la police... Je suis bien sûr qu'il a remarqué un tas de trucs, et il a été chercher du renfort. Je parierais que ce pauvre vieux Curly a gaffé tant qu'il a pu.

— Absolument pas...

— Où est-il, à propos? Ça me manque de ne plus entendre sa conversation si spirituelle.

— Il a quitté l'île.

Greg leva les sourcils :

— Déjà? Ce n'est peut-être pas très raisonnable.

— Et pourquoi donc? demanda Paxton.

Il n'avait pas cnvie de connaître la réponse — il avait même peur de la connaître, et pourtant quelque chose le poussait à parler, à écouter.

— Il n'a pas bon moral, n'est-ce pas, Ellen? dit Greg en se tournant vers la jeune fille.

— Il a un moral affreux, répondit Ellen de sa voix la plus mondaine. Vraiment, j'en suis navrée pour lui.

— Il est très bien, dit Paxton.

— Oh non! reprit Greg. Je lui ai fait peur, comme j'avais dit que je le ferais. Cela n'a pas été compliqué. Je me suis contenté de lui faire remarquer que les rangs s'éclaircissaient — vos rangs, c'est-à-dire — vraiment très vite et que cela pourrait être son tour après. Ça n'a pas du tout été de son goût.

Paxton eut un sourire sans gaieté :

— Je sais. Il me l'a dit. Il n'y croit plus maintenant.

— Ah oui?... J'imagine que vous lui avez fait peur à votre tour?

— Je lui ai fait peur, oui, et ensuite je l'ai rassuré.

— Je me demande quelle est celle de ces deux opérations dont il se souviendra quand on l'aura piqué?

— Il ne le sera pas, dit sèchement Paxton.

— Oh si! Le policier va probablement le reconnaître. Ou bien on fouillera dans un tas de photos et on trouvera la sienne.

— Curly n'a pas de casier judiciaire.

Sans sourciller, Greg observa Paxton pendant une bonne demi-minute puis déclara :

— Franchement, il aurait dû vous le dire...

— Me dire quoi?

— Eh bien, qu'il a un casier judiciaire long comme ça... vol de voitures, vol simple, vol par effraction. Au fond, il en est très fier. Vous n'allez pas me dire...

— Curly n'a rien à se reprocher, fit Paxton sans conviction. Il n'a jamais été à l'ombre.

— Il y a été quatre fois, et on a son signalement d'ici à Hawaii (Greg, très à son aise, se renversa sur le divan). Vous savez, vous auriez dû lui parler plus souvent, comme nous l'avons fait nous-mêmes.

— Même si ce que vous dites est vrai, on ne le connaît pas ici.

— Vous savez, je crois que la police canadienne est en liaison assez étroite avec le F.B.I., dit Greg (il s'était redressé soudain, la tête un peu penchée). D'ailleurs vous n'allez pas tarder à vous en apercevoir...

Paxton bondit :

— Qu'est-ce que vous écoutez? demanda-t-il, tendu.

Ce fut alors qu'il perçut à son tour, et pour la seconde fois, le bruit d'un moteur qui lui parvint net et clair, malgré l'épaisseur des rideaux.

Son revolver à la main, il alla, en deux enjambées rapides, regarder par la fente des rideaux. Il avait la tête enfoncée dans les épaules, comme sous l'effet d'une tension extrême.

Derrière lui, Greg poursuivit d'une voix narquoise :

— Ne nous dites rien, Paxton. Laissez-nous deviner. Je ne pense pas que ce soit le percepteur.

Paxton émit un grognement et fit volte-face : à la lumière de la lampe son visage avait pris une teinte cireuse, et la main qui tenait l'arme tremblait visiblement.

— Ça va, gros malin ! dit-il. Fini, le cirque. A mon tour de rigoler maintenant !

Greg continua de l'observer calmement :

— C'est la police ?

Il fit mine de se lever, mais Paxton l'arrêta d'un geste.

— Reste où tu es ! Comme ça tu ne tomberas pas de haut !

— Vous n'allez pas me tuer, dit Greg.

Il sentit, tout près de lui, Ellen frissonner, saisie d'une terreur soudaine, et il prit une de ses mains dans la sienne.

— Jusqu'ici, poursuivit-il, vous ne risquez que l'emprisonnement à vie. Autrement, ce serait la pendaison...

— Ni l'un ni l'autre, dit Paxton. Ils ne m'auront pas.

— Qu'allez-vous faire ? Vous sauver à la nage ?

— Je trouverai bien un moyen, dit Paxton.

Subitement, derrière lui, le rideau parut inondé de lumière, comme si le soleil brillait intensément au travers.

— Ne vous retournez pas tout de suite, dit Greg. Mais vous avez un projecteur juste derrière vous.

— Je t'en supplie, Greg, dit Ellen d'une voix mourante. Il fera ce qu'il dit.

— Je comprends que je le ferai, dit Paxton. Ce sera la dernière fois que tu m'auras exaspéré !

— Quels sont vos projets ? demanda Greg. Dites-moi les vôtres, et je vous dirai les miens.

Une voix, énorme dans le haut-parleur, tonitrua :

— PAXTON !

— C'est vous! fit Greg presque joyeusement. Ils ont dû cueillir Curly — et la lettre de rançon.

— Eh bien, moi ils ne me cueilleront pas! affirma Paxton.

Tenant toujours son arme braquée sur Greg, il alla dans le coin où se trouvait le commutateur, et éteignit les lumières. La pièce, que seule éclairait la lueur brutale du projecteur passant à travers les rideaux, se peupla d'ombres étranges.

La voix gigantesque reprit :

— PAXTON! SORTEZ!

La forme sombre de Paxton alla reprendre son poste devant la fenêtre.

— Qu'allez-vous faire? s'enquit Greg.

Mais aucune réponse ne vint de la silhouette qui se découpait sur les rideaux.

— Eh bien, moi, je vais vous dire ce que vous n'allez pas faire, reprit Greg. Vous n'allez pas vous sauver à la nage.

— Si, fit soudain Paxton.

Il se retourna, le canon de son arme luisant dans la pénombre.

— Tu me serviras de paravent jusqu'au rivage. Ensuite, je te descendrai et je foutrai le camp. Ils ne peuvent pas surveiller tout le tour de l'île.

— C'est une idée, certainement, concéda Greg dont la voix résonnait, étrangement calme, dans l'obscurité. Mais ça ne marchera pas. Ils nous repêcheront tous les deux à une trentaine de kilomètres d'ici.

— Ce qui veut dire?

Le haut-parleur retentit de nouveau :

— PAXTON! SORTEZ, SINON ON VA VOUS SORTIR!

— Laissons un peu attendre vos amis, dit Greg, pendant que je vous explique... Je suis né dans la région. Savez-vous comment on appelle ce coin où nous sommes? La Baie des Suicidés! On y compte plus de noyades que n'importe où ailleurs en Amérique du Nord. C'est à cause du courant de surface et du ressac. C'est d'ailleurs interdit de s'y baigner (il éclata de rire), on pourrait même vous arrêter pour ça, Paxton !

— Tu es un rigolo, commenta Paxton d'une voix mal assurée. En tout cas, je risque le coup...

— Entendu, dit Greg. Allons-y.

— Non, Greg, je t'en supplie, dit Ellen en se suspendant au bras du jeune homme. Il va te tuer.

— Il se tuera aussi, ma chérie, répondit Greg. Personnellement, je préfère être abattu que d'avoir les poumons pleins à craquer de cette eau immonde.

— C'est vrai ce que tu racontes au sujet du courant? finit par demander Paxton.

— Croyez-moi si vous voulez, mais ici on est obligé d'assurer les embarcations presque le double de ce qu'on les assure ailleurs.

Le bruit d'un second moteur se fit entendre — cette fois de l'autre côté de la maison. Paxton poussa un énorme juron.

— Pendant que nous discutions...

— C'était ça mon plan, annonça Greg. Ne vous avais-je pas dit que j'en avais un? Une arme pour chaque animal... Mon arme à moi, c'est la voix humaine...

Mais on sentait maintenant dans la sienne une certaine tension : le rideau allait se lever et on ne savait pas encore sur quoi. Les prochaines minutes risquaient de coûter la vie à Greg; ou bien ils allaient enfin tous deux se retrouver à l'air libre, et voir la fin de leurs épreuves.

— Fini le petit jeu, Paxton, poursuivit Greg. J'en ai tant raconté à Curly qu'il a dû finir par se livrer, et je vous en ai tant raconté, à vous, que vous ne pouvez même plus vous sauver.

— C'est faux, bon Dieu !

— L'île est cernée.

— Ils ne m'ont pas encore !

La voix fantastique reprit :

— « PAXTON ! NOUS SOMMES HUIT HOMMES

ARMES! AVEC DES BOMBES LACRYMOGENES!
TROIS BATEAUX. C'EST ECLAIRE PARTOUT! ON
VOUS DONNE ENCORE UNE MINUTE POUR SOR-
TIR PAR LA PORTE, LES MAINS EN L'AIR! »

— Vous voyez, dit Greg, eux aussi ont un plan.

Paxton parut avoir pris enfin une décision :

— Nous allons déguerpir, comme je l'ai dit. Toi d'abord.
Il se peut que je ne te flanque pas une balle dans la
peau, si tu te tiens tranquille. Ce sera une sorte de garantie. Mais si je suis pris...

— Faites comme vous pensez, répondit Greg. Mais
il n'y a pas de « si »...

Greg se leva sans se presser et avança de quelques
pas. Paxton le laissa venir : il avait abaissé son arme,
le bras pendant le long de son corps.

— Quand vous serez pris, dit Greg, je suis tout disposé à témoigner que vous ne nous avez pas vraiment
maltraités. Cela pourra vous aider un peu, mais pas trop,
j'espère, car cela me mettrait en rogne de voir une cra-
pule comme vous s'en tirer avec moins de vingt ans.

— Sale petit morveux, tu...

Paxton leva le bras, mais Greg qui était dans l'ombre
prévint son geste : il lança à travers la pièce le gros
cendrier de bronze qu'il tenait à la main, visant ainsi
non point Paxton, mais la fente des rideaux devant lesquels se trouvait celui-ci. Le cendrier heurta de plein
fouet la baie vitrée qui se brisa avec fracas, les éclats
volant de toutes parts. Paxton, surpris, sauta en l'air,
et machinalement se retourna. Greg en profita pour bondir sur lui, tête baissée, l'épaule droite en avant. Greg
ne pesait pas lourd, mais il avait eu le temps de prendre
son élan et Paxton, recevant le choc au milieu des reins,
se trouva projeté dans le cadre de la fenêtre.

Paxton dut tomber fort malencontreusement sur un mor-
ceau de verre qui se trouvait aussi fort malencontreusement placé pour le recevoir, car à l'exception d'un petit
hoquet lorsque sa gorge porta, il ne proféra pas un son.

Aussitôt la pièce se remplit de gens, et de policiers en uniforme. On alluma l'électricité. On prit des photos macabres. Mais rien de tout cela n'existait pour Ellen et Greg. Ils étaient tous deux dans un état de fatigue indicible, et le peu d'énergie qui leur restait était noyé dans un immense bain de tendresse.

— Je suis affreusement sale et mal tenue, dit-elle en se serrant contre lui. Et mes cheveux... C'est tout juste si je peux t'embrasser dans l'état où je suis.

— Tout juste, dit Greg.

Il tenta l'expérience. Celle-ci parut satisfaisante de part et d'autre.

— Pour un garçon qui déteste la violence, dit bientôt Ellen, tu as eu une drôle de façon de le plaquer en plein vol !

— Réminiscences de mes années de collège ! expliqua Greg. C'est précisément un des nombreux points sur lesquels mon moniteur me disait toujours que je ne ferais rien de bon (il eut un petit soupir, à peine contrit). Oui, ce déplorable étalage de brutalité entache ma réputation. Il faudra que je trouve le moyen de me racheter... Et tous ces mensonges effrayants !

— Quels mensonges ?

— Eh oui ! Cela faisait partie des moyens de pression, de la guerre des nerfs... J'ai dû calomnier nos pauvres îles ! Tout autour d'ici, on peut se baigner aussi en sécurité que dans sa baignoire ! J'ai dû aussi calomnier Curly. Je ne pense vraiment pas qu'il ait jamais eu un casier judiciaire.

— Il y a un commencement à tout, dit Ellen pas très gentiment.

Et elle ajouta :

— Mais, dis-moi, puisque tu sais mentir de cette façon si convaincante...

— Je crois bien, dit tristement Greg, avoir menti pour toute une vie...

— Une vie d'homme marié?

— Oh! le problème se pose tout à fait différemment, dit-il. Tâchons de le résoudre le plus vite possible.

Le photographe de la police — un sentimental refoulé — leur cria :

— Gardez la pôse!

Il ne tarda pas à comprendre que cet appel était superflu.

C'ETAIT UN BIEN JOLI bateau et, tout le temps que dura cette longue croisière dans la Manche qui devait nous mener, en longeant les côtes françaises, de Southampton à Flessingue, je me surpris maintes fois à souhaiter qu'il fût à moi. Or un modeste petit magistrat de province ne peut s'offrir un yacht de 60 tonneaux, à moteur Diesel, comme l'*Ariadne*. Il peut seulement, s'il a de la chance, se voir chargé par l'armateur de le livrer à des personnes plus favorisées. C'était précisément ce que je faisais en cette soirée du mois de juin, et sans trop me presser, ma foi : nous avions quinze jours pour faire le voyage, remédiant en route aux petits incidents, et nous n'avions pas l'intention de rogner sur ces quinze jours.

« Nous »... c'est-à-dire nous trois : moi-même, échappant pour quelque temps aux mornes affaires juridiques d'une bourgade anglaise; George Wainwright, dont je savais peu de chose, sinon qu'il faisait plus ou moins partie du monde du spectacle à Londres, et qu'il était excellent navigateur sur les bâtiments de faible tonnage; et « Le Rouquin » dans le triple rôle de stewart, de matelot et de commentateur perpétuel. Quand j'avais fait connaissance avec ce dernier sur le quai, il m'avait dit aussitôt de son joyeux accent faubourien : « Appelez-moi « Le Rouquin ». Ma mère a eu peur d'une carotte ! »

Et c'en était resté là. Il était de ces types qui n'ont pas besoin d'un nom de famille.

Chaque année, je m'arrangeais pour prendre des vacances de ce genre; après m'être inscrit auprès d'un service de livraison de yachts, je faisais des pieds et des mains pour m'assurer la meilleure embarcation et le trajet le plus agréable. J'avais perdu mon bateau personnel pendant la guerre et vu fondre mon compte en banque après la guerre — c'était donc la seule façon pour moi d'aller en mer désormais. George Wainwright m'annonça négligemment qu'il se « reposait » entre deux séries de représentations, mais je crois bien qu'il n'était pas fâché d'être logé gratis, tout en se faisant une vingtaine de livres d'argent de poche, pour effectuer ce qui était en réalité un voyage d'agrément. Il était beau garçon, musclé et solide, et me donnait l'impression d'avoir pas mal bourlingué autrefois sur les bateaux des autres, alors que je parvenais difficilement à me le représenter tenant un rôle quelconque dans une pièce du West End.

Quant au Rouquin, notre stewart, il ne nous confia jamais rien le concernant, ce qui ne l'empêchait pas d'ailleurs de bavarder sans arrêt.

Les équipages ainsi chargés de livrer les bateaux neufs forment généralement un ensemble fort peu homogène... et pourtant notre équipe me parut, cette fois, particulièrement étonnante. Un petit magistrat entre deux âges, un acteur d'une quarantaine d'années, un gavroche aux cheveux roux qui pouvait fort bien sortir tout droit de prison : il semblait qu'on nous eût cueillis au hasard dans l'Annuaire des professions. Quoiqu'il en fût, l'*Ariadne* s'en était tiré comme un charme entre nos mains.

Nous l'avions mené tant et si bien que nous nous trouvions maintenant avec deux jours d'avance, et en prenions tout à notre aise durant les cent derniers milles.

Au début, nous avions remonté la Manche devant un grand vent de force 6; l'*Ariadne* s'était superbement comporté, filant régulièrement ses dix nœuds sous voile de cape. Puis le vent avait molli et, de Douvres à Calais, nous nous étions laissés glisser doucement sous un soleil vaporeux, pendant que séchaient voiles et pont. Nous avions fait les quelques petites réparations nécessaires. Tout avait bien marché, à part ce qui ne marche jamais sur un bâtiment flambant neuf : une claire-voie qui fuit, un gréement qui flotte, la porte d'un placard qui ne tient pas fermée par gros temps. Dans l'ensemble, tout alla comme dans un rêve... un rêve doublé pour moi d'un désir fou de possession, et qui ne pouvait se réaliser.

George Wainwright et moi nous nous étions relayés à la barre, le Rouquin venant nous relever de temps à autre pour nous permettre de nous reposer un peu plus. Nous nous étions nourris de thé, de corned beef et de haricots, et aussi d'un mélange d'œufs et de fromage — ce que le Rouquin appelait « notre rata » — un véritable régal pour des hommes fatigués qui avaient faim et froid. Avec un coup de rhum deux fois par jour, c'était le paradis.

Or, ce paradis allait prendre fin et, vers 6 h du soir, par un temps merveilleux, nous mîmes le cap à l'est, luttant contre le jusant. A peine un souffle de vent, et l'*Ariadne*, sous voiles majeures, n'en tirait pas grand-chose. Nous progressions à peine, rampant le long de la côte basse, tandis que le soleil nous tapait dans le dos. J'étais à la barre et laissais avec volupté les poignées de la roue couler entre mes doigts. Le Rouquin faisait la vaisselle, sa tête dépassant de l'ouverture de la cabine. George Wainwright, les coudes sur la carte, observait la côte à la jumelle.

— On ne bouge pas, fit-il bientôt. Un nœud à peine, sans doute...

— Ça m'dérange pas, ne put s'empêcher de remarquer le Rouquin. J'ai toute l'année...

Il lui fallait toujours dire son mot, qu'il s'agît de la politique de l'O.N.U., de la délinquance juvénile, ou de tout autre sujet.

L'eau clapotait doucement sous l'étrave. La voile, que le vent ne gonflait plus, semblait pendre.

— Nous ferions aussi bien de jeter l'ancre, dis-je, Nous allons avoir la marée contre nous pendant quatre heures encore. Profondeur?

George consulta sa carte :

— A peu près quatre brasses. Fond sablonneux. Ça tiendra.

— Arrêtons-nous jusqu'à marée montante. Nous pourrons ainsi rattraper un peu de sommeil.

Je soulageai l'*Ariadne* pour venir au lof et nous abattîmes. Le Rouquin alla s'occuper du cabestan à l'avant.

— A combien sommes-nous du rivage? demandai-je à George.

— Environ un mille. La marée nous chasse.

— Où, exactement?

— Au large de Dunkerque.

Dunkerque... La chaîne se déroula en grinçant. L'*Ariadne* rappela sur son ancre et s'immobilisa. Je fus alors saisi d'un sentiment étrange. Oui, c'était vrai, nous nous trouvions à un mille de Dunkerque : je reconnaissais, comme si je l'avais vu sur des centaines de photographies, ce ressac huileux, la pente douce des plages, ces terres basses encadrant une ville grise, un peu éparpillée. Dix ans plus tôt (que dis-je — près de vingt ans) ces eaux pleines de fantômes, de bateaux coulés, de morts, avaient vibré au son d'un fantastique carnage. Je revoyais en esprit ces hommes patauger en colonnes désordonnées dans les hauts-fonds, en hurlant au secours, ou attendant, hébétés, qu'on vienne les tirer de là. Derrière eux, la ville en flammes; au-dessus d'eux, les Stukas; et toutes les petites embarcations qui faisaient rapidement la navette, arrivant vides et repartant chargées jusqu'aux plats-bords, s'acquittant pieusement, pendant des heures et des jours, de leur mission de sauvetage.

Un nom à la fois sinistre et fier, un symbole, une vision obsédante du passé : voilà ce que Dunkerque représentera toujours pour moi. Je me demandai ce qu'en pensaient mes deux compagnons. Je ne devais par tarder à le savoir.

Après avoir assuré l'ancre, le Rouquin vint nous rejoindre à l'arrière. George Wainwright leva les yeux de la carte, où notre position était maintenant indiquée par une belle petite croix au crayon. Inutile de se demander lequel des deux parlerait le premier. Ce n'était pas difficile à deviner.

— Ce bon vieux Dunkerque ! s'exclama familièrement le Rouquin.

Ses mains étaient pleines de graisse après avoir manipulé le cabestan, et il les essuya à un chiffon en regardant autour de lui. L'*Ariadne* se balançait mollement sur son ancre.

— Que veux-tu dire, Rouquin ? demanda George.

— Tout ça... fit le Rouquin avec un grand geste vague de la main. Ça fait dix-neuf ans maintenant, mais sacristoche, c'est tout comme si c'était hier !... Les bombardiers arrivaient comme un essaim de sales mouches, les gars attendaient... Jamais je n'oublierai, aussi longtemps que je vivrai. Sacristoche, patron ! (Il se tourna vers moi, et une intense excitation se lisait sur son visage fripé et tanné). J'pourrais vous en débiter une qui vous ferait dresser les cheveux sur le crâne ! Une de ces histoires !

... Une histoire qui nous permit — alors que le soleil se couchait et que l'ombre tremblante de l'*Ariadne* s'allongeait en s'estompant sur les eaux calmes de Dunkerque — de revivre les horreurs, les terreurs, les triomphes aussi, de ces journées tragiques. Le Rouquin racontait bien : je devinai qu'il s'était exercé devant maints auditoires, et avait eu tout le temps d'embellir et de mettre au point son récit.

Les gars, nous raconta-t-il, en avaient marre (aussitôt, il nous sembla les voir, ces gars : solides gars des usines du Lancashire, gars au teint terreux des mines de charbon du Yorkshire, beaux gars de Bermondsey et de Bow (1). L'officier avait promis qu'on les embarquerait ce soir-là, et après une semaine passée à se replier vers la côte tout en jouant à cache-cache avec les bombardiers, cette nouvelle avait été la bienvenue. Ils s'étaient donc installés sur la plage, pour attendre, mais on ne vint pas les prendre ce soir-là, ni le lendemain soir, ni celui d'après. C'est ça l'armée... on attend... personne ne sait ce qui se passe... on vous houspille sans cesse... Eteignez ça, nom de Dieu !... Ils avaient attendu sur la plage, pour commencer, puis tout au bord de l'eau; finalement, ils avaient eu de l'eau jusqu'à la ceinture.

Petit à petit, ils quittèrent les hauts-fonds, en file désordonnée, pour atteindre l'eau profonde. « Faites la chaîne, là-bas ! » cria l'officier. Et ils firent la chaîne, chacun tenant soigneusement, de son bras libre, son fusil au-dessus de l'eau. « Vous en aurez besoin demain, dit l'officier. Ne les mouillez pas. Il faut pouvoir vous en servir d'un moment à l'autre ! » « Tu parles ! » firent les gars.

Ils attendirent dans les hauts-fonds et plus loin encore. Il faisait froid, la nuit; après, on avait trop chaud. La ville brûlait derrière eux et la garnison tirait sans désemparer avec tout ce qu'elle avait sous la main; les Stukas tournaient en rond, piquaient, et repartaient dans un grondement de tonnerre, laissant derrière eux des épaves humaines tout imprégnées d'eau de mer — des hommes mélangés au sable, à l'eau, aux algues, ou mélangés entre eux, le tout lentement emporté par le reflux. « Où est passée notre sacrée aviation? » s'étonnaient les gars en scrutant le ciel hostile, entre des vagues de bruit et de souffrance. « Au pieu, avec la première venue. » « T'as eu des nouvelles de ta bourgeoise, dernièrement?... ».

---

(1) Bermondsey et Bow : quartiers du sud et du sud-est de Londres.

La nuit, ils avaient froid, puis la chaleur devenait accablante. Ceux qui étaient touchés restaient en arrière. D'autres, pris de crampe, étaient emportés par le courant; certains, devenus fous, essayaient de se cacher sous l'eau. Et l'on apercevait d'autres files décousues s'allongeant, s'étirant, telles des tentacules, en direction de la côte d'en face. Cette file-là diminuait sans cesse : parfois, il en disparaissait toute une partie, comme vaincue par le bruit et la tension. « Serrez ! » criait l'officier ». « Et défense de fumer, ça pourrait nous faire repérer. »

L'officier fut le dernier à partir. C'était un brave lui aussi, quoiqu'un peu farfelu... Quand ce fut leur tour d'embarquer, le canot du contre-torpilleur s'approcha en dansant, après qu'un chapelet de bombes eut encadré les hauts-fonds, et il stoppa devant la longue file vacillante.

« Et qu'ça saute ! » fit le marin, imperturbable. Ils sautèrent en effet — autant que cela leur fut possible après trois journées comme celle-là... A l'un, le vacarme et le soleil avaient fait perdre la tête : il se mit soudain à hurler, de douleur et de joie à la fois, au moment d'embarquer, et l'officier dut le pousser dans le canot. Puis l'officier lui-même s'effondra comme un vieux journal détrempé, et disparut sans laisser de trace.

On le rechercha quelques instants et, finalement, ne le trouvant pas, on abandonna, et l'embarcation prit rapidement le large. Mieux vaut en sauver vingt, pensa-t-on pour se consoler... mais, quand même, c'était drôle l'air étonné qu'il avait eu, après avoir tenu trois jours, comme ça, juste avant de s'écrouler.

Le crépuscule descendit sur nous comme une bénédiction. L'*Ariadne*, dans toute sa fraîcheur éblouissante, se balançait fièrement sur son ancre, et la blancheur de ses voiles humides parut retenir les rayons du soleil longtemps après que celui-ci eut disparu à l'horizon. Tout ce qu'il m'aurait fallu pour pouvoir posséder un bateau comme celui-là ! Beaucoup de chance, beaucoup de gros bon sens, beaucoup d'énergie aussi — bref, tout ce dont j'avais toujours manqué. Et pourtant, en train de siroter mon rhum à l'eau, j'arrivais sans peine à m'imaginer que c'était bien vrai — qu'il était à moi...

Les lumières de Dunkerque s'allumèrent une à une. George en profita pour vérifier la position de l'ancre et s'assurer que nous ne chassions pas, puis il vint s'asseoir à côté de moi, et dit, en élevant un peu la voix pour se faire entendre au-dessus du clapotis et du murmure de la marée :

— Pas mal, ton histoire, le Rouquin. Je vois bien ce que tu as ressenti... mais ça n'était pas gai non plus pour les petits rafiots qui devaient s'approcher tout près des côtes pour y cueillir les troupes. Je peux vous en conter une, si vous voulez...

... Ce fut l'histoire d'un grand gaillard et d'un tout petit bateau (Gerge Wainwright était étendu confortablement à l'arrière de la timonerie, et nous comprîmes tout de suite, le Rouquin et moi, en regardant sa large carrure, qu'il était le héros de son histoire). Des centaines de petits bateaux avaient quitté les côtes anglaises pour participer à l'évacuation de Dunkerque, depuis les vieux bacs à aubes jusqu'aux canots de sauvetage. Manœuvrés par un homme et un mousse, ils avaient pour mission de faire la navette, c'est-à-dire de s'approcher le plus près possible des côtes, et d'y charger des soldats qu'ils allaient déposer ensuite sur les gros bateaux et les contre-torpilleurs attendant en pleine mer.

Quelques-uns de ces petits bateaux travaillaient trois ou quatre jours sans désemparer. C'était le cas du *Tantivvy,* un aviso de deux tonneaux et demi.

Le *Tantivvy* (selon George) ne payait pas de mine, bien qu'il fût la joie et l'orgueil de son patron. Il venait de Douvres, avec la foule des autres, à la suite d'un appel lancé par la radio à tous les petits bâtiments pouvant tenir la mer. Cette flotte disparate s'était déployée telle une extravagante Armada et avait ensuite convergé sur Dunkerque. Dunkerque... dans son manteau de fumée, avec son port hérissé de bateaux et son effroyable canonnade — on ne risquait pas de le manquer.

Le *Tantivvy*, avec à peine quatre pieds de tirant d'eau, pouvait s'approcher à un demi-mille du rivage. Il jetait l'ancre et lâchait aussitôt un minuscule canot de son pont supérieur. Cette petite embarcation était pilotée par un type si volumineux qu'il restait tout juste place pour deux passagers... Toute la journée et une bonne partie de la nuit, le canot faisait la navette, prenant à chaque fois deux hommes parmi cette horde qui attendait, allait les déposer sur le *Tantivvy*, puis retournait en chercher deux autres.

Il arriva un moment, vers la pointe du jour, où le *Tantivvy* eut à bord une cinquantaine de passagers. Le visage terreux, indifférents à ce qui se passait autour d'eux, ils s'entassaient dans la toute petite cabine, et sur le pont supérieur qu'ils couvraient de leur sang; ou bien, assis le dos au mât, l'œil vide, ils semblaient attendre la fin de tout cela. Au vingt-cinquième voyage, le grand gaillard du canot jeta un regard circulaire et annonça :

— Je crois que c'est à peu près tout...

Un des soldats, qui n'était pas complètement abruti et pouvait encore parler, profita d'une accalmie dans le bombardement pour s'écrier :

— Partons, bon Dieu !

— On pourrait en prendre encore deux, fit le grand type en laissant reposer sur les rames ses bras enflés et douloureux.

— Faites pas l'idiot ! dit le soldat d'une voix éraillée. Si vous y retournez, nous sommes tous foutus. C'est tout juste si nous ne coulons pas déjà.

Une bombe tomba en sifflant. Un torrent d'eau sale vint s'abattre tout près d'eux.

— Bon... fit le grand type qui avait le visage décomposé de fatigue et les yeux gonflés, comme décolorés.

Il grimpa à bord, arrima son canot, et mit le petit moteur en marche.

— Donne-moi un coup de main pour l'ancre, dit-il au soldat.

Tous deux se dirigèrent péniblement vers l'avant, se frayant un passage entre tous ces corps étendus — presque des cadavres, qui n'avaient même plus la force d'ouvrir les yeux quand on les repoussait du pied — et, ensemble, ils parvinrent à relever l'ancre et à la remettre dans son logement. Le grand type se redressa, puis se raidit soudain :

— Espèce de con ! dit-il au soldat.

— Hein ? fit le soldat, stupéfait.

Il y eut une formidable explosion sur le rivage. La petite embarcation qui commençait à s'éloigner fut violemment secouée lorsque l'onde de choc, brûlante, vint la heurter.

— Tu sais donc pas, dit le grand type sur un ton d'ironie féroce, qu'on ne doit pas marcher sur un pont de bois avec ces sacrés godillots à clous ?

Du sud soufflait à présent une brise légère, et de petites vagues venaient doucement lécher les beaux flancs de l'*Ariadne*. C'était une heure encore avant le lever de la lune, et il faisait maintenant très sombre. Les lumières de Dunkerque se reflétaient dans le ciel au-dessus de nous, mais, entre la ville elle-même et l'*Ariadne*, la mer était d'un noir d'encre, vide, anonyme, un peu comme si tous les soldats ayant été enfin rembarqués, nous pouvions repartir à notre tour...

A la faible lueur rosée de l'habitacle, le visage si éveillé du Rouquin avait pris une expression mélancolique. Sans doute lui aussi se sentait-il encore environné de fantômes. Je compris qu'il m'appartenait d'évoquer, ne serait-ce que pour nous rassurer tous, l'aspect glorieux, la fin de l'histoire...

... La fin de l'histoire qui était maintenant aussi claire

pour moi que le début l'avait été pour mes compagnons.

C'était un vieux contre-torpilleur assez capricieux (c'était comme ça en 1916, non pas en 1940) et on eut du mal à le faire accoster à Douvres déjà tout grouillant de bateaux. Ce n'était pas facile, surtout après avoir passé 36 heures sur la passerelle, été deux fois à Dunkerque en jouant à cache-cache avec les bombardiers à l'aller comme au retour, attendu au large, crevant de chaleur, que ces 862 hommes grimpent à bord en s'agrippant, se bousculant sauvagement. Ce n'était pas facile, surtout quand il fallait repartir indéfiniment jusqu'à ce qu'il n'apparût plus une seule tête de soldat au-dessus de l'eau.

Le vieux contre-torpilleur se faufila entre deux chalutiers dragueurs de mines qui sortaient, il s'immobilisa dans un soudain bouillonnement d'écume à l'arrière, puis se rapprocha tout doucement du quai. On lança les amarres; les guindeaux embraquèrent le mou. Le vieux bateau accosta bientôt et ses grosses machines cessèrent de ronronner. Le commandant s'avança à l'arrière de la passerelle d'où le pont lui apparut dans sa longueur...

C'était donc cela le résultat, le but de l'expédition... Ce pont plein d'hommes, d'hommes en kaki. Pas un centimètre carré de libre. Tout le temps du voyage de retour, ils étaient demeurés là, prostrés, comme morts. Maintenant ils s'animaient un peu, se dirigeaient vers les planchers de débarquement, regardant fixement le quai de Douvres comme s'ils ne pouvaient en croire leurs yeux. Ces uniformes d'une saleté repoussante, ces visages hirsutes, tous ces pansements sanglants : on aurait dit une pitoyable armée d'épouvantails sortie de quelque mélodrame shakespearien. La moitié d'entre eux peut-être avaient des fusils. C'était tout leur équipement.

Ils commencèrent à débarquer, se traînant misérablement sur les planches avec la démarche de somnambules plongés dans quelque rêve de carnage. Ils se rassemblèrent par petits groupes, puis s'alignèrent vaguement. Le quai en était plein. Quelques-uns, n'arrivant pas à s'arracher à leur torpeur, étaient restés juste au-dessous de la passerelle.

Soudain l'un d'eux, un petit caporal de première classe, leva la tête en direction de la passerelle, et ses yeux plongèrent dans ceux du commandant. Les deux hommes demeurèrent ainsi un instant, ne se quittant pas du regard, comme si l'un et l'autre cherchaient par quelque moyen extraordinaire, inhabituel, à combler le fossé séparant un chétif petit soldat, un gars du peuple, d'un bel officier de marine, tout chamarré. Enfin, le petit caporal eut un large sourire, se tourna vers ses camarades exténués, et cria aussi fort qu'il put de sa voix cassée :

— Allez-y, les gars ! Trois fois hourrah pour la pauv' Marine !

Cela ne ressemblait guère à une acclamation — tout au plus à un vague grognement aussitôt étouffé, au soupir tragique d'une armée de spectres. Mais l'hommage de ces soldats dépenaillés monta jusqu'à l'homme au maigre visage fortement buriné, debout sur la passerelle de son contre-torpilleur.

Le commandant était, dans le civil, le fils aîné d'un lord; dans le service, il passait pour être extrêmement strict en matière de discipline et on racontait qu'il lui était arrivé de prendre une sanction sévère pour un salut négligent. Il se trouvait là dans une position délicate; aucun manuel, aucune tradition familiale, et jusqu'ici aucune guerre ne pouvaient lui dicter l'attitude à adopter. Cependant, lui aussi avait quelque chose d'important à exprimer, et il fit de son mieux. Il s'approcha tout au bord de la passerelle, droit comme un « I » en dépit de sa grande fatigue, et il articula :

— Messieurs, c'est moi qui vous adresse mes compliments les plus sincères.

Je vis que mon histoire leur avait plu : elle leur rappelait que la tragédie de Dunkerque pouvait s'interpréter de deux façons. A la lueur de l'habitacle, le visage du Rouquin me parut avoir retrouvé sa gaieté coutumière. George Wainwright prit une grande rasade de rhum, comme s'il se fût agi de fêter la Victoire en personne. La brise nocturne qui soufflait de la terre nous apportait la bonne odeur chaude de la campagne flamande. Notre yacht mouillé au large de Dunkerque, nous venions de rendre assez longuement hommage à nos morts : après tout, le drame avait eu un heureux dénouement.

George déclara, faisant ainsi écho à mes propres pensées :

— C'est ce que nous avons tendance à oublier. Nous avons quand même réussi à en sauver plus de 300 000, et ils y sont bel et bien retournés finalement.

Lorsque je levai enfin la tête, après cette longue conversation, je m'aperçus que les lumières de Dunkerque ne donnaient plus par le travers tribord de l'*Ariadne*, mais commençaient de glisser doucement vers la poupe. La marée montait, George le constata au même instant :

— Nous bougeons, patron. La marée est avec nous, ce coup-ci, et le vent a un peu plus de corps.

J'allumai les feux de route et l'*Ariadne* s'anima à la lueur réconfortante des petits yeux rouges et verts.

— En route ! fis-je.

— Voilà qui est parlé ! s'exclama le Rouquin. Ce coin me donne la chair de poule.

Nous étions tous debout, prêts à vaquer à nos tâches respectives. Il fallait hisser la misaine et la grand-voile, lever l'ancre; bref, il était temps pour nous et pour l'*Ariadne* de se remettre en route.

— Bien sûr que Dunkerque est un lieu hanté, dit soudain George Wainwright, mais nous pouvons en être fiers tout de même...

Quelque chose dans le son de sa voix — comme une vague mélancolie — m'incita à lui poser la question qui m'était venue à l'esprit depuis que nous parlions ainsi tous les trois.

— Dis-moi, demandai-je. Tu y as été, toi, à Dunkerque ?

Il faisait assez clair et je pus le voir sourire.

— Pas vraiment, vieux, répondit-il.

Subitement, il m'apparut bien comme un acteur, et, ma foi, pas mauvais du tout.

— A l'époque, j'étais en tournée avec l'ENSA (1), poursuivit-il. Nous donnions « Vies privées » huit fois par semaine. Non, je n'étais pas vraiment à Dunkerque.

Il ne paraissait pas gêné du tout, et c'était bien ainsi... Je me tournai alors vers la mince silhouette en train de grimper au gaillard d'avant :

— Et toi, le Rouquin, tu y étais ?

— Pas de danger ! (on aurait cru que je le soupçonnais d'avoir pratiqué le vol à la tire). Ça se passait bien en 1940, hein ? J'étais déjà à l'ombre ! A dormi en montant la garde, qu'il a dit, le type. Vous parlez d'une... liberté !

Je m'attendais à ce qui allait suivre.

— Et toi-même, me demanda George, tu y étais ?

Je ne voulus pas les vexer. D'ailleurs, même alors, je n'étais pas sûr qu'ils eussent dit la vérité : j'avais affaire d'une part à un acteur, et d'autre part à un hâbleur. Tous deux vivaient dans le même monde chimérique, bien qu'à des niveaux différents. Quant à moi, je menais maintenant une existence tellement dénuée d'intérêt...

— Hé non... répondis-je. Pas le cœur solide, voyez-vous. J'ai passé tout cet été-là à Londres, dans la Défense passive. Non, moi non plus je n'étais pas à Dunkerque.

Pourtant nous n'eûmes pas honte après cette confession. Que nous ayons menti ou non, nous n'étions pas vraiment des menteurs. Ce que nous venions de répondre tous les trois était faux... car il n'est pas d'Anglais qui n'ait été à Dunkerque.

---

(1) « Entertainment National Service Association » (ENSA), organisme chargé de divertir les troupes.

Je M'OCCUPAIS DE MON
courrier — de ce courrier auquel je consacrais chaque
jour une heure de travail acharné, depuis la publication de mon fameux livre. Après les lettres d'affaires
venaient les lettres d'amis; après les lettres d'amis, c'était
le tour des lettres d'inconnus; après les lettres d'inconnus, les lettres de sollicitation.

J'en avais presque fini avec les lettres d'inconnus. Je
dictai ma dernière réponse :

« Cher Monsieur James, merci infiniment de m'avoir
écrit au sujet de mon livre. Je suis enchanté qu'il vous
ait plu. Votre lettre est la deux millième, mais c'est celle
qui m'a fait le plus plaisir (chose étrange, j'avais chaque
fois l'impression que c'était vrai). Puisque vous étiez
dans la Marine, vous comprenez certainement ce que
j'ai voulu exprimer. Bonne chance et merci encore. Je
vous prie d'agréer, etc. »

Ma secrétaire fit un signe cabalistique sur son bloc
et attendit.

— C'est la dernière des lettres dignes de ce nom, dis-je.

Il ne nous reste plus que quatre « fonds de corbeille ».

C'était ainsi que nous désignions, par euphémisme, les lettres de sollicitation.

— Seulement quatre? s'étonna-t-elle. Ça diminue.

— Finie, dis-je, l'affreuse bousculade des premiers jours... « Cher monsieur King, merci de votre lettre. Vous avez toute ma sympathie dans les difficultés que vous éprouvez actuellement. Il ne m'est malheureusement pas possible de vous accorder la garantie financière que vous me demandez. Je vous prie d'agréer, etc. »

Une pause.

« Cher Monsieur George, merci de votre lettre. Malheureusement, tout ce qui est inventions et brevets n'est pas précisément de mon ressort. Il m'est donc impossible de vous accorder mon appui, en ce qui concerne le projet d'utilisation de l'eau des baignoires que vous m'avez exposé. Je vous prie d'agréer... »

Une pause.

« Chère mademoiselle Crawford, merci de votre lettre. Vous avez toute ma sympathie (non, j'ai déjà utilisé cette formule). Je comprends fort bien dans quelle pénible situation vous vous trouvez, et j'en suis navré pour vous. Malheureusement je ne puis vous aider. Il existe, comme vous le savez, des services spécialisés à même de vous conseiller et de vous secourir. Je vous prie d'agréer... »

J'avais entendu ma secrétaire pousser un soupir et, dès que j'eus fini, je demandai :

— Qu'y a-t-il? Ai-je été trop dur?

— Pauvre fille, dit-elle. Sa lettre est tellement triste...

— Moi, je trouvais que c'était la plus farfelue de tout le lot.

Ma secrétaire poussa un nouveau soupir qui semblait dire : ces hommes sont la cause de tout cela — et ensuite ils se montrent d'un égoïsme forcené.

— Bon... Combien? demandai-je.

— Une vingtaine de mille francs.

Ce fut à mon tour de soupirer :

— Vingt mille! Grand Dieu! Mais si je devais donner

vingt mille francs à chacun de ces quémandeurs, je serais ruiné au bout d'une semaine !

— Certainement pas, répondit-elle. D'ailleurs vous ne donnez pas vingt mille francs à chacun. J'y veille.

J'eus bonne envie, une fois de plus, de mettre ma secrétaire à la porte. Mais je savais bien (une fois de plus) que je n'en ferais rien. Elle avait beau se mêler de façon fort déplaisante de tout ce qui me concernait, de ce que j'écrivais, de ce que je gagnais, de ma vie en général; elle m'était bien trop précieuse pour que je me passe de ses services.

— Bon, bon, dis-je. A votre guise. Vous écrirez la lettre et je signerai le chèque.

Elle fit un nouveau signe cabalistique sur son bloc, eut un sourire — imperceptible, je dois le dire — et attendit.

« Cher monsieur Chatterton », commençai-je.

Je m'arrêtai. C'était la lettre dont je ne savais que penser. Il s'agissait d'un appel direct, et pour cette raison même j'étais prêt à répondre négativement. Cependant cette lettre m'avait fait une curieuse impression. Elle me rappelait trop mon propre passé. Je la parcourus une seconde fois :

« Cher Monsieur, j'écris actuellement un livre et, pendant ce temps, je n'ai rien à me mettre sous la dent. Je sais que mon livre en vaut la peine, mais si je n'ai pas d'argent, jamais je n'arriverai à le terminer. On commencera par confisquer ma machine à écrire, et ensuite ce sera moi qu'on prendra. Je serais heureux que vous preniez connaissance de ce que j'ai déjà écrit. Si cela vous paraît bon, accepteriez-vous de m'aider ? Je vous prie d'agréer... »

Cette lettre me ramenait à bien des années en arrière. Personnellement je n'en avais jamais écrit de semblable. Mais cela me remettait en mémoire l'existence à la fois merveilleuse et terrible que j'avais menée vingt ans plus tôt, alors que je peinais, de la même façon, sur mon premier livre, sans savoir si j'arriverais à payer mon loyer et à me sortir de ce dilemme : écrire et faire accepter mon livre, ou (l'expression, toute mélodramatique qu'elle puisse paraître, n'est pas trop forte) mourir de faim.

La lettre de Chatterton me rappelait tant d'autres choses encore : la chambre misérable que j'occupais dans le quartier de Paddington, tous les expédients auxquels le manque d'argent vous oblige à recourir, les maigres repas composés uniquement de thé, de pain et de confiture, la consternation, les doutes qui s'emparaient de moi lorsque j'étais éconduit par un éditeur — mais aussi l'heure du triomphe qui compense tout le reste.

Jamais personne ne m'avait aidé financièrement comme Chatterton souhaitait l'être. Cependant des amis avaient eu des bontés pour moi; bien mieux encore, ils avaient été mes sauveurs. Peut-être Chatterton n'avait-il pas d'amis de ce genre. Peut-être était-il capable d'écrire, après tout. Si on lui venait en aide, peut-être ne serait-ce pas en vain. Je dictai :

« Cher monsieur Chatterton (les mots vinrent sans peine, quoique je dictasse exactement le contraire de ce que j'avais eu l'intention de dire un moment auparavant). Passez donc me voir, quand cela vous arrangera le mieux. Apportez-moi votre manuscrit comme vous me le proposez... »

Le jeune homme qui fut introduit dans mon cabinet de travail quelques jours plus tard (il était bien physiquement, et ma secrétaire lui lança un long regard) correspondait exactement à l'image que je m'en étais faite, et me rappela de nouveau mes efforts de jadis.

Alan Chatterton était grand et maigre, d'aspect minable. On voyait qu'il ne mangeait pas à sa faim, mais ne devait pas y attacher particulièrement d'importance comme si, en ce bas monde, il était normal que tout artiste digne de ce nom ne mange pas à sa faim... A peine entré, il jeta autour de lui un coup d'œil arrogant : rien ne lui échappa du confort, de l'élégance de mon cabinet de travail, qui sans aucun doute se prêtait parfaitement à la rêverie et à l'étude. Je vis un petit sourire, vite réprimé, errer sur ses lèvres. J'interprétai sa pensée sans peine. Il dédaignait le luxe, se moquait de la réussite matérielle, et pourtant il aurait sacrifié n'importe quoi pour pouvoir travailler dans une pièce comme celle-ci. Autrefois, j'éprouvais le même sentiment lorsque je me trouvais chez des amis fortunés.

— C'est vraiment très aimable à vous de me recevoir, me dit-il après que nous nous fûmes serré la main.

La voix était naturelle, agréable. Il devait certainement avoir beaucoup de charme quand il voulait bien s'en donner la peine.

— Votre lettre m'a intéressé, répondis-je en lui désignant un gros fauteuil. Parlez-moi un peu de vous, et de votre livre.

Ce qu'il fit. Son histoire n'avait rien de nouveau pour moi. Je ne l'en trouvai pas moins passionnante. Alan Chatterton : 22 ans, pas de famille, très peu d'argent. Il s'était essayé à divers métiers, mais seul celui d'écrivain l'intéressait. Et maintenant il écrivait mais, comme il me l'expliquait dans sa lettre, il risquait de mourir de faim avant d'avoir terminé.

— Et votre livre? insistai-je.

— Il est vraiment excellent!

Il dit cela avec assurance, mais sans que ce fût déplaisant pour autant; les yeux gris qui me fixaient exprimaient la franchise, aussi bien que la confiance en soi.

— Je vous ai apporté mon manuscrit, ou plutôt les quelques pages — environ le quart de mon livre — qui sont au point, poursuivit-il en ouvrant une serviette de cuir fort usagée. J'espère... je suis sûr que cela vous plaira.

— Dans combien de temps pensez-vous avoir fini?

— Six mois à peu près.

— Et en attendant (j'hésitai, ne sachant comment présenter la chose)... en attendant, vous avez besoin qu'on vous aide?

— Je suis fauché, répondit Chatterton sans la moindre gêne. Il faut pourtant que je finisse mon livre. Si vous vouliez bien me prêter un petit quelque chose, juste pour me renflouer...

— Et si votre livre n'est pas accepté?

— Je suis convaincu qu'il le sera. Convaincu aussi qu'il fera du bruit (de nouveau il jeta autour de lui un regard chargé d'amertume et d'envie à la fois)... comme le vôtre. Vous en êtes à combien d'éditions à présent?

Je m'efforçai de ne pas paraître trop content de moi :

— Cela fait un demi-million d'exemplaires. Autant en Amérique.

— Si je pouvais seulement avoir cette veine-là!

Je jugeai bon de corriger cette façon de voir :

— Ce n'est pas précisément une question de veine, fis-je d'un ton sévère. J'ai mis vingt ans à apprendre le métier d'écrivain.

Je me rendis bien compte de ce que ma remarque avait d'austère et de pompeux — et j'en eus la confirmation en observant l'expression du visage de Chatterton, mais ce dernier se ressaisit aussitôt :

— Oh! je m'excuse! fit-il simplement.

Il avait perdu son arrogance et, l'espace d'une seconde, il me parut beaucoup plus jeune.

— Naturellement, je sais que vous avez beaucoup travaillé. Mais (il sourit) un million d'exemplaires! Avouez que cela fait du bruit! Combien avez-vous mis de temps à l'écrire?

— Deux ans, répondis-je, et vingt ans d'apprentissage. J'étais (j'hésitai encore)... aussi fauché que vous en ce moment.

Cela parut l'intéresser, ce qui me flatta.

— Vraiment? J'aimerais que vous me racontiez cela.

Dès qu'il fut parti, je jetai un coup d'œil sur son manuscrit. Ce n'était pas très long : en disant que cela représentait le quart de l'ouvrage, il faisait certainement preuve d'optimisme. En tout cas, le peu que j'en lus fut tout à fait de mon goût. Chatterton savait écrire, sans aucun doute. Ses descriptions étaient parfois brillantes; l'intrigue, bien que manquant quelque peu d'originalité, était fort bien menée. Avant même d'avoir terminé ma lecture, je décidai de l'aider.

Pas plus maintenant qu'alors, je ne saurais dire dans quelle mesure l'intérêt manifesté par Chatterton à l'égard de ma propre carrière littéraire influença ma décision.

« Cher monsieur Chatterton, écrivis-je le soir même, après avoir pris connaissance de votre manuscrit, j'ai décidé de vous servir une petite rente jusqu'à ce que vous ayez terminé votre ouvrage, étant bien entendu que... »

Cela fait, je remarquai que ma secrétaire avait l'air, pour une fois, très satisfaite de moi.

— C'est un si charmant garçon, dit-elle. Il a dû tant souffrir... Avez-vous remarqué ses yeux?

Ma décision de faire vivre Chatterton (c'était cela, ni plus ni moins) jusqu'à ce qu'il ait terminé son livre, marqua le début d'une étrange association. Nous n'eûmes pas l'occasion de nous voir très souvent, étant tous deux absorbés par nos ouvrages respectifs, mais il me téléphonait de temps en temps. Il lui arrivait aussi, surtout au début, de venir me rendre visite.

Chaque fois, il me disait que son livre marchait bien, mais qu'il ne tenait pas à m'en faire lire d'autres passages tant que tout n'était pas au point. En somme, cela semblait progresser de façon satisfaisante.

J'aurais beaucoup plus à dire concernant l'autre aspect de notre association : l'aspect financier. Conformément à ma décision, j'avais fait le nécessaire pour que ma banque versât chaque mois une petite somme à Chatterton — suffisamment à mon sens pour le débarrasser de tout souci, mais pas assez cependant pour qu'il pût jeter l'argent par les fenêtres. Or il ne tarda pas à me demander un peu plus.

Il le fit avec tant d'hésitation, si discrètement, que je ne pus guère lui refuser : il s'y prit de telle sorte que j'eus même l'impression qu'il serait déloyal, et même malhonnête, de ma part, de le lui refuser. N'avais-je pas promis de l'aider...? Le coût de la vie, me dit-il, était supérieur à ce qu'il avait imaginé. Il lui fallait acheter du papier, des rubans pour sa machine à écrire. On avait augmenté son loyer. Ses chaussures avaient besoin d'être ressemelées. Enfin, il voudrait pouvoir aller chez le dentiste.

Je savais par expérience que cela devait être vrai et urgent. Je n'ignorais pas à quel point la pauvreté peut vous rétrécir, vous paralyser; à quel point les soucis risquent d'annihiler votre personnalité — bien qu'ils soient parfois pour certains une source d'inspiration, mais Chatterton n'était évidemment pas de cette trempe.

— J'en suis arrivé à un passage extrêmement délicat, m'expliqua-t-il. Je n'arrive pas à me concentrer, quand j'ai sans cesse des préoccupations d'argent. Si seulement vous pouviez me verser chaque mois quelques billets de plus, cela changerait tout.

J'acceptai donc de lui donner ce qu'il voulait, sans me faire trop tirer l'oreille. C'était une question de charité, et il fallait que j'honore ma promesse. J'éprouvai même une certaine vanité à la pensée que ce jeune homme dépendait complètement de moi, et que j'étais comme un bon génie pour lui. Dans la suite cependant — car cela devait se reproduire souvent — je commençai à ne plus savoir que penser.

Lorsque, la fois suivante, il me demanda de l'argent, ce fut pour pouvoir se payer des vacances. Il faisait atrocement chaud à Londres; sa chambre était mal aérée et bruyante. Si seulement il pouvait s'absenter un peu... Quelques billets en plus pour qu'il puisse aller faire un tour au bord de la mer, et cela changerait tout. Il avait vu dans le journal que je venais de passer un mois dans le midi de la France.

Je saisis immédiatement le reproche habilement voilé, et cela me mit en colère :

— Eh oui, j'ai été dans le midi de la France ! dis-je. Moi aussi, j'avais besoin de vacances ! Je travaille comme un nègre depuis un an, je viens de terminer mon dernier livre. Si quelqu'un a droit à se reposer, c'est bien moi !

— Grand Dieu ! répliqua-t-il aussitôt d'un air navré. Ce n'est pas du tout cela que je voulais dire ! Mais seulement que vous devez, mieux que quiconque, comprendre ce que cela doit être pour moi de rester ici par une température pareille, sans espoir d'en sortir ! Je comprends parfaitement que vous ayez été à Antibes. Si je pouvais moi aussi passer, ne serait-ce que deux semaines, quelque part — à Ramsgate, par exemple...

Il est certain que Chatterton savait admirablement s'y prendre. Le faisait-il exprès, ou était-ce par hasard ? Je n'en sais rien. Toujours est-il qu'il arrivait invariablement à ses fins... Je lui répondis que j'allais réfléchir. Un peu plus tard, ma secrétaire me dit que Chatterton avait l'air malade et préoccupé. Il a besoin de vacances, ajouta-t-elle en me regardant droit dans les yeux. Il en reviendrait beau et bronzé, comme moi-même... Le lendemain matin, j'envoyai à Chatterton un chèque de cinquante mille francs.

Lorsque Chatterton fut de retour à Londres, il passa me voir pour me remercier de ses vacances. Cela avait été épatant, me dit-il, exactement ce qu'il lui fallait. Maintenant qu'il se sentait reposé, en pleine forme, il allait pouvoir vraiment se mettre au travail.

Il resta plusieurs semaines sans me donner signe de vie, puis se mit de nouveau à venir me voir de temps en temps, et toujours dans le même but.

Son loyer venait encore d'être augmenté, par un propriétaire qui ne me paraissait guère tenir compte de la

réglementation des loyers. Il avait besoin d'un pardessus : c'était l'automne et il commençait à faire froid.

La fois suivante, il me demanda quelque chose qui me
parut à la fois comique et touchant : une nouvelle
machine à écrire.

— Vous avez dû mener drôlement votre vieil instru-
ment, lui dis-je d'un ton légèrement caustique.

Il eut un charmant sourire :

— Il est absolument à bout de course.

— Et le livre ? Presque fini ?

— Ma foi, répondit-il d'un ton hésitant, pas exactement. Mais ça avance...

— J'aimerais le voir.

— Je préfère que non.

Puis, voyant mon expression, il reprit :

— Je veux dire que je voudrais vous le montrer tout
à fait au point — complètement terminé. A vrai dire
(il eut encore un sourire enchanteur) ça m'intimide un
peu de montrer ce que j'ai écrit à quelqu'un comme
vous. Surtout quand ce n'est pas encore tout à fait ça.

— Et vous pensez en avoir pour combien de temps
encore ?

— Quelques mois... Vraiment vous avez été très chic...
Si je pouvais acheter une nouvelle machine à écrire,
j'irais bien plus vite... Vous savez, je vous rembourserai
tout. Je peux vous faire un papier comme quoi... Si
vous voulez.

— Pas besoin de papier. Je veux simplement lire
votre manuscrit une fois qu'il sera fait.

— Ce ne sera plus bien long maintenant.

Or, au premier janvier, le livre n'était pas encore terminé et j'avais déjà donné (je ne pus m'empêcher d'en
faire le compte) quelque chose comme un million de
francs à Alan Chatterton.

Cette année-là, et bien que ma banque m'envoyât
toujours les reçus, me prouvant qu'il encaissait régulièrement sa mensualité, je restai plusieurs mois sans voir
Chatterton. Je me bornai donc à espérer que la nouvelle

machine à écrire (combien plus somptueuse que mon vieux tacot croulant) remplissait dignement ses fonctions. Puis, au mois de mai, je le vis soudain réapparaître.

Lorsqu'il pénétra dans mon cabinet de travail, je ne doutai pas un instant que ce ne fût pour me réclamer de l'argent. Je me demandai même avec un certain cynisme quelle en serait cette fois la destination. Vraisemblablement pas un nouveau pardessus, mais Chatterton devait sans doute avoir encore besoin de vacances... Cependant bien qu'il parût comme à l'ordinaire hésitant, tout en donnant l'impression d'avoir des droits sur moi, il n'aborda pas tout de suite la question argent.

Il me parla de son livre qui « marchait bien », comme toujours, du temps qu'il faisait, de la foule de gens qu'il y avait à Londres, d'une vague de crimes qui sévissait alors. Puis il me parla en termes flatteurs de mon propre ouvrage et, de but en blanc, alors que je savourais un compliment fort habilement tourné, il déclara :

— Ecoutez, je me suis mis dans un fichu pétrin. Je suis obligé de me marier.

Arraché à ma rêverie béate, complètement déconcerté, je m'exclamai :

— Hein ? Comment diable pouvez-vous vous marier ? Vous n'avez pas le sou !

— Je sais. Il le faut cependant. Vraiment, je suis désolé. Mais c'est comme ça.

— Racontez-moi.

C'était une histoire si banale, si simple et pourtant si consternante, que je m'abstiendrai de vous la rapporter ici. Dans l'essentiel, elle se résumait bien à ce qu'il venait de me dire : il fallait qu'il se marie, et le plus vite possible.

Je le traitai de tous les noms. Il le prit très bien et finit par dire :

— Vraiment je suis désolé, mais j'ai pensé qu'il valait mieux vous en parler. Cela me tracasse depuis si longtemps. Si je ne fais pas quelque chose, je crois bien que jamais mon livre ne sera fini...

Cette dernière phrase eut le don de m'arrêter net, comme sans doute il l'avait escompté. J'avais beau le traiter de sot, il m'était difficile de l'abandonner à sa sottise, comme j'en avais l'intention. Je compris que si, en cet instant crucial, je me lavais les mains de Chatterton, tout ce que j'avais pour ainsi dire « placé en lui » au cours de ces dix-huit mois — et je ne pensais pas seulement à l'argent (bien que j'en fusse alors à près de 1 300 000 francs) mais aussi à la confiance que je lui avais accordée, à la foi que j'avais en son talent — tout cela serait gaspillé en pure perte.

Je me rendis compte qu'il y avait là trop à perdre, trop à sacrifier. Une fois de plus Chatterton m'avait coincé en me donnant l'impression qu'il dépendait de moi, en me flattant et en se livrant à un chantage sentimental.

Comme s'il lisait dans mes pensées, il poursuivit d'un air contrit :

— Cela m'ennuie de vous le dire comme ça, mais j'ai un projet (il fourragea dans la poche intérieure de sa veste). Si vous pouvez m'aider à me sortir de ce mauvais pas, je vous intéresse pour cinquante pour cent à mon livre. J'ai noté ça sur ce papier — une sorte de contrat. J'y ai beaucoup réfléchi. C'est vraiment le moins que je puisse faire.

Je ne sais pourquoi, je me laissai étrangement attendrir par cette proposition, et par la bonne intention qui la dictait. Chatterton était un sot, mais il avait bon cœur. Il s'était mis dans le pétrin, mais cherchait à s'en sortir honorablement, non seulement en ce qui concernait la fille, mais aussi en ce qui me concernait. Je regardai le papier : c'était une petite lettre par laquelle il m'attribuait inconditionnellement la moitié de ses droits d'auteur. C'était déjà paraphé et daté.

J'hésitai un peu avant d'accepter. Jamais jusqu'alors nous n'avions établi notre association sur une base commerciale. Selon moi, il était implicitement entendu qu'à la publication de son livre, si celui-ci était un succès comme nous l'espérions tous deux, Chatterton me rembourserait ce que je lui avais prêté. Si j'acceptais son offre de participation, nos rapports ne seraient plus les mêmes, et peut-être deviendraient-ils moins satisfaisants.

Je ne tenais pas à tirer de l'argent de son livre; je voulais simplement qu'il le terminât, faisant ainsi ses preuves et justifiant l'espoir que j'avais mis en lui. Il me rembourserait ensuite. Cependant il serait peut-être préférable de le prendre au mot, et d'accepter la participation qu'il m'offrait. Ce serait en tout cas préférable pour lui, certainement. Plus vite il apprendrait à faire face à ses engagements et à leur fixer des limites, plus vite il ferait partie du monde des adultes.

— Combien? demandai-je.

Il me regarda en se frottant le menton :

— Nous voudrions acheter un petit appartement, dit-il lentement. Et nous installer convenablement. Un appartement assez grand pour que je puisse y travailler... Disons, cinq cent mille francs?

Je ne vais pas souvent dans les cabarets où l'on soupe et où l'on danse, et en tout cas jamais au « Two Hundred », dont l'opulence, le chic et la clientèle ne correspondent absolument pas à mon genre de vie. Et, singulièrement, je ne me soucie pas de dépenser, en un seul repas, tout ce que je gagne en une semaine à la sueur de mon front, pas plus que je ne tiens à être regardé de travers par un maître d'hôtel plein de morgue, tout simplement parce que j'ai osé vérifier l'addition.

Or le hasard, sous forme d'une invitation d'un ami très fortuné, voulut que je me rendisse au « Two Hundred » quelques jours après que Chatterton m'eut rendu visite. Tandis que mon ami retirait son pardessus, j'allai jusqu'au balcon d'où l'on dominait la piste de danse.

Aussitôt je reconnus Chatterton. Il présidait une table de huit personnes, comprenant quatre blondes fort agréables — et de nombreuses bouteilles de champagne.

LE BATEAU QUI MOURAIT DE HONTE

Il se prélassait sur des coussins dans une sorte de niche, en donnant des ordres à un serveur, et il gesticulait fort élégamment avec son cigare.

Je le désignai du doigt au maître d'hôtel qui venait de s'approcher de moi :

— Connaissez-vous par hasard le nom de ce monsieur?

— Oh! oui, monsieur, me répondit-il sans hésiter. C'est monsieur Chatterton.

Et, comme je ne réagissais pas, il précisa :

— L'écrivain, monsieur... C'est un de nos bons clients.

J'étais encore dans une violente colère lorsque Chatterton, sur ma demande péremptoire, se présenta chez moi le lendemain matin. J'avais entretenu cette colère au cours d'une longue nuit blanche. Le fait d'avoir aperçu Chatterton, prenant ses aises dans un cabaret particulièrement luxueux, m'avait touché au vif, et je n'étais pas disposé à tolérer plus longtemps un tel état de choses.

Vingt ans auparavant, je luttais moi aussi dans le plus grand dénuement pour terminer mon premier livre. C'était ce souvenir qui m'avait poussé à aider Chatterton. Je l'aidais depuis dix-huit mois, l'encourageant de toutes les façons; son entretien m'avait coûté jusqu'ici 1 800 000 francs, compte tenu d'une somme globale de 500 000 francs, devant lui permettre de se marier et de s'installer.

Or, quatre jour après lui avoir remis cette somme, je l'apercevais en train de donner un dîner dans le cabaret le plus cher de Londres — dans un endroit où, même maintenant, je ne pouvais guère m'offrir d'aller. Et le maître d'hôtel le considérait comme « un bon client ».

Chatterton entra. Je l'entrepris aussitôt :

— J'étais au « Two Hundred » hier soir, dis-je brusquement. Je vous y ai vu. Expliquez-moi!

Il eut la bonne grâce de paraître déconcerté.

— Oh! fit-il d'un air gêné, c'était mon dîner de mariage.

— Je n'ai pas eu cette impression... Vous savez fort bien que je vous ai donné dernièrement 500 000 francs pour vous tirer d'un mauvais pas et vous acheter un appartement, non pas pour tout gaspiller en cabarets, ou que sais-je.

— C'était cette fois seulement.

— Ce n'était pas « cette fois seulement » ! criai-je. Le maître d'hôtel m'a dit que vous y veniez souvent.

— Vous me surveillez? demanda-t-il effrontément.

— Ne vous occupez pas de ça. Je veux une explication.

— Mais c'était à titre d'expérience, répliqua Chatterton. Cela doit servir à quelque chose... C'est précisément le genre de livre que je suis en train d'écrire.

Il y avait dans l'attitude de Chatterton quelque chose qui me déplut profondément. Il se montrait à la fois suffisant et désinvolte, comme quelqu'un qui se trouverait finalement acculé, et saurait qu'il n'y a plus d'issue.

— J'aimerais bien le voir, ce livre.

— Je n'en ai plus pour longtemps.

— Il y a déjà fichtrement trop longtemps que ça dure ! dis-je en lançant un regard furibond sur son visage arrogant, ses vêtements sordides, cet air qu'il avait de vous dire : Je m'en moque si cela ne vous plaît pas.

Soudain je fus pris d'une rage folle :

— Je vous ai donné plus de 1 800 000 francs, dis-je avec amertume, pour vous permettre de vivre jusqu'à ce que vous ayez fini votre livre. Or je ne vois pas trace de livre, et je crois bien qu'il n'y en aura jamais. Vous jetez mon argent par les fenêtres, en vous payant du bon temps avec des habitués de boîtes de nuit.

— Je me fie à vous pour tenir une comptabilité exacte ! jeta-t-il après un long silence.

— Ce qui veut dire?

— Vous avez gagné un argent fou avec votre dernier livre, dit-il avec un dédain égal au mien. Vous vous en ferez probablement autant avec le prochain. Vous me reprochez un misérable prêt, alors que j'ai entrepris un travail vraiment énorme (il souriait avec mépris, se révélant enfin tel qu'il était). Pourquoi êtes-vous si inquiet, après tout? Vous vous taillez la part belle, hein? Je vous ai déjà donné la moitié de mon livre. Que voulez-vous de plus? Le livre tout entier?

Nous nous observâmes un long moment; il n'y avait plus entre nous ni amitié, ni respect : tout cela avait disparu.

— Je voulais que vous soyez honnête, lui dis-je lentement. Je voulais que vous donniez le meilleur de vous-même — que vous écriviez vraiment, non pas que vous fassiez semblant d'écrire en baguenaudant à mes frais dans les boîtes de nuit. Je vous ai donné cet argent pour le livre que vous portez en vous. Pour cela, et cela seulement.

— Mais je viens de vous le dire : il me faut des expériences de ce genre.

— J'ai vu vos « expériences ». J'en ai vu quatre, à la vérité, et rien que des blondes. Je vous ai prêté de l'argent l'autre jour, parce que vous m'aviez dit que vous ne saviez plus comment vous en sortir...

Je m'interrompis, la colère m'étouffant littéralement. Je me dirigeai vers mon bureau, et sortis le « contrat » — la lettre par laquelle il m'intéressait à son livre — et déchirai le papier en menus morceaux.

— Je ne veux plus entendre parler de vous, hurlai-je. Ni de votre foutu bouquin — s'il a jamais existé! Sortez d'ici!

— Vous le regretterez, me dit-il, de nouveau désinvolte. Attendez, et vous verrez.

— Si je regrette quelque chose, c'est maintenant... Ces dix-huit mois pendant lesquels j'ai eu confiance en vous, et les quelque deux millions de francs que j'ai ainsi jetés par les fenêtres!

— Toujours l'argent, l'argent, l'argent! répondit-il d'un ton mordant. On croirait à vous entendre que vous avez fait un pari sur moi, et que vous l'avez perdu... J'espère ne jamais devenir comme vous.

LE BON SAMARITAIN

— Pas de danger, dis-je. Dussiez-vous vivre cent ans. Je puis vous le garantir... Allez, sortez d'ici, et n'y remettez plus jamais les pieds !

Pendant les semaines qui suivirent, et avant de bannir Alan Chatterton de mes pensées, je me livrai à une petite enquête discrète, uniquement pour satisfaire ma curiosité, auprès des amis que j'avais dans les milieux littéraires. Je n'avais même pas eu le temps de m'en désintéresser que je découvris ce dont je me doutais un peu. J'appris très vite en effet que deux au moins de mes amis avaient eu affaire à lui de la même façon que moi.

Chatterton avait choisi ses victimes avec beaucoup de discernement : chacune d'elles lui versait depuis deux ans des centaines et des centaines de milliers de francs.

Il se pouvait d'ailleurs que, dans les meilleures intentions du monde, nous eussions tous ensemble causé la perte à la fois de Chatterton et de son livre. Car il fallait bien reconnaître que le peu que j'avais lu de son manuscrit était vraiment excellent.

Je me trouvais à l'étranger, en tournée de conférences, lorsque parut le livre de Chatterton. Ce fut à mon Club, le soir de mon retour, que j'en entendis parler pour la première fois. Mon ami Stephenson — précisément un de ceux qui avaient contribué à l'entretien de Chatterton — m'accrocha au passage dans le hall.

— On dirait que nous avons misé sur le bon poulain, après tout, me dit-il joyeusement.

— Que voulez-vous dire ?

— Je parle de Chatterton, voyons !

— Et alors ?

Il me regarda avec étonnement :

— Vous n'avez pas entendu parler de son livre ? Je croyais que toute l'Angleterre le savait. J'ai bien l'impression que ce sera d'emblée un best-seller... Où étiez-vous donc, ces temps-ci ?

— J'étais en tournée de conférences, répondis-je. Puis

je suis rentré sans me presser du Cap. Je n'ai pas mis
le nez dans un journal depuis près de quatre mois.

— Vous n'avez pas perdu grand-chose, me dit-il d'un
ton sarcastique, si ce n'est le livre de Chatterton. Il
semble qu'il ait remporté tous les suffrages : lauréat de
la Société du Livre — Livre du mois aux Etats-Unis —
recommandé par plusieurs journaux ici même. Il a fait
sensation. Je crois bien qu'il s'en est déjà vendu plus
de 200 000 exemplaires.

— Grand Dieu du ciel! m'exclamai-je. Je pensais que
ce livre n'était qu'un mythe. Qu'est-ce qu'il vaut?

— Deux cent mille exemplaires, reprit mon ami en
souriant. Et je viens de recevoir un chèque de Chatterton, me remboursant tout ce que je lui avais prêté...
Et par-dessus le marché, c'est vraiment un livre excellent.

— Je n'ai pas encore eu le temps de jeter un coup
d'œil à mon courrier, dis-je. Peut-être y a-t-il aussi
un chèque pour moi.

— Sûrement, me dit Stephenson avec cordialité. Dites
tout ce que vous voudrez de Chatterton — insouciant,
fauché, que sais-je — mais il est foncièrement honnête,
n'est-ce pas?

Ce fut un peu comme dans « Alice au Pays des Merveilles ». En rentrant chez moi je trouvai bel et bien un
chèque, daté du mois précédent, pour la somme de
1 850 000 francs. Il était accompagné d'une carte portant ce simple mot : « Merci. A.C. » Je commençai à
me sentir un peu ridicule, et je me sentis plus ridicule
encore lorsque, m'étant procuré le livre le lendemain,
je me mis à le lire.

Stephenson n'avait pas exagéré — c'était même mieux
encore qu'il ne me l'avait dit. Ce livre méritait d'avoir
été sélectionné plusieurs fois; il méritait son chiffre de
vente (qui ne tarderait certainement pas à doubler) et
toutes les louanges que j'entendais déjà formuler un peu
partout à son égard. Chatterton n'avait utilisé qu'une
faible partie du manuscrit qu'il m'avait montré au

début; partant de ces minces données, le roman s'épanouissait en une large fresque magistralement brossée du Londres contemporain, allant de la Chambre des Lords jusqu'aux marchands des quatre-saisons d'Edgware Road, sans parler de quantité d'autres personnages, de centaines de scènes diverses. Cela faisait penser à Dickens par l'envergure et, du point de vue observation, c'était phénoménal.

Chatterton avait dû y travailler d'arrache-pied, pendant des mois, des années. Tandis que je lui prêtais de l'argent, et finissais par croire que c'était en pure perte, il avait en réalité peiné sans relâche, observé, voyagé, pris des notes, consigné le tout, méditant son livre pieusement, sans jamais s'en laisser détourner.

Je compris alors pourquoi il avait été nécessaire à Chatterton de connaître le monde des boîtes de nuit : à la vérité cette partie de son roman — dans laquelle il avait su faire ressortir tout ce que cette façade scintillante cache de dessous sordides, parfois malhonnêtes — était une des meilleures, ce qui n'est pas peu dire. Rien d'étonnant qu'il ait été furieux...

J'étais abasourdi, et me trouvais aussi le dernier des imbéciles. J'avais douté de lui. Or j'avais maintenant entre les mains un ouvrage remarquable que le monde acclamait et qui, sans doute, figurerait parmi les monuments de la littérature de tous les temps. Cependant j'étais heureux et fier, humblement, d'avoir aidé Chatterton à l'écrire. Ces dix-huit mois pendant lesquels j'avais redouté que mes 1 850 000 francs ne fussent dépensés en pure perte ne pesaient pas lourd dans la balance, en regard d'une œuvre de cette qualité.

Il ne me vint même pas à l'idée de regretter d'avoir déchiré le contrat m'accordant la moitié des droits sur ce livre.

J'accusai réception du chèque par un petit mot qui venait droit du cœur : « Merci, et tous mes compliments. » J'aurais aimé rencontrer Chatterton, mais il était naturellement pris dans le tourbillon qui est le couronnement du succès, et que ne connaissent que quelques rares écrivains, alors que tous (quoi qu'ils en disent) y aspirent en secret : demandes d'autographes, déjeuners littéraires, interviews à la radio et à la télévision, rédaction d'articles et de nouvelles, adulation du public. Il était porté sur la crête des vagues, son livre allant de succès en succès, et il le méritait bien.

Quelque temps plus tard, dans le courant de l'année, je le rencontrais par hasard dans un hôtel de Picadilly. Il me dit qu'il se rendait à une réunion. A en juger par l'habit de soirée qu'il portait, ce devait être une réunion fort élégante.

— Et le livre? demandai-je après avoir bavardé quelques minutes.

— Il marche toujours, me répondit-il.

Il me regardait d'un air assez déconcertant — à la fois ironique et provocant — comme s'il me mettait au défi de porter un jugement sur son œuvre, ou sur lui-même.

— Je crois n'être pas loin du demi-million, me dit-il. Et je viens de vendre les droits pour en faire un film.

— Je vous félicite, dis-je avec conviction. Je serai toujours heureux à la pensée de vous avoir aidé.

— Aidé? répéta-t-il surpris.

— Mon Dieu oui, fis-je gauchement, je vous ai bien aidé... pendant plus de dix-huit mois.

— Oh!... ça! dit-il, comme s'il se fût agi d'une chose négligeable. Bien sûr, cela m'a aidé à l'époque. Mais vous n'avez jamais réellement cru en moi, n'est-ce pas?

L 'HOMME QUI VOULAIT UNE « CENTURION 9 »

CELA ME FIT PLAISIR DE retrouver Walker, bien que nous n'ayons jamais été très liés. Je ne l'avais pas vu depuis plusieurs années — c'est-à-dire depuis qu'il avait été nommé Premier Secrétaire auprès de la Légation britannique en Estaquie. Nous nous rencontrâmes là où tout le monde se rencontre : dans Piccadilly Circus.

— Walker ! m'écriai-je. Que faites-vous ici?

— Je suis en congé de longue durée, me dit il en me serrant la main. Pour quatre mois et demi.

Nous bavardâmes à bâtons rompus pendant quelques minutes. Je l'observai avec intérêt : nous étions du même âge et, je crois, d'aspect physique assez semblable. Nous occupions tous deux des postes assez importants dans l'administration civile. Nous nous trouvions à mi-chemin de notre carrière, et commencions à prendre des manières assez posées. Si je l'avais légèrement distancé du point de vue carrière, c'était assurément une question de chance.

— Et vous-même? me demanda bientôt Walker. J'ai aperçu votre nom au tableau des décorations du Jour de l'An. Félicitations.

— Merci, dis-je. Un simple C.B.E. (1). C'est l'âge qui veut cela, bien sûr... Vous retournez en Estaquie?

— Oh! oui! répondit-il, et son long visage en lame de couteau exprima un enthousiasme que j'aurais pu difficilement éprouver si j'avais eu la même perspective.

— Et j'emmène quelque chose avec moi, poursuivit-il. Une « Centurion 9 ».

Je l'observai de nouveau avec intérêt. Je ne m'y connaissais pas beaucoup en voitures, mais j'en savais suffisamment pour ranger la « Centurion 9 » dans la catégorie des Rolls-Royce et des Bentley. Je savais aussi ce qu'était le traitement d'un Premier Secrétaire : cela ne permettait guère de s'offrir une Centurion.

— Ce sont des voitures très chères, je crois, hasardai-je.

— Cinq mille livres, sans la taxe.

En disant cela, il me regardait — ce grand gaillard de 40 ans, maigre et sec — avec l'expression ravie d'un gosse. Et il ajouta :

— Une tante nous a laissé un peu d'argent, auquel nous ne nous attendions pas. Joan et moi... nous n'avons jamais eu d'enfants. Nous avons décidé de consacrer cet héritage à l'achat d'une voiture — une « Centurion 9 ». Il y a au moins dix ans que j'ai envie d'une Centurion.

Bien que n'ayant pas à me mêler de la façon dont des fonctionnaires dans la situation de Walker dépensaient leur argent, ce projet me parut à la fois extravagant et déplacé.

— Ça représente beaucoup d'argent, dis-je d'un ton réprobateur. Pensez-vous vraiment que cela en vaille la peine?

— Attendez de la voir, répondit Walker. Je l'ai commandée voilà un an. Elle doit être là aujourd'hui... pour mon premier jour de congé. Je vais la chercher de ce pas. Venez donc avec moi!

Avant de répondre, je pesai soigneusement le pour et

---

(1) **C.B.E.** : **Companion of the Order of the British Empire**

le contre, comme s'il se fût agi de prendre une décision majeure. L'achat d'une voiture de ce prix, par un fonctionnaire de moyenne importance faisant partie de votre propre ministère, me paraissait une affaire assez sérieuse pour ne pas m'en mêler. Certainement on ne manquerait pas de le critiquer, et le fait que je me sois dérangé pour aller voir la voiture en question risquait d'être interprété comme une approbation de ma part, sinon une complicité.

Toutefois, réflexion faite, je jugeai qu'il était de mon devoir de surveiller Walker en cet instant critique, et je répondis que je serais enchanté de l'accompagner.

— Elles sont pour ainsi dire fabriquées à la main, me dit Walker sur un ton de respectueuse admiration.

Il avait une façon de sautiller en marchant, que je trouvais presque gênante.

— C'est pour cela qu'elles coûtent si cher, poursuivit-il. On dit que piloter une Centurion, c'est une nouvelle expérience — un peu comme quelqu'un qui monterait un cheval de course après s'être toujours baladé à dos d'âne.

— Tout cela est véritablement poétique, à vous entendre, dis-je. (Les passants nous observaient avec étonnement, et je posai une main ferme sur le bras de Walker.) Calmez-vous. Vous n'en êtes plus à quelques minutes près, voyons! Ne venez-vous pas de dire que vous venez déjà d'attendre un an pour l'avoir?

— Oui, près de quatorze mois à la vérité. C'est ainsi qu'on travaille chez Centurion. Vous commencez par choisir le type de carrosserie que vous désirez. Puis la garniture intérieure — ensuite la couleur. Après quoi vous dites si vous voulez une radio, le chauffage intérieur, la climatisation, une série de valises spéciales, et un petit bar. C'est seulement une fois que vous avez décidé exactement le genre de voiture que vous voulez, que vous commencez à faire la queue pour le châssis.

— Et beaucoup de gens s'arrachent ces... ces merveilles?

— Oui. Moi-même, j'ai eu de la chance — d'être en Estaquie. J'ai pu bénéficier du contingent d'exportation. Sinon, il m'aurait fallu attendre bien plus de quatorze mois.

— Mais, dis-je, revenant à une question qui m'intriguait, pourquoi « 9 » ? Y a-t-il neuf modèles différents ?

— Non, non ! répondit Walker d'un air offusqué. C'est la neuvième version de la Centurion. Ils changent le modèle tous les sept ans environ. La « Centurion 9 » est la dernière sortie. (Il agita subitement la main.) La voilà !

A peine avais-je eu le temps de remarquer qu'il avait prononcé ces mots « La voilà ! » avec ferveur, comme s'il se fût agi de quelque femme aimée, que déjà il me prenait par le bras et m'entraînait vers la devanture la plus proche.

Ce mot de « devanture » est d'ailleurs assez impropre en l'occurence; car derrière une glace immense, sur laquelle « Centurion Motors » était gravé en lettres noir et or, s'étendait sur cent mètres carrés au moins une vaste salle d'exposition dont le parquet semblait jeter mille feux. Dans cette salle il n'y avait que deux voitures au milieu de massifs d'hortensias : l'une était noire, l'autre rouge et crème.

Je remarquai, devant l'une d'elles, un écriteau annonçant le plus simplement du monde : « Centurion 9 - £ 7 918 ».

— C'est avec la taxe, m'expliqua Walker qui avait suivi mon regard. Je bénéficie du contingent d'exportation : la mienne me coûte presque trois mille livres de moins.

Tout cela me paraissait d'une opulence exagérée, et ce fut d'un ton assez froid que je demandai :

— Quelle est la vôtre ?

— Aucune des deux, répondit Walker avec une nuance d'inquiétude dans la voix. La mienne doit être vert foncé. Je suppose qu'elle est encore à l'usine.

Un employé en uniforme, la poitrine ornée d'une imposante double rangée de médailles, nous tint la porte pendant que nous entrions. J'entendis Walker, à côté de moi, dire entre haut et bas : « Enfin ! »

Vues de près, ces voitures constituaient un spectacle presque écrasant : elles avaient peut-être sept mètres de long, les courbes et la ligne d'un avion à réaction, et elles brillaient comme des pierres précieuses. Walker, soupirant comme un amoureux, murmura :

— Elles montent à 190 — et 140 EN TROISIEME... !

Un homme se leva d'un bureau voisin et vint à notre rencontre. Je vis que son bureau portait une plaque gravée, sur laquelle je lus « M. Broadwood ». L'homme était de haute stature, âgé de 45 ans environ, élégant de sa personne, en habit et pantalon rayé. Lorsqu'il fut près de nous, je remarquai son expression hautaine et distante.

— Bonjour, messieurs, dit-il. (La voix était distinguée, le ton extrêmement réservé.) Que puis-je faire pour vous ?

A mon grand soulagement, Walker ne se montra pas le moins du monde dérouté ou gêné par cette réception, ni par ce qui l'entourait. Il dit simplement :

— Ma voiture est-elle prête ?

Je ne pus m'empêcher d'être fier de Walker, tout en me demandant d'où il tenait cette assurance. Je ne tardai pas à en deviner la raison : il rêvait depuis si longtemps à la « 9 », il avait consulté tant de catalogues et de barèmes, rempli tant de formulaires, pris tant de décisions concernant la couleur, la garniture et le « bar », qu'il avait déjà l'impression d'avoir sa voiture.

M. Broadwood eut un instant d'hésitation :

— Vous avez commandé une « 9 » ? Puis-je avoir votre nom, monsieur ?

— Walker - George Walker, Ambassade britannique, Estaquie. Elle devait être prête lorsque je viendrais ici en congé.

— Walker. Je vais me renseigner.

Broadwood se replia en bon ordre vers son bureau

et se mit à téléphoner à voix basse, pendant que Walker et moi allions contempler la Centurion crème et rouge.

— Levier de vitesse sous le volant, dit Walker. C'est une caractéristique de la nouvelle Centurion. Klaxon au pied. Trois séries de phares. Dégivreur insufflant de l'air chaud sur le pare-brise. Fenêtres à système hydraulique. Allume-cigare.

— Vous voulez dire cigarette? objectai-je.

— Cigare, reprit fermement Walker. C'est de plusieurs centimètres plus large que le modèle normal. Et vous voyez les sièges à l'avant? Vous pouvez ajuster leur hauteur, et aussi les rapprocher ou les éloigner du volant.

— Comme un fauteuil de dentiste.

— En effet.

Mais il ne m'écoutait pas vraiment : il avait ouvert la portière, et s'était installé, lentement, avec précaution, à la place du conducteur. Son visage exprimait une sorte d'extase.

Nous fûmes interrompus par M. Broadwood qui revenait vers nous, paraissant glisser sur la surface cirée.

— J'ai confirmé votre commande, monsieur, dit-il à Walker d'un air préoccupé. Vous êtes en effet sur la liste d'attente.

— La liste d'attente? s'exclama Walker, qui semblait ne pas en croire ses oreilles.

Il sortit aussitôt de la voiture, et vint se planter devant M. Broadwood :

— La liste d'attente? J'y suis depuis 14 mois! Ma voiture devait être prête maintenant, au début de mon congé.

M. Broadwood tendit les mains en avant, prêt à faire face à cette attaque dans la meilleure tradition de la maison Centurion.

— Vous comprendrez sans peine qu'il faut beaucoup de temps pour construire ces voitures. Nous avons eu de nombreuses difficultés. Votre voiture est presque terminée.

Walker avala sa salive :

— C'est-à-dire?

— Quelques semaines seulement. Deux mois au maximum.

— Deux mois... Mais j'en avais besoin pendant mon congé ici !

J'avais rarement vu quelqu'un d'aussi affreusement déçu. On aurait cru qu'une femme qu'il adorait depuis des années venait soudain de le laisser tomber.

— Je suis désolé, monsieur, dit Broadwood qui reprenait toute son assurance. Quand il s'agit de la « 9 », il faut se montrer patient.

— Je patiente depuis plus d'un an.

M. Broadwood eut un mouvement d'épaules, qui semblait dire : les « 9 » appartiennent à une autre sphère. Une année ne compte pas ici. Ce sont des voitures que l'on doit attendre.

Après un long silence, Walker demanda :

— Au moins, sera-t-elle prête dans deux mois? Je dois retourner en Estaquie en juillet.

— Cela nous donne près de quatre mois, n'est-ce pas?

— Mais je veux m'en servir ici.

M. Broadwood sourit d'un air affecté :

— Beaucoup de gens sont dans le même cas, monsieur.

Je vis souvent Walker au cours des quatre mois qui suivirent. Nous faisions partie du même club : « Les Voyageurs », qui (sans doute du fait de son nom quelque peu romantique) attirait les fonctionnaires les plus sédentaires. Ce club étant situé à peu de distance du hall d'exposition de Centurion, Walker y passait le plus clair de son temps; car Centurion était devenu le centre même de son existence.

En admettant que j'eusse bien voulu mettre 5 000 livres dans une voiture, jamais je n'aurais accepté le traitement auquel Walker était soumis. Les dernières nouvelles ne variaient jamais des précédentes.

Il apparaissait que M. Broadwood avait bon espoir;

mais M. Broadwood et la maison Centurion semblaient avoir de multiples ennuis, qu'il leur fallait bien entendu partager avec Walker. On s'était trompé quant à la teinte du cuir intérieur de la voiture de Walker; cela ne s'harmonisait pas avec la peinture extérieure, et il fallait par conséquent modifier cette dernière.

Et ainsi de suite. On pouvait se demander si vraiment Walker aurait sa voiture en temps voulu. Aussi lorsque, quatre jours avant son départ, il m'interpella à l'entrée du Club, en criant : « Elle est là ! » j'éprouvai un véritable soulagement en dépit de cette bruyante apostrophe en public.

S'étant rapproché de moi, il m'annonça :

— Elle est maintenant exposée. Broadwood vient de me téléphoner. Voulez-vous venir avec moi?

Nous arrivâmes donc chez Centurion : j'aperçus une voiture rutilante, d'un vert sombre. Walker me la désigna d'un doigt qui tremblait, et s'exclama : « La voilà ! ». Puis il s'engouffra dans le hall d'exposition, sans attendre le portier, comme s'il devait sauter du même élan dans sa voiture.

Je le suivis plus posément, mais je dois avouer que je me sentais moi-même un peu agité. M. Broadwood se leva de son bureau et s'avança. Il était tout aussi courtois, distant et maître de soi qu'à l'ordinaire; cependant il arborait ce jour-là un léger sourire condescendant.

— Un heureux événement, Messieurs.

Puis, montrant d'un geste la voiture, il demanda à Walker :

— Cela vaut la peine d'attendre, n'est-ce pas?

Walker ne répondit pas. Je pense qu'il n'entendait pas un mot de ce qui se disait. Il regardait, d'un air fasciné, l'immense voiture verte, et il en caressait lentement les lignes du regard, comme avec respect. Puis il s'avança et ouvrit la portière.

— C'est une jolie couleur, observai-je à Broadwood pour dire quelque chose.

Celui-ci approuva d'un geste de la tête.

Une soudaine exclamation de Walker nous fit tous deux tourner la tête. Il était tremblant, et pâle comme un mort. Il balbutia : « Le volant ! » Ce n'avait été qu'un murmure, mais sa stupeur horrifiée n'en était pas moins évidente. « Le volant ! »

— Eh bien, qu'est-ce qu'il a ?

— Il est à droite... comme sur les voitures anglaises.

— Mais c'est une voiture anglaise, dis-je, n'y comprenant rien.

Je commençais à croire que le spectacle soudain de la « Centurion 9 » lui avait troublé la raison.

— En Estaquie, c'est de l'autre côté ! (On sentait à sa voix qu'il était au comble de la consternation.) Ils ne roulent pas du même côté que nous ! Les voitures avec conduite à droite sont interdites. Ils ne veulent même pas les laisser entrer !

— Grand Dieu ! fit M. Broadwood.

Je dus reconnaître que, dans la scène pénible qui s'ensuivit, M. Broadwood fut magnifique. C'était uniquement la faute de M. Walker, répétait-il : à moins d'instructions particulières, toutes les « Centurion 9 » avaient la conduite à droite, pour affirmer leur caractère britannique. La plupart des clients étrangers, y compris les Américains, semblaient les préférer ainsi.

— Je pensais, dit Walker avec amertume, que tout le monde savait qu'en Estaquie on a la conduite à gauche.

M. Broadwood esquissa un pâle sourire :

— L'Estaquie est moins bien connue de nous que de vous, monsieur.

Telle fut la position qu'il adopta, et rien ne put l'en faire démordre. Walker avait commandé la « Centurion 9 » : il avait précisé certaines couleurs, certains accessoires — mais il n'avait nullement spécifié la conduite à gauche. La « Centurion 9 » qu'il avait commandée était là.

— Mais je ne peux pas m'en servir ! dit Walker désespéré. Je ne peux pas l'emmener !

Je cherchai à l'apaiser :

— Est-ce qu'on ne pourrait pas vous accorder une dispense spéciale... un genre de permis diplomatique?

Walker eut un mouvement de tête, presque violent.

— Non. L'ambassadeur a essayé, il y a longtemps. Les prêtres n'ont rien voulu savoir.

— Comment, les prêtres?

— Oui, dit Walker avec impatience. Quelque histoire d'Allah qui était gaucher... Je ne peux pas emmener cette voiture en Estaquie.

Il se retourna vers M. Broadwood, et dit d'un ton autoritaire :

— Il me faut absolument une autre « Centurion 9 ».

M. Broadwood écarquilla les yeux :

— Bien entendu, nous n'insisterons pas pour que vous preniez cette voiture-là. (Cette formule me parut géniale.) Mais si vous voulez une autre « 9 », cette fois avec conduite à gauche, il vous faudra évidemment la commander.

— La commander! s'écria Walker, qui paraissait sur le point de pleurer de rage et de déception. Grand Dieu! Voulez-vous dire que je devrai faire de nouveau la queue, et attendre encore dix-huit mois?

— Pas si longtemps, je présume, assura M. Broadwood.

Puis, se dirigeant vers son bureau, il ajouta d'un ton aigre-doux :

— Si vous voulez bien remplir un formulaire...

Avant de repartir pour l'Estaquie, Walker me demanda de me charger de ses intérêts, en ce qui concernait la « Centurion 9 »! Il avait l'air si désolé et si cruellement déçu qu'il ne m'était guère possible de refuser.

En me faisant ses adieux, devant notre Club, il me supplia encore :

— Restez en contact avec Broadwood, je vous en prie. Il a affirmé que la voiture serait prête dans 18 mois. Tâchez qu'il tienne parole.

Je répondis que je ferais de mon mieux.

— Je vous écrirai, me dit-il. Mais surveillez Broadwood. Je n'ai pas confiance en lui.

Je tins ma promesse, bien que ce ne fût guère mon affaire, et que j'eusse bien d'autres occupations. Mais une fois par mois environ, je téléphonais à Broadwood : celui-ci se montrait assez aimable, mais ne tenait jamais à s'engager pour une date ferme de livraison. Les choses avançaient : il ne voulait pas en dire davantage.

Au bout d'un an environ, j'allai le voir. Il ne semblait nullement en vouloir à Walker de ce qui s'était passé. En s'avançant dans le hall, qui contenait maintenant trois « Centurion 9 », il m'annonça :

— Les nouvelles sont bonnes. Le châssis est terminé. On travaille maintenant à l'intérieur de la voiture.

— M. Walker sera ravi, dis-je. Dans combien de temps sera-t-elle prête ?

— Quelques mois, répondit-il avec bonne humeur. Disons six mois, pour plus de sûreté.

Faisant un geste vers les trois modèles exposés, il ajouta :

— Cela va beaucoup mieux maintenant. Dans très peu de temps, nous serons en mesure d'assurer la livraison en moins d'un an.

— Je puis donc écrire à M. Walker que la date prévue tient toujours ?

— Oh ! oui, dit M. Broadwood. Il doit savoir maintenant que la maison Centurion tient toujours parole.

Cependant, avant même que j'aie pu écrire à Walker, je reçus un mot de l'ambassade d'Estaquie. Walker m'écrivait :

« Une grave complication vient de surgir : on a institué un contrôle des importations — un contrôle visant expressément les produits britanniques. Vous êtes certainement au courant de la « guerre des sardines », et des tentatives de nationalisation des autorités locales. Nous avons dû adopter une attitude de fermeté ! Mais, à titre de représailles, le gouvernement d'Estaquie a entièrement suspendu les importations en provenance de Grande-Bretagne, même celles qui sont faites au titre diplomatique. Nous espérons obtenir un adoucissement de cette mesure, mais cela risque d'être long. Je vous tiendrai au courant des événements. »

De mon bureau des Affaires étrangères, il m'était facile de suivre les affaires d'Estaquie. Il y avait eu des émeutes d'étudiants, ainsi que la traditionnelle marche sur l'ambassade britannique; les perspectives n'étaient guère réjouissantes. Mais moins de six mois plus tard, Walker m'adressa un mot plus optimiste :

« J'ai longuement parlé au directeur du service des importations d'Estaquie. C'est un certain Borsthenian, qui fut jadis coiffeur à l'ambassade. Il est toujours partisan du système des pourboires! Mais je crois que je pourrai obtenir un permis pour la « Centurion 9 »! Voulez-vous le dire à Broadwood? »

J'étais en congé quand je reçus cette lettre; et lorsque je rentrai, Broadwood était lui-même parti dans le nord de l'Angleterre. Aussi ne m'occupai-je plus de cette affaire pendant quelques semaines. Vers la Noël, ce fut Broadwood qui m'appela au téléphone :

— J'apprends, me dit-il sèchement, que votre ami va revenir.

— Comment, Walker? Je n'en savais rien.

— Nous avons reçu un câble ce matin. C'est vraiment très contrariant. Il veut maintenant que la voiture soit livrée à Londres.

— Cela devrait simplifier les choses, sans doute...

— Oui, dans un sens — bien qu'il puisse y avoir des complications au sujet de la taxe. En tout cas, votre ami nous aura certainement causé beaucoup d'ennuis.

En dehors du ton glacial employé par M. Broadwood, j'aurais préféré qu'il n'appelât pas Walker « mon ami » — comme si j'étais pour quelque chose dans son comportement.

M. Broadwood poursuivit :

— Nous nous étions procuré un permis d'exportation;

nous avions réservé le volume de cale, et fait le nécessaire à la banque d'Angleterre pour la conversion des devises. Ensuite il y eut ces ennuis en Estaquie. Et maintenant il faudra tout annuler.

— Je suis navré, dis-je avec une égale froideur, mais je suis certain que M. Walker sera ravi d'avoir sa voiture, après tous ces retards. (Deux ans avaient maintenant passé depuis la scène dans le hall d'exposition.) J'espère que le volant sera cette fois du bon côté — c'est-à-dire à gauche.

M. Broadwood raccrocha...

Walker vint me trouver dès qu'il arriva aux Affaires étrangères. En l'accueillant, je lui demandai si son voyage s'était bien passé.

Il me répondit : « Assez bien » — mais il y avait dans sa voix, au lieu de la satisfaction normale chez une personne arrivant en congé, une agitation qui me déplut. Il ajouta :

— Je ne pensais d'ailleurs pas être muté si tôt.

— Eh bien, vous avez la voiture, en tout cas.

Il resta un instant silencieux, me regardant fixement dans les yeux :

— Non. Je ne reste pas ici. J'ai été nommé à Pirania.

— Ah! fis-je prudemment. (Cette perspective semblait en effet peu réjouissante.) Eh bien, ce sera agréable pour vous d'aller cette fois en Amérique du Sud. Enfin, vous ne risquez guère qu'il y ait des troubles là-bas : le Pirania est demeuré résolument pro-britannique depuis la reine Victoria.

— C'est vrai, répondit-il, et à quel point! (Dans ses yeux, dans son attitude, il y avait maintenant quelque chose de vraiment effrayant.) A tel point que la population imite les Britanniques dans les moindres détails. ILS CIRCULENT MEME A GAUCHE! Ils n'autorisent aucune voiture construite différemment à pénétrer dans le pays. (Sans s'en rendre compte, il élevait progressivement la voix.) L'interdiction est totale, et fait même l'objet d'un décret présidentiel : toute voiture ayant la conduite à gauche est refoulée à la douane...

Après un long silence, il dit d'un ton implorant :

— Je vous en prie, venez voir Broadwood avec moi.

Je n'ai jamais oublié cette pénible entrevue. C'était la seconde fois (je rapporte les propos même de Broadwood) que Walker faisait faux bond à Centurion Motors; la seconde fois qu'il refusait de prendre livraison d'une voiture pour laquelle il avait passé une commande écrite. Vraiment, messieurs, vraiment...

Après avoir patiemment attendu dix minutes que Broadwood eût cessé d'exprimer sa surprise, de la façon la plus sarcastique, Walker dit piteusement :

— Je sais que tout cela est bien loin d'être satisfaisant, mais je n'y puis rien. C'est comme cela aux Affaires étrangères. On vous déplace...

— Un tel état de choses, déclara avec hauteur, M. Broadwood, semble incompatible avec la possession d'une « 9 ».

— Mais cela ne se reproduira certainement pas, interrompit Walker.

Il dit cela d'un ton si passionné et suppliant que je m'en sentis affreusement gêné.

— Après Pirania, poursuivit-il, je suis sûr de rester quelque temps en Angleterre. La conduite à droite sera donc parfaite.

— Vous désirez commander une NOUVELLE voiture? demanda Broadwood, comme si la chose lui paraissait fantastique.

— Oui... c'est-à-dire, si vous êtes d'accord... Il faudra naturellement que vous repreniez celle-ci.

Walker bafouillait lamentablement. Je grillais d'envie de lui dire de laisser tomber cette sacrée affaire, mais je savais que cela ne servirait à rien, car toute sa vie s'était maintenant organisée autour d'une idée fixe.

Je fis de mon mieux pour l'aider :

— Voyons, dis-je à M. Broadwood, il ne devrait pas y avoir de difficulté. Puisque vous dites vous-même que les « Centurion 9 » sont très demandées, vous pouvez reprendre cette voiture-ci, et simplement en commander une autre pour M. Walker.

Ce fut moi cette fois que M. Broadwood gratifia d'un coup d'œil glacial :

— Simplement? Pas de difficulté? répéta-t-il d'un air distant. Je puis vous certifier, monsieur, que j'ai déjà eu bien assez de difficultés à expliquer ces... manœuvres à mes directeurs, pour m'embarquer une troisième fois dans une histoire analogue. La Maison Centurion n'est pas accoutumée à ce genre de choses — pas accoutumée le moins du monde.

M. Broadwood fit mine de réfléchir. Cette affreuse pantomime me parut intolérable, mais Walker la suivit avec angoisse, comme si son équilibre mental en dépendait. (Je ne me doutais pas alors à quel point c'était vrai.) Broadwood leva les yeux au plafond, puis les posa une longue minute sur Walker.

— Ce ne sera pas facile... Mais je vais voir ce que je puis faire.

— Merci... oh! merci infiniment! dit Walker. (Il s'interrompit un instant, puis se mit à rire nerveusement.) Et quand me la livrez-vous?

— Dans 18 mois, dit M. Broadwood froidement.

— Oh!... s'exclama Walker dont le visage s'allongea. Ne pourriez-vous me la livrer un peu plus tôt? J'attends depuis si longtemps... trois ans et demi déjà.

— Je suis obligé de vous rappeler, répondit M. Broadwood avec une odieuse insistance, que ce sera la troisième « 9 » que nous aurons construite pour vous.

Après cela, je n'eus plus de contact avec M. Broadwood. Non seulement il m'était devenu assez désagréable de le rencontrer, mais de toute façon j'avais l'impression de ne pouvoir faire grand-chose. Cependant Walker, qui était maintenant Premier Secrétaire à Pirania, me tint au courant des événements, et de la date à laquelle il espérait maintenant avoir sa voiture. Cela n'allait pas très vite.

Il était évident qu'en fixant à dix-huit mois le délai de livraison, M. Broardwood n'avait donné là qu'un chiffre minimum. Il survint d'ailleurs de nouvelles complications. La pénurie de matières premières (c'est ce que m'écrivit Walker) ayant contraint à changer les caractéristiques du châssis, et en conséquence l'aménagement intérieur, de même que l'installation électrique, toutes ces modifications apportées au contrat nécessitèrent une abondante correspondance.

Bientôt, Walker fut obligé de céder son tour sur la liste d'attente, de façon que deux « 9 » puissent être livrées à un magnat arabe du pétrole, à qui le gouvernement britannique (et de ce fait la Maison Centurion) désirait faire une amabilité.

Puis, lorsque tout paraissait prêt, Centurion augmenta ses prix.

Walker me l'apprit dans une lettre fort agitée :

« On a augmenté le prix d'achat de DIX POUR CENT ! m'écrivit-il en un style pénible, saccadé (on eût dit la lettre d'un vieillard.) Vous me direz peut-être que ce n'est pas énorme, mais cela représente CINQ CENTS LIVRES de plus que je n'avais prévu. Or, comme vous le savez, je comptais que mon héritage couvrirait la TOTALITE du prix de cette voiture. J'ai écrit à M. Broadwood pour lui demander un délai de paiement, et lui dire que je ferais TOUT MON POSSIBLE pour trouver le supplément nécessaire. (J'imaginai facilement quelle avait dû être la réaction de M. Broadwood à cette supplique du dernier mesquin.)

Walker m'apprit ensuite que les services financiers des Affaires étrangères avaient refusé de lui consentir une avance sur son traitement. Il me dit un peu plus tard qu'il avait dû céder une police d'assurance (« en perdant beaucoup dessus ») et finalement qu'il avait entièrement réglé M. Broadwood.

Certains éléments, non seulement dans l'écriture de Walker, mais aussi dans sa façon de s'exprimer, m'amenèrent à conclure que tout cela commençait à l'ébranler fortement, et je décidai de jeter un coup d'œil à son dossier. C'était exactement ce que je redoutais. Il était loin de donner satisfaction à Pirania : dans les rapports très réservés que l'ambassadeur faisait à son sujet, on lisait entre les lignes que Walker n'était plus du tout à la hauteur de sa tâche. Le mot « étrange » revenait à trois reprises. Et je savais, par une longue expérience, qu'un fonctionnaire auquel on applique cet adjectif n'a aucune chance de s'en relever.

Dans son dossier, figurait aussi une note selon laquelle il avait déjà pris un congé de maladie de 3 jours, pendant son tour de permanence. D'autre part, il avait cessé d'être membre du Voyagers' Club.

Ce tableau n'était guère encourageant : il était clair que l'achat d'une « Centurion 9 » allait maintenant coûter à Walker bien plus que les 5 600 livres qui étaient actuellement le prix d'achat. Enfin, à mon grand soulagement, Walker m'écrivit que tous ses ennuis étaient terminés : après une attente de deux ans, la voiture était finalement partie, et devait arriver à Pirania moins de trois semaines plus tard.

Walker soulignait que cinq ans et demi s'étaient écoulés depuis qu'il avait passé commande du modèle primitif...

Lorsque je lus en gros titre dans les journaux « REVOLUTION A PIRANIA - LES EXTREMISTES PRENNENT LE POUVOIR » je n'y prêtai guère attention tout d'abord. Ce n'était pas une région du monde intéressant mon service aux Affaires étrangères, et de toute façon une révolution en Amérique du Sud était un événement assez courant.

Cette fois-ci cependant, le mot « Pirania » finit par attirer mon attention, puisque j'avais souvent eu ces derniers temps l'occasion de penser à Walker. Aussi, lorsque j'eus un moment, allai-je me renseigner à la section de l'Amérique du Sud. Le dernier câble reçu se terminait par cette phrase : « Les émeutes les plus importantes ont eu lieu dans le secteur du port. »

Ce ne fut que quelque temps après que j'appris ce qui était arrivé à la Centurion 9 de Walker. Mais entre temps j'avais pu reconstituer progressivement toute l'affaire, à l'aide des journaux de Pirania et des comptes rendus de notre ambassadeur : c'était vraiment une histoire extraordinaire.

Apparemment, après une semaine d'intense agitation, pendant laquelle Walker n'avait absolument rien fait (sinon téléphoné deux fois par jour à la compagnie de transport), il s'était rendu au port pour assister à l'arrivée du bateau et au débarquement de sa voiture. On lui avait déconseillé d'y aller, la capitale étant alors en pleine révolution, mais il n'avait tenu aucun compte de ce qu'on lui disait.

Dans la matinée, le navire — le *Piranian Star* — commença de décharger sans se presser sa cargaison : vers midi, les opérations avaient presque cessé, de nouveaux coups de feu ayant été entendus en direction de la ville, tandis qu'un nuage de fumée s'élevait d'un bâtiment en flammes.

Cependant une grue, actionnée sans doute par un individualiste farouche — à moins qu'il ne fût sourd — continuait de fonctionner méthodiquement; et voici que la « Centurion 9 » était apparue — vert foncé, rutilante, dans toute sa splendeur — sortant de la cale avant, maintenue par des élingues passées sous ses quatre roues. Walker la considérait avec attendrissement tandis qu'elle s'élevait peu à peu et atteignait le sommet de sa trajectoire, prête enfin à redescendre... Ce fut alors qu'une fusillade éclata, beaucoup plus près cette fois, dans le port même, et la grue s'immobilisa soudain.

La « Centurion 9 » demeura où elle était, pivotant un peu sur elle-même, se balançant mollement à une dizaine de mètres au-dessus du sol, tandis que les rayons du soleil la caressaient doucement. La fusillade continuait, et bientôt un homme sortit de la cabine de la grue, dégringola en se faufilant derrière les montants, et se sauva à toutes jambes. Puis le silence se rétablit. Sur le quai désert, il ne restait plus que Walker, les yeux fixés sur sa voiture. Pendant trois bonnes heures, la « Centurion 9 » et Walker ne bougèrent pas de là. Le bruit des coups de feu parvenait toujours de l'intérieur de la ville, mais sur le quai régnait le plus complet silence. La voiture avait cessé de se balancer; elle était toujours suspendue dans le vide, reflétant les derniers rayons du soleil couchant; il n'y avait rien de plus beau alentour.

Walker, assis sur un cabestan, attendait patiemment. De temps en temps, il levait la tête et jetait un coup d'œil à sa voiture. Il avait attendu cinq ans et demi. Une demi-journée de plus n'avait pas d'importance.

Ce fut vers 4 heures de l'après-midi que la première balle atteignit la « Centurion 9 », en plein dans le pare-brise qu'elle pulvérisa. Après quoi, les coups de feu se succédèrent rapidement. On ne pouvait dire exactement d'où venait la fusillade, mais il semblait que ce fût de l'étage supérieur de l'immeuble des Douanes. Walker compta trois fusils et une mitrailleuse légère. Il eut vite fait de comprendre ce que faisaient ces hommes, derrière lui : à défaut d'objectif digne de ce nom, ils avaient décidé de faire des cartons sur la cible la plus séduisante. Il ne pouvait guère y avoir d'hésitation à ce sujet.

Walker, angoissé, avait été se blottir à l'abri du bâtiment le plus proche, d'où il assista à la destruction — lente et méthodique — de la « Centurion 9 ». Finalement, lorsque celle-ci fut littéralement criblée de balles, les hommes de la Douane se mirent à viser avec précision les câbles auxquels elle était suspendue.

La « Centurion 9 », libérée, tomba comme une pierre. Elle vint heurter le rebord du quai avec un craquement épouvantable, se replia en accordéon sur la moitié de sa longueur, puis bascula dans plus de dix mètres d'eau.

Ce fut alors que l'on vit un homme (ce détail fut donné par un journal local), un homme qui devait être Walker, courir jusqu'au bord du bassin, et se pencher sur l'eau où les dernières ondulations mouraient lentement. Il fut légèrement atteint au bras par une balle, mais n'y prit pas garde. Il paraissait pleurer à chaudes larmes. Bientôt, on le vit plonger et, jusqu'à ce qu'on vînt le repêcher, il nagea en rond, indéfiniment.

Walker me demanda s'il pourrait me voir lors de son passage à Londres, et ce fut presque sans hésitation que je lui répondis par l'affirmative. J'avais vu sur le Tableau des Nominations qu'il était toujours Premier Secrétaire, et qu'on l'envoyait en Lichtonie — poste de tout repos auquel nous n'attachions d'ailleurs qu'une importance symbolique. Il avait passé en Cornouailles son congé de maladie.

Je m'attendais à le trouver changé; néanmoins sa vue me causa un véritable choc. Ce n'était plus du tout le Walker que j'avais accompagné six ans plus tôt chez Centurion. J'avais devant moi un vieil homme grisonnant, indécis, au visage creux, aux yeux voilés. Si je n'avais pas su qu'il avait 47 ans, je lui aurais donné facilement la soixantaine, et — disons-le — une soixantaine bien fatiguée.

— Je vois que vous êtes envoyé en Lichtonie, dis-je. C'est un poste très agréable.

— Je m'en réjouis, répondit-il.

Ses mains, qu'il tenait serrées l'une contre l'autre, tremblaient; par contre, lorsqu'il ouvrit un peu plus les yeux, je fus frappé par la vivacité presque inquiétante de son regard.

— C'est tout près de la frontière italienne, vous savez, poursuivit-il. Leurs routes figurent parmi les meilleures d'Europe.

— Ah! vraiment?

— Oui. La Centurion pourra dévorer les kilomètres.

J'eus un sursaut et hasardai :

— Mais comment...

Je m'interrompis, hésitant. Je ne tenais pas à réveiller de tragiques souvenirs. Puis je me dis qu'il valait peut-être mieux faire comme s'il n'y avait là rien que de normal, puisque c'était Walker lui-même qui avait soulevé la question.

— Vraiment? Vous allez avoir une Centurion?

— Naturellement, répondit-il en plongeant son regard brûlant dans le mien. Les compagnies d'assurance sont toujours en litige au sujet de la dernière, mais je ne suis pas dans le coup.

— Eh bien, eh bien!... dis-je quelque peu déconcerté. Toujours une « Centurion 9 »?

— Oh! non! Ils n'en font plus.

— Mon Dieu! m'exclamai-je sans trop savoir pourquoi. J'en suis navré.

— Mais ils ont un nouveau modèle, la « Centurion 10», me dit-il avec un peu de son enthousiasme de jadis. Vous ne pouvez pas savoir ce que c'est — un rêve, ni plus ni moins! Transmission automatique — 160 km à l'heure en 32 secondes. Je suis passé voir Broadwood tout à l'heure. Vous vous souvenez de Broadwood?

— Je crois bien!

— Je lui ai commandé une « Centurion 10 »...

Les yeux de Walker, fixés sur les miens, semblaient détenir un pouvoir hypnotique, tandis qu'il poursuivait :

— Nous venons de signer les papiers. Livraison dans les dix-huit mois. Mais cela vaut la peine d'attendre, ne pensez-vous pas?

LES INVITÉS

IL EXISTE TOUJOURS DES gens fort riches dans ce bas monde; et il s'en trouvait bien plus encore dans cette société charmante d'il y a trente ans. J'espère que nul ne se laisse influencer par la légende selon laquelle les gens riches mènent une vie fade, insipide, bornée, sont tenus d'écouter presque chaque soir une « musique de chambre » inintelligible, d'assister à des séances d'opéra interminables auxquelles ils ne comprennent rien, de faire des courbettes devant les princes, et d'ingurgiter des aliments peu recommandables tels que foie gras, truites en gelée et champagne.

Soyez bien persuadés qu'ils vivent pour la plupart fort agréablement : ils convient les meilleurs artistes à venir leur jouer et leur chanter exactement ce qu'ils aiment entendre, jouissent de l'intimité des princes, mangent et boivent exactement ce qui leur plaît — et c'est souvent du foie gras, des truites en gelée et du champagne...

Toutefois les riches aussi ont leurs problèmes. Ce sont rarement des problèmes d'ordre financier, car les gens riches ont habituellement la sagesse de confier à d'autres le soin de leurs intérets — qu'il s'agisse des impôts, de la politique, de l'éducation de leurs enfants, de leurs démêlés conjugaux ou des prétentions de leurs domestiques.

Mais il existe d'autres problèmes, plus réels encore, et notamment celui du comportement.

C'est un problème de ce genre que je vais évoquer ici, et qui se posa à mon oncle Octave, il y a bien trente ans.

Il y a bien trente ans, car j'en avais quinze — détail de peu d'importance pour mon récit, mais qui en avait pour moi à l'époque, puisque j'abordais le monde éblouissant des adultes. Il importe par contre de noter, pour l'intelligence de ce qui va suivre, que mon oncle Octave était alors (en 1925) un homme riche, parvenu au sommet du contentement et de la réussite.

Il recevait (tous ses contemporains en feront foi) parfaitement et de façon charmante, et sa villa de la Côte d'Azur était habituellement le rendez-vous des Grands de ce monde; ce fut (je puis l'assurer) un homme hospitalier, satisfait de son sort et fort aimable... jusqu'au 3 janvier 1925.

Cette date ne marquait rien de particulier dans la vie de mon oncle, sinon qu'il fêtait ce jour-là son cinquante-cinquième anniversaire. Comme toujours en pareille occasion, il avait convié une dizaine de personnes à dîner, rien que de vieux amis dont deux étaient ce qu'on avait coutume d'appeler alors, sans aucune ambiguïté, de « vieilles flammes » (mon oncle n'aurait pas imaginé, à cinquante-cinq ans, qu'il fût possible de donner un dîner d'anniversaire sans y convier de « vieilles flammes ». Il menait depuis longtemps ce que l'on appelait, sans la moindre ambiguïté non plus, « la bonne vie ».)

J'avais donc quinze ans et une chance extraordinaire : je faisais un séjour chez mon oncle, dans sa délicieuse villa du Cap d'Antibes, et j'avais été autorisé, par faveur spéciale, à venir à la salle à manger en cette heureuse occasion. J'étais fort excité à la pensée de dîner en pareille compagnie; car en plus des deux « vieilles flammes » et de leurs maris respectifs, il y avait un directeur de journal, d'une intelligence exceptionnelle, et son épouse américaine, une femme extraordinaire; un Français, ancien président du conseil; un vieil homme d'Etat qui était un des personnages les plus étonnants de l'Allemagne d'après-guerre; enfin un prince de Habsbourg et sa femme.

Vous comprenez bien qu'à cet âge — écolier en vacances — je fus ébloui. Aujourd'hui même, trente ans après, on peut encore admettre que c'était là une réunion fort select. Je dois ajouter, pour la clarté de mon récit, que tous étaient de bons et très vieux amis de mon oncle Octave.

Vers la fin de ce merveilleux dîner, les domestiques s'étant retirés une fois le dessert servi, mon oncle se pencha un peu pour mieux admirer le magnifique diamant qui ornait la bague de la princesse. C'était une fort belle femme, de fière allure. Avec grâce, elle tendit la main vers mon oncle, et je me souviens qu'à la lueur des bougies la pierre apparut d'un jaune vif éblouissant.

Le directeur de journal demanda à son tour : « Puis-je aussi jeter un coup d'œil, Thérèse ? » Elle sourit, fit un signe affirmatif, puis retira sa bague et la tendit pardessus la table, en disant :

— Elle appartenait à ma grand-mère, la vieille impératrice. Pendant bien des années, je ne l'ai pas portée. On prétend qu'elle aurait appartenu à Gengis Khan.

On poussa des cris d'admiration. On s'extasia. La bague passa de main en main. Je la tins un instant dans la mienne : le diamant brillait de mille feux, et avait intérieurement cette teinte jaunâtre, si lumineuse, qu'on ne voit qu'aux pierres de cette qualité. Je la passai ensuite à ma voisine — et je crois que, avant de détourner la tête, je vis celle-ci la passer à son tour à quelqu'un d'autre. Du moins, j'en fus presque sûr.

Lorsque, une vingtaine de minutes plus tard, la princesse se leva, faisant ainsi comprendre qu'il était temps que les dames passent au salon, elle jeta un regard circulaire et demanda gentiment :

— Avant que nous nous retirions, puis-je récupérer ma bague?

J'entendis mon oncle murmurer : « Eh oui, cette magnifique bague... », tandis que le directeur de journal s'exclamait : « Nom d'un chien, il ne faut pas l'oublier! » Et j'entendis aussi un rire de femme.

Il y eut une pause — chacun regardant son voisin d'un air interrogateur — puis un silence.

La princesse souriait toujours, mais d'un sourire un peu contraint. Elle n'avait pas coutume de demander deux fois la même chose.

— Je vous en prie, fit-elle avec une certaine hauteur. Nous pourrions ensuite laisser ces messieurs à leur porto.

Quand je vis que personne ne répondait, et que le silence se prolongeait, je continuai de croire à une bonne farce. Sans doute l'un de nous — probablement le prince lui-même — allait-il subitement brandir la bague en riant, et reprocher à la princesse son étourderie. Mais rien de tout cela n'arriva, et je compris alors que cette fin de soirée serait épouvantable.

Je n'ai pas besoin de vous décrire la scène : la gêne indescriptible qui s'empara immédiatement des convives, tous vieux amis éprouvés; la politesse glaciale du prince; la princesse au bord des larmes. Certains demandèrent à être fouillés, on déplaça les sièges, on se mit à chercher partout, sur le tapis, dans toute la pièce. Bref, bientôt plus personne n'osait regarder son voisin en face.

Pourtant, la bague de la princesse demeura introuvable. Elle avait disparu comme par enchantement — alors que c'était un bijou de famille irremplaçable, qui valait bien 200 000 livres sterling — dans une pièce où étaient réunies une douzaine de personnes qui se connaissaient toutes.

Aucun domestique n'avait pénétré pendant ce temps dans la salle à manger. Personne ne s'était absenté un seul instant. Le voleur (car ce ne pouvait être qu'un vol) était parmi nous; c'était l'un des chers bons amis de mon oncle Octave.

LES INVITES

Je me souviens que l'homme d'Etat français insista tout particulièrement pour qu'on le fouillât, et alla même, dans son agitation, jusqu'à retourner ses poches, avant que mon oncle ait eu le temps de l'en empêcher.

L'oncle Octave avait le visage pâle et tendu, comme quelqu'un à qui l'on viendrait de porter un coup mortel.

— On ne fouillera personne, ordonna-t-il. Pas chez moi. Vous êtes tous mes amis. Cette bague est certainement perdue. Si on ne la retrouve pas (il s'inclina vers la princesse) c'est moi-même, naturellement, qui serai responsable.

De nouveau on se mit à chercher partout. Ce fut affreux et inutile.

Jamais on ne retrouva la bague, et cela bien que les invités demeurassent jusqu'à l'aube, personne ne voulant partir le premier, et chacun désirant réconforter mon oncle (ce dernier faisait preuve d'un calme impressionnant, bien qu'il fût profondément affecté). Chacun espérait toujours aussi que la bague finirait par surgir du désordre dans lequel était maintenant plongée la salle à manger.

On ne revit jamais la bague, ni alors ni par la suite. Jusqu'au bout, mon oncle Octave demeura fidèle à sa rigide conception de l'honneur, et refusa catégoriquement que l'on fouillât ses invités.

Quelques jours plus tard, les vacances finies, je retournai en Angleterre. J'étais bien content de quitter tout cela. La vue du visage de mon oncle, la pensée que tout son univers avait été bouleversé — tout cela m'était insupportable. Il demeurait seul, sur les ruines de son mode de vie, avec ce point d'interrogation : lequel, de mes bons amis de toujours, est le voleur ?

Je ne sais dans quelle mesure, ni comment, mon oncle Octave « répara ». En tout cas il ne retourna jamais dans sa jolie villa du Cap d'Antibes, et vécut dans une solitude absolue jusqu'à la fin de ses jours. Je sais qu'il mourut relativement pauvre, à la grande surprise de notre famille. En fait, il est mort il y a quelques semaines, et c'est pourquoi je puis raconter cette histoire.

Je n'irais pas jusqu'à dire qu'il était au bout du désespoir, mais il était triste, profondément triste, comme peut l'être un homme de naturel accueillant, qui n'a jamais plus invité ses amis à dîner ou à déjeuner durant les trente dernières années de sa vie.

LORSQUE MA FEMME —
ma femme toute neuve, adorable, déconcertante —
m'annonça que nous allions prendre l'avion, et parcourir
ainsi les quelque 10 000 kilomètres qui séparent Londres
de l'Afrique du Sud, pour faire chez son père le voyage
de noces que nous avions différé jusque-là, je tentai
(oui, même moi qui suis l'expert comptable le plus pacifique du monde) d'opposer une résistance énergique.

Nous venions de finir de dîner; elle était absolument ravissante dans une de ces robes d'intérieur dont
aucun intérieur moderne ne devrait pouvoir se passer;
le bruit du trafic, au-dehors, nous parvenait comme feu-
tré; le feu flambait gaiement; la caniche dormait; toutes
les chances étaient contre moi. J'essayai cependant de faire
entendre la voix de la raison.

— C'est trop loin, dis-je pour commencer.

— Vingt heures, répondit Hélène (je ne connais aucune femme qui ait ainsi le don de prononcer la phrase
la plus banale — « vingt heures » par exemple — avec

le ton qu'elle prendrait aussi pour vous dire : « Voyons, je t'aime. ») Un petit saut de rien du tout.

Elle poursuivit, de cette même façon persuasive qui tient de la sorcellerie :

— On met vingt heures pour aller tout bêtement en Ecosse.

— Allons donc en Ecosse, dis-je.

— Je veux du soleil.

Elle leva un bras mince et une main admirablement modelée pour énumérer des desiderata :

— Je veux du soleil; je veux aller voir mon père; je veux que tu connaisses l'Afrique du Sud; je veux une belle lune de miel.

Je relevai ce dernier point :

— Nous pouvons avoir une belle lune de miel sans même faire un pas...

Hélène me lança un de ces tendres regards si mauvais pour les maris qui cherchent à résister.

— Oui, bien sûr, dit-elle, mais ce serait quelque chose d'extraordinaire. L'Afrique du Sud est le plus beau pays du monde. Il faut absolument que tu le voies. Papa a une maison qui donne en plein sur la mer, entre Le Cap et Port Elizabeth. Il y a un coin merveilleux, une sorte de presqu'île : le Robberg, où nous irons pêcher. Nous pourrons lézarder au soleil, nager, pique-niquer, cueillir des orchidées sauvages, chasser la pintade, capturer des requins qui pèsent des CENTAINES de livres.

J'examinai toutes ces possibilités : les pintades m'intéressent assez peu (sauf à table); quant aux requins, on m'a appris dès l'enfance qu'il est préférable de les éviter. Tout le reste paraissait enchanteur. Me sentant faiblir, je soulevai encore quelques timides objections :

— Je ne peux pas m'absenter.

— Tu as encore deux mois de congé à prendre.

— C'est trop cher.

— Nous nous servirons de l'argent qu'on nous a donné au moment de notre mariage.

— Il n'y aura pas de place chez ton père.

— Toute une aile de la maison nous attend.

Finalement, du ton judicieux qui sied à un expert comptable, je déclarai :

— Il n'est pas d'usage d'aller en voyage de noces chez son beau-père.

— C'est un chou, répondit Hélène. Je l'adore, et toi aussi tu l'adoreras. Il est, après toi, l'homme le plus exquis de la terre. Il sera ravi de nous recevoir.

— Mais c'est un voyage de noces !

— Aucune importance : il est terriblement sourd.

— Il vaudrait mieux pour nous qu'il fût terriblement myope.

— Oh ! Jamais je n'ai rien entendu dire d'aussi méchant !

Bien entendu, quarante-huit heures après nous prenions l'avion pour Johannesburg.

Comme toujours, Hélène avait raison. L'Afrique du Sud (toute politique mise à part) est vraiment le plus beau pays du monde. Mon beau-père habitait dans un coin où le soleil, la splendeur du paysage, le bien-être et la douceur ambiante, s'unissaient pour en faire un lieu de séjour idéal. Plettenbert Bay avait été au dix-neuvième siècle une station bien connue de pêche à la baleine, et tenait son nom du gouverneur hollandais de la province : ce dernier avait certainement fait preuve d'un goût très sûr en choisissant cette région pour base de ses opérations.

La petite ville, blottie dans une baie de l'océan Indien, était bien abritée, aimable sous tous les rapports, avec sa longue plage de sable, sa douce chaleur, et un fond de montagnes, au nom imprononçable de « Tzitzikhama », qui lui assurait du matin au soir un écran vaporeux d'une irrésistible beauté. Après avoir grommelé sur tout, depuis le prix du voyage jusqu'à la qualité des pantoufles en léopard que nous avions achetées à l'escale de Nairobi, je fus bien forcé d'admettre que tout cela tenait du rêve.

Quant à mon beau-père (que je voyais pour la première fois) ce n'était pas un personnage de rêve. Il était bien mieux que cela. James Forsyth, 8o ans, avait une forte personnalité et exerçait une très grosse influence dans la région. Il était riche, comme devraient l'être tous les beaux-pères. Il avait été dans sa jeunesse un athlète de renom : en fait, c'était le plus ancien international de rugby de l'Afrique du Sud. Il était rude, magnifique, attachant, et absolument formidable. Enfin il était, à ses heures, sourd comme un pot.

Après avoir embrassé Hélène, il se tourna vers moi. Nous nous serrâmes la main. Il avait une poigne de fer, et je souhaitai intérieurement pouvoir faire aussi bonne figure quand j'aurai son âge. D'une voix profonde et sonore, il me dit :

— Soyez le bienvenu chez moi...

Puis, me désignant Hélène — qui lui était sans aucun doute particulièrement chère — il me dit avec l'autorité d'un patriarche de la Bible :

— Rendez-la très heureuse.

Notre premier repas fut pleinement conforme (je devais m'en rendre compte par la suite) à ce qu'est habituellement un repas en Afrique du Sud : soupe de poisson, sériole fraîchement pêchée, steak gigantesque, soufflé au fromage, puis un café aussi épais et fort que du chanvre de manille. Mon beau-père, tout en nous jetant toutes les cinq minutes un œil d'envie, se contenta de deux œufs à la coque et d'un verre de lait battu. Pendant qu'Hélène allait défaire nos bagages, je m'installai dehors sur le vaste stoep de pierre d'où j'eus la joie de contempler l'océan Indien à quelques dizaines de mètres devant moi. Je bavardai avec le vieux James Forsyth pendant que les étoiles s'allumaient dans le ciel.

Londres, son brouillard et son crachin, la vie politique si fastidieuse, tout cela me paraissait à bien plus de dix mille kilomètres de là.

PERMIS DE TUER

Mon beau-père était charmant, quoiqu'un peu déconcertant. Il était vraiment très sourd : il fallait hurler pour se faire entendre de lui; mais il lui arrivait parfois de ne plus l'être et il détectait alors le moindre murmure, pas nécessairement destiné à ses oreilles. Ce premier soir je l'écoutai surtout; il me parlait, de sa grosse voix de basse, de cent choses qui paraissaient bien humbles pour un homme de cette envergure : la vie politique du village, les pertes en cheptel subies dans la région, les perspectives de la pêche, le temps... L'existence pour lui, comme pour tous les habitants de Plettenberg Bay, s'écoulait pasisible, bénie de l'homme et de la nature.

Ce fut seulement au moment de nous souhaiter une bonne nuit qu'il me lança une petite pointe qui vint troubler ma béatitude.

Le vieux James Forsyth extirpa du fauteuil son corps immense et, tirant de sa poche une montre en or qui devait bien peser une demi-livre, m'annonça :

— Eh bien, c'est l'heure de me mettre au lit.

Puis il enchaîna, avec un clin d'œil complice qui me laissa pantois :

— Je suppose que vous n'allez pas dormir tout de suite...

Cela fait un drôle d'effet de se sentir rougir, surtout devant un témoin aussi perspicace.

— Oh! si... répondis-je. Pour moi aussi je crois que c'est l'heure.

— C'est une bonne fille, me dit James Forsyth. Ce que je possède de mieux.

Il se dirigea vers la porte en appelant : « Timothy ! »

Timothy fit aussitôt son apparition. C'était un petit nègre, tout maigre et souriant, revêtu de blanc immaculé, du bout de ses souliers pointus jusqu'à ses gants de coton. Je savais par Hélène qu'au cours des 35 dernières années il avait été à la fois garçon de cuisine, bonne d'enfants, chauffeur et valet de chambre, dans cet intérieur dont l'importance était loin d'être négligeable.

— Maître, dit Tomothy.

— Tu as tout bouclé?

— Oui, maître. Tout va bien.

— Le garage aussi?

— Oui, maître.

— Tous les boys sont rentrés?

— Oui, maître.

— Mets la barre à la porte de la cuisine. Ensuite, viens m'aider à me déchausser.

Cela me parut étrange et j'en fis la remarque :

— Vraiment obligé de tout boucler? demandai-je.

— Hé? Qu'est-ce que c'est? me dit-il en mettant sa main en cornet devant son oreille.

— Etes-vous vraiment obligé de tout boucler dans un village comme celui-ci? hurlai-je.

— Pas fermé une seule fois ma porte d'entrée depuis 1906, me répondit James Forsyth, mais je le fais maintenant... Il y a eu plusieurs cambriolages dans le village. De sales histoires. Des gens ont été malmenés. C'est la première fois que pareille chose se produit à Plettenberg Bay.

— Connaît-on les coupables?

— Sûrement des indigènes. Des « skollies » (mon beau-père se servait du vieux mot afrikaans désignant de jeunes voyous toujours en quête de mauvais coups). Je ne vois pas qui cela pourrait être d'autre... Pas plus tard que la nuit dernière, on a frappé un vieux bonhomme à la tête. Aujourd'hui, il est à l'hôpital avec une fracture du crâne. S'il meurt (James Forsyth dit cela gravement) il n'y aura pas seulement eu vol... Ce sera un assassinat.

Ces histoires de vol et d'assassinat étaient bien loin de ma pensée le lendemain matin. Jamais je n'avais connu de jour aussi radieux.

La journée commence généralement tôt dans ce pays où l'air est particulièrement vivifiant, et c'est sans peine que l'on se lève à 6 h du matin : la lumière du soleil est alors d'une pureté infinie, la mer danse doucement sous vos fenêtres, et les fumées du village montent verticalement dans l'azur. Hélène dormait; je mis ma robe de chambre et allai à pas feutrés dans la véranda où je trouvai mon beau-père déjà installé dans un fauteuil, en contemplation devant les montagnes, et tenant à la main une chope décorée qui contenait certainement un demilitre de café.

D'un geste il me désigna la cafetière, et nous demeurâmes ainsi sans parler un long moment, la beauté matinale nous suffisant à tous deux. Notre café terminé, et le soleil étant maintenant bien au-dessus de l'horizon, il me dit simplement :

— Belle journée... Ce type dont je vous ai parlé est mort à l'hôpital. J'ai entendu cela à la radio... La voiture est prête... Vous devriez aller au Robberg...

Nous allâmes au Robberg, Hélène et moi, environ deux heures plus tard. Ce fut une promenade féerique. Comme elle me l'avait expliqué à Londres, le Robberg est une presqu'île très étroite, presque une île, qui avance dans la mer sur 4 à 5 kilomètres; une sorte de plateau de sable reposant sur un socle rocheux érodé à la base et tombant à pic dans la mer. Les orchidées qu'Hélène m'avait annoncées poussaient en étonnante profusion, de même que les ajoncs en fleurs, les arums sauvages, et ces frêles petites plantes, les freesias, qui semblent éclore à même la roche. En se baissant on constate que cette roche nue est un ancien fond marin où se trouvent enchâssés des coquillages qui sont peut-être les plus vieux du monde. Autour de vous c'est le bruit de l'océan, une paix profonde, l'odeur chaude de l'Afrique, et ces centaines de dassies — ces petits lapins timides qui vivent dans les rochers en cette partie du monde — trottinant et s'immobilisant, effarés, dès qu'ils vous aperçoivent.

— N'est-ce pas charmant? me demanda Hélène que je tenais par le bras.

— Ravissant. Comme toi, dis-je.

— Il faudra pêcher, me répondit-elle distraitement.

Demain ou après-demain... Seulement, je t'en supplie,
ne tombe pas à l'eau, et ne te laisse pas emporter quand
tu seras au bord des rochers.

— Je sais nager.

Hélène me montra la mer d'un vert grisâtre qui, juste
au-dessous de nous, se dissolvait en un flot d'écume
blanche lorsqu'elle venait battre contre les rochers.

— On ne peut pas nager là-dedans! C'est plein de
requins, mon vieux. Il y en a des petits, des gros, de
toutes les tailles, et un énorme qu'on appelle Cendrillon.
Franchement, il ressemble à un sous-marin. Il doit bien
peser une tonne. Il fait son apparition tous les jours au
plus fort de la marée et les gillies (1) en ont une peur bleue.

— Nous allons pouvoir le capturer demain.

— Oui, tu es un brave... Rentrons maintenant. Je
voudrais te montrer la petite ville.

Notre promenade dans la ville fut des plus instruc-
tives pour quelqu'un qui, comme moi, n'avait jamais
été dans cette partie du monde. Plettenberg Bay, avec sa
beauté nonchalante, son rythme de vie tranquille, sa
structure féodale intacte, était vraiment représentatif
de l'Afrique du Sud.

Sa population (deux mille âmes environ) était répar-
tie en catégories sociales selon un système immuable
qui semblait — on s'en apercevait sans peine — convenir
parfaitement à cette partie du monde. Au sommet de la
pyramide, l'aristocratie : une poignée de Blancs, com-
merçants, personnel hôtelier, médecins, directeurs de
banque, postiers, et les visiteurs qui faisaient chaque
année de Plettenberg Bay leur séjour de prédilection.
Immédiatement au-dessous, la masse même de la population : métis, gens de couleur venus du Cap, qui faisaient
les gros travaux, étaient pêcheurs, maçons et prélas-
saient au soleil. Au-dessous encore (les deux races « noires » sont particulièrement sensibles sur ce point) les

---

(1) Gillie : serviteur d'un chasseur ou d'un pêcheur.

nègres cent pour cent, domestiques chez les particuliers, grooms de l'hôtel, ramasseurs d'ordures, balayeurs et autres.

Il y avait un hôtel, deux banques, quatre magasins genre « bazar », deux garages et une église. Nous y rencontrâmes beaucoup de gens délicieux qui me témoignèrent cette courtoisie un peu cérémonieuse qui est de tradition dans tout « dorp » (petite ville) d'Afrique du Sud. Ils accueillirent Hélène comme s'il s'agissait d'une fille chérie venant d'échapper à un grave danger : ils semblaient heureux de la voir mariée, mais vaguement inquiets de ce que pouvait être l'existence pour elle en dehors de leur petit monde familier. Mme Boersma, la propriétaire du plus modeste des quatre magasins, m'en donna une idée :

— Ach, ma petite ! s'exclama-t-elle en serrant avec effusion Hélène dans ses bras. Alors, ces Anglais ont fini par te laisser revenir ici.

Hélène l'embrassa en riant et, m'englobant dans cet accueil chaleureux, lui dit, les yeux brillants :

— J'ai été partie quatre ans, mais voyez ce que j'ai trouvé pendant ce temps-là !

Mme Boersma m'examina; elle avait le regard vif dans une bonne figure brune.

— Nourris-le bien, ma petite enfant, recommanda-t-elle. Il ne faut surtout pas perdre un bon mari.

J'étais tout heureux de faire partie d'une telle famille.

Ce fut ensuite, alors que nous redescendions à la maison pour déjeuner que j'eus une des plus grandes surprises de ma vie. Nous étions à pied, la voiture ayant eu besoin d'une légère réparation, et déambulions tranquillement, la main dans la main, le long de la rue principale lorsque, à un carrefour, nous passâmes devant un petit garage d'aspect minable qu'Hélène considéra avec étonnement :

— Tiens ! dit-elle. Voilà qui est nouveau, bien que ça n'en ait pas l'air. J'ignorais qu'il y eût un second garage.

Un homme, appuyé contre une des pompes à essence, regardait d'un œil morne en direction de la mer. Tout d'abord, je ne fis qu'entrevoir sa silhouette nonchalante puis, m'étant retourné, je m'arrêtai, stupéfait : c'était un homme que je reconnaissais sans peine car il m'avait sauvé la vie deux fois, en Hollande, pendant la guerre.

Nous l'appelions alors, et maintenant encore c'était le nom que je lui donnais, « Martin le Tueur ».

La guerre n'est pas autre chose qu'un immense permis de tuer collectif; une partie de plaisir pour les « durs » et les fous; un calvaire pour tous les autres. Mais quand une guerre éclate, il faut la faire bien, la faire parfaitement... Tout cela était bien vieux, et pourtant j'étais toujours horrifié à la pensée de ce que nous avions appris, de ce dont nous étions devenus capables dans ce noble combat pour la victoire.

J'étais moi-même capitaine dans un commando de la Marine, une de ces formations intrépides, aguerries, qui firent leurs preuves en bien des points névralgiques, depuis les plages de Salerne jusqu'à Walcheren sur la côte hollandaise. Quand George Martin se joignit à nous, dans le courant de 1943, c'était, je m'en souviens, un petit bonhomme pâlot, un jeune « bleu » sans expérience.

A cette époque, mon commando était chargé de se renseigner, en prévision d'un débarquement massif, sur le système de défenses ennemies de l'autre côté de la Meuse. « Se renseigner », c'était pour nous effectuer fréquemment des raids de nuit dans de petits bateaux, ce qui voulait dire un tas de choses : c'était attaquer par surprise, trahir, tuer sournoisement, poignarder par-derrière, étrangler, traîner des prisonniers à moitié morts — bref, afficher le plus ignoble mépris de la vie.

George Martin s'était révélé un élève particulièrement doué pour ce genre de guerre. C'est pourquoi nous l'avions baptisé « Le Tueur », et ce nom lui resta. Après quelques semaines d'entraînement (par mes soins) il devint presque immédiatement de toute première force en tout ce qui concernait le meurtre individuel, depuis la

« manchette » de judo à la gorge jusqu'au trou dans la nuque. De plus il semblait y apporter une joie sadique et, si cela nous amusa un moment, nous finîmes par le trouver écœurant dans la suite. Lors d'une de nos expéditions au-delà du Rhin, je le vis tirer lentement sept décharges dans le ventre d'un Allemand déjà terrassé qui avait tardé un tantinet à lever les mains.

Martin le Tueur... Il m'avait sans aucun doute sauvé la vie à deux reprises : une fois par la rapidité de son tir, une autre fois en se livrant à un minutieux dépeçage au moyen d'une baïonnette en dents de scie. Et voilà que, dans cette rue baignée de soleil d'une petite ville d'Afrique du Sud, je m'avançai vers lui, la main tendue, tout à la joie de le retrouver :

— Salut, Le Tueur !

Martin le Tueur dut être aussi surpris de me voir que je l'avais été moi-même en le reconnaissant, car il sauta littéralement en l'air. Brusquement, il arracha les mains de ses poches d'un geste qui me rappela intensément et fort désagréablement les années d'autrefois, puis après m'avoir bien regardé, il respira fortement, et s'exclama en souriant :

— Nom de Dieu... mais c'est le patron !

— Salut, le Tueur ! dis-je encore une fois.

Il me lança un petit coup d'œil :

— Ça fait un bon bout de temps qu'on ne m'a pas appelé comme ça, dit-il.

Pensant qu'Hélène devait commencer à être intriguée, je me tournai vers elle et lui présentai Martin, en lui expliquant qui il était. Tandis qu'ils bavardaient ensemble, j'observai le Tueur à loisir : il avait terriblement changé au cours de ces douze années, comme nous tous d'ailleurs, mais il paraissait avoir changé de façon bizarre. Il était comme son garage : misérable, sordide, l'image même du soldat à qui la paix n'a rien rapporté. Il y avait dans son attitude je ne sais quoi de tendu. Il donnait l'impression de quelqu'un qui ne se résigne pas à son sort, ne veut pas s'avouer vaincu.

Il me fit songer à un chien caché sous un fauteuil, un pauvre chien malheureux, mais hargneux aussi, prêt à sauter sur le premier mollet venu.

Je lui demandai ce qu'il avait fait depuis que nous nous étions vus pour la dernière fois. Il me répondit négligemment :

— Un peu de tout... Je n'arrivais pas à me fixer vraiment... (il montra d'un geste le garage mal tenu, à moitié croulant.) J'ai ça depuis deux ou trois ans.

— Comment vont les affaires ?

— Comme ci comme ça.

Une femme sortit d'un petit bâtiment attenant au garage, une femme à l'air pitoyable, dans une robe imprimée aux couleurs passées, que le Tueur nous présenta comme étant son épouse. Puis nous demeurâmes un instant sans rien dire, comme si nous avions perdu contact.

— Le Tueur m'a sauvé la vie deux fois, annonçai-je spontanément à Hélène.

Celle-ci s'exclama avec un radieux sourire :

— S'il en est ainsi, je l'aime beaucoup !

Le visage de Martin se dérida à peine :

— Il y a longtemps... dit-il.

La femme nous regardait, mais mollement, avec une sorte d'indifférence. Le soleil faisait paraître plus terne encore sa maigre tignasse jaune, et la lumière du jour était trop vive pour la pauvreté de sa robe.

— Eh bien, dis-je au Tueur. Je suis ici pour deux ou trois semaines. Nous aurons l'occasion de parler tranquillement tous les deux un peu plus tard.

— D'accord, patron.

Après leur avoir dit au revoir, nous reprîmes le chemin du retour.

— Cela fait un peu de peine... dit bientôt Hélène.

— Oui... Heureusement que je t'ai...

Dans la soirée, nous eûmes l'occasion d'en savoir un peu plus long sur Martin le Tueur, lorsque le sergent de la police locale, Van Willigen, vint faire à mon beau-père sa petite visite hebdomadaire.

— Il me présente ses devoirs tous les samedis, m'expliqua James Forsyth. Il en profite pour s'envoyer un énorme whisky... Un brave type... un peu lent. Un Hollandais.

Pour mon beau-père, élevé dans la vieille tradition coloniale, tout Afrikander était un Hollandais.

Van Willigen me plut beaucoup. C'était un immense gaillard qui paraissait éclater dans son uniforme kaki. Il était blond aux yeux bleus, avec des mouvements lents — le type même du policier afrikander. Mais il n'avait certainement pas l'esprit lent. Assis sur le bord de sa chaise, il buvait à petits coups l'« énorme » whisky (que mon beau-père lui avait servi en me lançant un clin d'œil, énorme aussi) et rendait compte des dernières nouvelles.

Il ne savait rien de plus concernant les cambriolages.

— Ça nous tracasse un peu, monsieur, dit-il à James Forsyth, et surtout maintenant qu'il y a eu un meurtre... Nous estimons que la bande a dû récolter plus d'un millier de livres sterling au cours des deux derniers mois.

— Des « skollies », hé?

— Il y a des chances, répondit Van Willigen. Nous venons d'en rafler un peu plus d'une douzaine, mais il y en a toujours d'autres qui rappliquent. Bon sang, quelquefois j'aurais envie de foncer dans le tas avec un « sjambok » (1) !

— On ne peut pas faire ça, dit mon beau-père.

— Je le sais bien, monsieur.

— On le faisait autrefois, bien sûr... Pas de « skollies » au bon vieux temps.

Van Willigen sourit, déplaça un peu sa volumineuse personne, et leva son verre :

— A la santé du bon vieux temps, monsieur !

_____

(1) Sjambok : gros fouet en cuir.

Je parlai alors de Martin le Tueur :

— J'ai rencontré aujourd'hui un de mes amis, dis-je à Van Willigen. Un M. Martin. Il est le propriétaire de ce garage...

Van Willigen m'observa attentivement :

— C'est vraiment un ami à vous ?

— Je l'ai connu pendant la guerre. Nous faisions partie du même Commando de Marine. Je ne l'avais pas vu depuis douze ans.

Le sergent de police pinça les lèvres :

— Nous avons eu des ennuis avec Martin.

— Des ennuis ?

— Oui. Il brutalisait un peu ses nègres, les frappait sans raison. C'était pourtant de braves garçons.

— Qu'est-ce que c'est ? demanda mon beau-père.

— Je parle de Martin, monsieur, répondit Van Willigen en élevant la voix. Vous vous en souvenez : nous avons dû le convoquer.

— Oui, dit James Forsyth. Une vilaine histoire. Bien entendu, il faut les faire travailler, mais Martin a été un peu fort.

— Je me demande comment il s'en sort avec son garage, dit pensivement Van Willigen. Pas l'impression que l'argent rentre beaucoup. Pourtant, il circulait dans une nouvelle voiture la semaine dernière...

Il sourit, vida son verre, et se leva en concluant :

— Possible qu'un garage rapporte plus qu'on ne le croit... On n'a pas idée d'être agent de police, hé ?

Pas un jour à Plettenberg Bay qui ne fût pur enchantement, mais notre excursion dans le Robberg nous parut, à Hélène et à moi, la perfection même; une journée et une nuit passées à pêcher, nous chauffer au soleil, faisant cuire nous-mêmes notre frugal repas, dormant dans la petite cabane de pêcheur à Robberg Point, l'extrémité sud de la presqu'île. Ce furent vingt-quatre heures incomparables, peut-être les plus belles qu'il nous ait été donné de passer ensemble jusque-là.

Certes, il nous fallut peiner pour cela... Sept kilomètres environ séparent Robberg Point de l'arrière pays — sept kilomètres de marche ardue, car il faut grimper dans les rochers, franchir des pentes sablonneuses, avancer indéfiniment sur une sorte de tourbe élastique, ou sur des galets qui roulent sous vos pieds, puis sur un sable brûlant et collant. Ce n'est pas une simple excursion : c'est un « trek » (1).

Timothy avait veillé sur tout. Il nous avait préparé ce que nous devions emporter comme si nous partions pour un voyage au long cours : cannes à pêche, moulinets, lignes de rechange, hameçons, appâts, bière, provisions de bouche, eau fraîche, pétrole pour le poêle, etc. Nous avions pris deux « gillies » du coin pour nous accompagner : White (jamais je n'avais vu homme de couleur aussi noir...) et Eddie, mais nous étions tous lourdement chargés, et ce fut avec satisfaction que nous parvînmes à destination après trois heures de marche exténuante.

Mais, une fois sur place, ce fut absolument divin. Hélène, très à son affaire, en chemise et short kaki, attrapa en l'espace de deux heures huit poissons d'aspect farouche, connus dans le pays sous le nom de « casse-moules ». Les deux gillies pêchèrent des douzaines de petits maquereaux qui nous servirent d'appâts vivants. Quant à moi, avec l'aide des personnes présentes, je pris un requin d'une quinzaine de kilos.

J'étais debout, tenant ma canne à pêche, en train de me dire qu'il est bien agréable d'être marié, lorsque j'entendis, tout près de moi, Eddie hurler de sa voix stridente :

— Ferrez, maître !

Ce que je fis, et j'en fus récompensé par une secousse monstrueuse qui faillit me faire perdre l'équilibre. Eddie se cramponna à ma taille de ses deux bras,

---

(1) Trek : voyage fait en chariot à bœufs pour les émigrants du Transvaal et de l'Orange (Afrique du Sud), 1835-38. D'où : une longue et pénible expédition.

White dégringola au bas des rochers avec une gaffe de près de 7 mètres de long, tandis qu'Hélène, de loin, me prodiguait des encouragements. Je dus fatiguer le requin pendant près d'une demi-heure, au point d'en avoir mal au dos et les bras en charpie. J'arrivai, ou plus exactement « nous » arrivâmes enfin à l'amener à terre.

Nous passâmes la fin de cette journée enchanteresse assis sur les rochers devant la cabane, à fumer et à bavarder jusqu'à ce que la rosée nous contraignît de rentrer. Le corps endolori, mort de fatigue, je sombrai dans le sommeil au bruit sourd du ressac pilonnant les rochers au-dessous de nous.

Quelques instants plus tôt, la voix d'Hélène m'était parvenue de l'étroite couchette en bois qu'elle occupait non loin de la mienne :

— Chéri, pourquoi appelles-tu cet homme « Le Tueur » ?

— C'était son surnom au commando...

— A-t-il vraiment fait des choses horribles ?

— Nous en avons tous fait.

— Mais tu n'y penses plus, n'est-ce pas, maintenant ?

— Que veux-tu dire ?

— Pas de séquelles ? comme une sorte de cauchemar qui te reviendrait sans cesse ?

— Non. Pas de séquelles...

Avant de s'endormir, elle murmura encore :

— Je me demande si cela est vrai pour tout le monde...

Sans que nous nous en doutions, cette journée merveilleuse fut notre dernière journée de tranquillité à Plettenberg Bay. Le lendemain matin, nous ne vîmes pas beaucoup de poissons, mais surtout des requins ; vers midi, ayant réuni tout notre chargement, nous reprîmes le long trek en direction de l'arrière-pays. Ce fut alors le début de bien des surprises et de tragiques péripéties. Notre voiture fut arrêtée à l'entrée du village par deux agents de police, postés près d'un barrage érigé sur la route, qui nous firent signe en agitant un drapeau.

L'un d'eux était Van Willigen. Il nous reconnut et nous adressa un bref salut, puis observa avec la plus grande attention White et Eddie qui étaient installés sur le siège arrière.

— Bonne pêche? Y avait du poisson?

Rayonnants, nous lui présentâmes notre butin.

— C'est une veine que vous ayez un alibi, nous dit-il plaisantant à moitié. Un meurtre a été commis cette nuit.

Hélène me saisit la main. Quant à moi, je me sentis soudain glacé malgré le chaud soleil de midi.

— Un meurtre? répétai-je. Que s'est-il passé?

— Un nouveau meurtre : voilà ce qui s'est passé...

Van Willigen semblait nerveux, préoccupé. Rien de surprenant à ce qu'il le fût. On sentait qu'il ne tenait pas à ce que nous nous attardions près du barrage, mais souhaitait qu'on le laissât seul, sur le théâtre des opérations. Toutefois, par politesse, il répondit à nos questions angoissées :

— C'est comme la dernière fois, fit-il d'une voix dure. On a cambriolé la boutique de Kloof. Le tiroir-caisse a été vidé, et on a fracturé la petite caisse en fer blanc qui servait de coffre-fort. D'après sa fille, on a pris quelque chose comme 80 à 90 livres sterling. Pauvre vieux Kloof... il devait se retirer cette année.

— Mort?

— Mort quand on est arrivé.

Après avoir pris congé de Van Willigen, nous traversâmes la petite ville qui était en effervescence : partout des agents de police, des groupes aux coins des rues, rien que des visages anxieux ou exprimant la colère. Pour la première fois, nous vîmes des gens de couleur et les nègres se détourner sur notre passage comme s'ils redoutaient une menace ou un coup...

Mme Boersma était l'image de la désolation :

— Pauvre vieux Kloof! gémit-elle se faisant l'écho de Van Willigen. Il avait plus de 70 ans. C'était un bon ami. Qui a pu faire ça à ce vieux brave homme?

Hélène mit la main sur l'épaule de Mme Boersma et lui dit d'un ton anxieux :

— Faites bien attention. Un magasin comme le vôtre, c'est justement...

— « Ils » n'oseraient pas me cambrioler ! interrompit Mme Boersma d'un ton énergique. Ils s'en garderaient bien, ces « skollies » !

Des générations d'Afrikanders, fiers et obstinés, s'exprimaient ainsi par sa voix. Je pensai aussi que, étant donné ce qui venait de se passer, sa boutique était exactement le genre d'endroit qu'« ils » — quels qu'ils fussent — chercheraient à cambrioler, mais je jugeai inutile d'insister.

— En tout cas, faites attention, répéta Hélène. N'ouvrez pas votre porte la nuit — ou que sais-je...

Mme Boersma eut à notre adresse un petit clignement d'œil impayable :

— Pas ouvert ma porte la nuit depuis 40 ans, dit-elle.
Cela nous fit rire.

— Mais qu'est-il arrivé à M. Kloof ? demandai-je. On l'a frappé avec quelque chose ? On lui a tiré dessus ?

— On l'aurait étranglé. Dans quel monde vivons-nous !

— Mais c'est horrible ! fit Hélène. Dire qu'une chose pareille se passe à Plettenberg Bay !

James Forsyth eut la même réaction un peu plus tard, lorsque, après avoir traversé le village en émoi, nous fûmes enfin de retour à la maison.

— Jamais vu ça, nous dit-il de sa voix sonore. Ce matin, j'ai parcouru les registres du coin : personne ici n'est mort de mort violente depuis plus de 20 ans — et c'était tout simplement à la suite d'un accrochage entre pêcheurs qui avaient trop bu. Or nous voilà avec deux meurtres en moins d'une semaine !

— Vous pensez toujours qu'il s'agit d'une bande d'indigènes ? demandai-je.

— Oui, me répondit sans hésiter mon beau-père. S'il ne tenait qu'à moi, je les arrêterais tous sans exception, pour les foutre en prison jusqu'à ce que cette affaire soit tirée au clair.

— J'imagine que la police a l'intention de faire un peu ça...

— Au diable les Hollandais, grommela mon beau-père. Ils ne sont pas fichus de voir le soleil en plein midi !

Je n'étais pas de son avis, mais jugeai le moment peu propice pour entamer une discussion : la surdité de James Forsyth n'aurait fait que s'accentuer.

— Mon Dieu, soupira Hélène, nous qui venions de passer une si belle journée là-bas !

— Nous en passerons encore beaucoup d'autres comme cela, ma chérie.

— Je me le demande...

Comme je n'étais pas d'accord avec la remarque caustique de mon beau-père concernant la police sud-africaine — celle-ci m'ayant précisément fait l'effet (en la personne de Van Willigen) d'être dynamique et probablement compétente — je montai la côte le soir même pour me rendre au poste de police. La tristesse qui régnait dans le village avait presque gagné la maison de mon beau-père, et je voulais savoir ce qu'il en était de tout cela. James Forsyth, en raison de la position quasi patriarcale qui était la sienne dans le village, avait le droit d'être tenu informé. Quant à moi, j'étais curieux de savoir — curieux et aussi inquiet.

En passant devant le garage de Martin, j'aperçus Mme Martin qui servait un client devant une des pompes à essence. Je lui fis un petit signe de la main, et criai :

— Votre mari est-il là ?

— Il dort, répondit-elle d'un ton maussade et sans même lever les yeux.

Je hochai la tête et poursuivis mon chemin. Il n'était que 6 h du soir, mais puisqu'il dormait... eh bien, il dormait !

Au poste de police Van Willigen me reçut cordialement. Il semblait plus calme que lorsque nous l'avions croisé sur la route au début de la journée. Evidemment, il avait eu le temps de déblayer le terrain, de prendre des dispositions, et pouvait se permettre de se détendre un peu le soir venu.

— J'ai mis 25 hommes sur l'affaire, m'expliqua-t-il. Trois officiers et 22 agents. J'ai fait garder tous les magasins du village et la plupart des édifices importants (il sourit). Tenez, pour vous en donner une idée : je sais que vous avez mis onze minutes pour monter jusqu'ici...

Bien que passablement impressionné, je répondis en riant :

— Oui, je ne suis pas en forme... Mais vraiment, vous surveillez tout le monde aussi étroitement que cela ?

— Pas tout le monde, rectifia Van Willigen, mais certainement toute maison en valant la peine. Bien entendu, nous nous préoccupons des cambriolages éventuels, mais tout individu qui chercherait à filer en douce nous intéresse presque autant.

— Vous soupçonnez toujours une bande d'indigènes d'avoir fait le coup ?

— Possible... Des domestiques, ou des boys de l'hôtel. Mais — enfin, c'est possible...

— Etrangler quelqu'un, c'est affreux ! dis-je.

Il me regarda, les yeux à demi fermés, la mâchoire serrée.

— Qu'est-ce qui vous fait dire qu'on l'a étranglé ?

— Je croyais.. Enfin, c'est le bruit qui circule en ville. Et Mme Boersma nous l'a dit, je crois...

— La mère Boersma s'est trompée, dit durement Van Willigen. Il n'a pas été étranglé, bien qu'on l'ait cru au début. Première fois que je vois faire ça. Le vieux Kloof a été tué par un de ces trucs qu'on emploie dans la lutte... Un truc illégal, naturellement. On lui a écrasé la gorge.

— Ecrasé la gorge ! (J'éprouvai comme une nausée). Que voulez-vous dire ?

Van Willigen plaça le doigt sur son cou large et solide, juste au-dessous du menton :

— Ici... Complètement écrasé. Un coup avec un bout

de bois — plutôt avec le poing... Le médecin vient de nous envoyer son rapport... C'est le larynx, qu'il dit.

Le larynx. J'eus l'impression qu'une cloche venait de tinter tout au fond de ma mémoire, d'un son clair, long, insistant. Je m'efforçai de ne pas l'entendre, mais elle continua de sonner en moi, tandis que, assis l'un en face de l'autre dans le poste de police aux murs blanchis à la chaux, je discutais avec le sergent des diverses méthodes employées par les meurtriers...

Je me trouvais ramené à des années en arrière, songeant à une certaine façon que nous avions de tuer l'ennemi... une façon perfide, abjecte, bonne à employer par une nuit noire et quand on a toute liberté d'action. C'était ce qu'on appelait, dans notre rude jargon de ce temps-là, « liquider les sentinelles ».

Après avoir empoigné les cheveux par-derrière et renversé brutalement la tête, on assenait sur la gorge comme une sorte de coup de hachoir qui faisait éclater le larynx et étouffait la victime. Celle-ci était automatiquement mise hors de combat. Nous avions constaté qu'il n'en fallait souvent pas plus pour tuer des gens d'un certain âge.

J'étais bien placé pour le savoir, puisque c'était une des nombreuses méthodes que j'avais moi-même enseignées à mes commandos.

Il ne se passa rien de grave les quatre jours suivants. Plettenberg Bay ne connut que des descentes de police, un couvre-feu très strict, l'invasion des journalistes et une avalanche de rumeurs diverses. Nous étions devenus soudain le centre de l'intérêt et n'avions qu'à en prendre notre parti : toute petite ville qui vient de connaître six cambriolages en un mois, et deux meurtres en une semaine, doit renoncer à vivoter paisiblement. Pour la première fois de mémoire d'homme, Plettenberg Bay eut la contrariété d'être exposé aux feux de la rampe. En tout cas, pendant quatre jours, sa population ne connut pas d'autre calvaire que celui-là.

Il n'en fut pas de même en ce qui me concernait. Je me trouvais pris entre ma mémoire et ma conscience. Ma mémoire m'amenait à soupçonner de meurtre Martin le Tueur, et cela presque sans hésitation possible. Le vieux Kloof avait été tué comme on tuait dans les commandos, et Martin avait été justement un expert en la matière. Enfin, la coïncidence était trop frappante pour n'en pas tenir compte.

Dans ce combat intérieur, ma conscience hésitait : en admettant que Martin fût le meurtrier, il avait tué comme je lui avais appris à le faire; il était par conséquent mon tueur. D'autre part, si j'avais une certitude, ou seulement de lourds soupçons, il était de mon devoir absolu de le remettre entre les mains de la police.

Naturellement, j'aurais dû en parler à Hélène, sinon à la police. Hélène m'aurait aidé; elle aurait partagé mon fardeau; elle m'aurait montré sans doute le chemin à suivre... Or je n'en fis rien pendant quatre jours parce que je n'osais pas regarder la situation en face, et surtout parce que j'espérais encore me tromper.

Je voulais que le passé fût effacé, que Martin le Tueur (qui m'avait sauvé la vie par deux fois) fût devenu un honnête citoyen ayant tout oublié de ce que je lui avais enseigné. Je tenais absolument à ce que nous ne soyons, lui et moi, que d'innocents spectateurs. Je voulais n'être moi-même qu'un expert comptable faisant un merveilleux voyage de noces.

J'avais tort, bien entendu. Les lâches ont toujours tort. Et je ne l'ignorais pas un instant. Toujours est-il que le cinquième jour fut la fin de tout. Le cinquième jour, en effet, ou plus exactement la cinquième nuit, nous eûmes un nouveau meurtre à Plettenberg Bay; et cette fois j'eus la conviction que Martin était bien le meurtrier.

Un meurtre que rien ne semblait pouvoir expliquer : on avait tué un homme de couleur, un pêcheur, qui n'avait certainement pas un sou en poche. Il avait été tué comme le vieux Kloof, et son corps trouvé à l'aube sur la plage, alors que pour la première fois, cette nuit-là, les patrouilles de police avaient été moins nombreuses et que les gens pouvaient de nouveau circuler à leur guise.

Sans doute eût-il mieux valu ne pas relâcher la surveillance, mais Van Willigen ne disposait pas d'effectifs suffisants, et l'opinion publique avait fait pression sur lui afin que soit levé le couvre-feu. C'était donc la malchance — de même que mon silence, ma lâcheté étaient dus à un ensemble de circonstances fortuites. Bref, tout cela aboutit à la découverte d'un pauvre cadavre déguenillé, sur la grève, à une cinquantaine de mètres de la propriété de James Forsyth, et il en résulta une recrudescence de la tension locale.

Dès que j'appris le troisième meurtre, tout me parut clair comme le jour, et effrayant dans sa clarté. Je « sus », comme si Martin était une marionnette dont j'aurais actionné les ficelles, que c'était lui le coupable. Et je sus en même temps pourquoi. Ce n'était pas uniquement pour le plaisir de tuer, bien que ce fût là un sentiment que la guerre (avec moi) avait jadis implanté en lui, mais c'était pour lui la seule façon de manifester sa force, son habileté, dans un monde hostile, dans un monde qui, au cours des douze dernières années, avait semblé vouloir le rejeter.

Seule la guerre avait pu donner à la personnalité de Martin le Tueur l'occasion de s'épanouir, et il s'était desséché de nouveau au contact d'une paix qui avait été, pour lui, stérile. Il subissait à présent le choc à retardement de ce permis de tuer collectif, et il repartait en guerre. C'était tout à fait ce qu'Hélène m'avait dit quelques jours auparavant, dans la cabane de pêcheur : Martin était la victime d'une affreuse bataille qui s'était livrée il y a bien des années, et il n'avait jamais su se libérer de son passé.

Cela prouvait aussi qu'il était fou, mais sans toutefois que le poids des responsabilités s'en trouvât allégé, principalement en ce qui me concernait.

Derrière des portes qu'on barricadait maintenant dès 5 h du soir, nous examinions la situation en famille, ou plus exactement je hasardai de temps à autre un monosyllabe, tandis que mon beau-père, qui n'était plus qu'un vieillard en colère, faisait une conférence sur les crimes, les meurtres, la décadence de la discipline en général, etc. Hélène nous regardait tous les deux, moi surtout, avec une inquiétude évidente. Elle devinait que mon silence était dû à un trouble profond n'ayant rien à voir avec une lune de miel compromise. En aparté, alors que mon beau-père comparait le bon vieux temps avec notre époque dissolue, elle chercha à attirer mon attention :

— Chéri?

— Oui?

— A quoi penses-tu?

— Rien de particulier... A tout ça, j'imagine.

— J'avoue que c'est affreusement déprimant, mais cela ne doit pas tout gâcher pour nous.

— Tout est gâché.

— Je sais... mais nous ne sommes pas vraiment dans le coup.

Mon beau-père choisit ce moment précis pour être à même de capter le moindre murmure.

— Tout le monde est dans le coup! clama-t-il. C'est un défi à la communauté tout entière! Ni plus ni moins!

On frappa à la porte : c'était Timothy.

— Maître, dit-il en s'inclinant. Policier.

Van Willigen venait faire sa visite hebdomadaire. En lui serrant la main, je songeai avec stupeur à tout ce qui s'était passé depuis la dernière fois qu'il était venu. Mon beau-père lui servit comme de coutume un whisky « bien tassé », mais il le fit sans plaisanter : je crois que nous pensions tous que Van Willigen l'avait probablement bien mérité.

— Toujours rien de neuf, monsieur, dit-il en réponse à une question de James Forsyth. Ce meurtre d'hier ne tient pas debout, c'est sûr... Nous en sommes venus à conclure que c'est l'œuvre d'un dément.

— Dément ou non, il faut le pincer, dit James Forsyth en fronçant le sourcil.

— Nous nous y employons, monsieur.

Son visage s'était durci. Je me demandai combien de personnes, autorisées ou non, s'acharnaient après le sergent en ce moment. N'avions-nous pas entendu à la radio que le « régime de terreur » qui sévissait à Plettenberg Bay avait déjà fait l'objet d'une interpellation au Parlement?

Pour la première fois de la soirée, je me décidai à prononcer toute une phrase. Ce ne fut d'ailleurs pas sans difficulté :

— Si c'est vraiment l'œuvre d'un fou, dis-je à Van Willigen, cela risque de se reproduire, n'importe quand. Cette nuit, par exemple...

— Je ne puis garantir que cela ne se reproduira pas cette nuit, répondit Van Willigen d'une voix sombre. Le village est gardé de partout — mais on ne peut appliquer de telles mesures indéfiniment. Il faudra tôt ou tard que la vie redevienne normale : ce qui signifie que notre « ami », quel qu'il soit, aura de nouveau la possibilité d'opérer librement.

Il avait dit : « notre ami »... J'étais dans un tel état nerveux que ces deux mots me firent froid dans le dos. Je lui lançai un rapide coup d'œil. Rien dans son attitude ne semblait l'indiquer — et pourtant il était vraisemblable qu'il avait dit cela à dessein, pour m'éprouver, pour voir ce que j'avais dans la tête.

Bientôt j'eus l'impression qu'ils me regardaient tous : Hélène, mon beau-père, Van Willigen; ce dernier poursuivait de sa voix lente :

— C'est pourquoi il faut absolument que les gens nous aident à cent pour cent. Cette affaire est trop difficile pour que la police puisse s'en sortir seule. Quiconque sait quoi que ce soit, soupçonne quoi que ce soit, ou remarque quoi que ce soit de suspect (je transpirais sous son regard, et devant l'insistance avec laquelle je me figurais que les deux autres me fixaient) n'a qu'à monter la côte et venir nous le dire.

Le lendemain matin, de bonne heure, je montai la côte, mais ce n'était pas pour aller à la police. Parce qu'il avait été mon camarade, parce que c'était moi qui l'avais « fait », et parce qu'il m'avait sauvé la vie, il me fallait voir cet homme qui me pesait sur la conscience.

Je me jurai de ne pas essayer de le mettre en garde. Je voulais simplement lui parler, l'observer, comprendre ce qui lui était arrivé.

Je me levai donc de bon matin, laissant Hélène encore endormie, et montai la côte pour aller voir Martin le Tueur.

A la vive lumière du soleil matinal, le garage de Martin avait ce même air d'abandon qui m'avait frappé la première fois. Les pompes à essence (de vieux appareils que l'on actionnait à la main) me firent penser à des sentinelles, toutes rouillées, n'ayant plus rien à garder. Je remarquai deux ou trois voitures hors d'usage, une jeep servant au dépannage dont un pneu était à plat et, dans une vitrine, tout un attirail — courroies de transmission, batteries, joints de culasse, etc. — souillé par les mouches. Dans la cour, maculée d'essence, un garçon de couleur balayait avec nonchalance en sifflant, sur une seule note, un petit air triste et lamentable.

La porte principale était ouverte. Sans doute ne la fermait-on jamais. Comme je m'avançais, je vis apparaître Mme Martin : toujours les mêmes cheveux, la même expression pitoyable, désabusée. Quelle vie, pensai-je, pour la femme d'un héros…

— Bonjour, dis-je. Votre mari est là?

— Il dort, répondit-elle avec autant de mauvaise grâce que la fois précédente.

— Je voudrais le voir.

— Repassez plus tard.

248

— Il faut que je le voie immédiatement, fis-je en élevant la voix.

Elle fit front :

— Il dort... C'est pour quoi ?

J'entendis Martin crier du fond du bâtiment :

— Qui est-ce ?

— Personne.

Cédant à une impulsion soudaine, je fis un pas en avant et — exactement du ton utilisé jadis pour le rassemblement — je rugis :

— MARTIN !

Il répondit brièvement : « PRESENT ! » et je le vis se précipiter aussitôt, alors que l'écho de ma voix résonnait encore.

Dès qu'il me reconnut, il s'immobilisa, les yeux clignotant à la lumière éblouissante du soleil. Tous deux nous étions stupéfiés : lui, par la brutalité de cet appel surgi du passé ; moi, par l'horreur du moment présent. Car ce que j'avais devant moi m'atterrait : il était dans un état effroyable, avec une barbe de plusieurs jours, sale, les vêtements tachés et froissés. Je m'approchai de lui et me rendis compte qu'il était en outre comme une pile électrique, au point que j'eus l'impression que, si je le touchais, je mourrais de ce contact.

Lorsqu'il ne fut plus qu'à deux pas de moi, il sourit avec désinvolture et me dit :

— Salut, patron !

— J'ai pensé, répondis-je, que nous pourrions bavarder ensemble comme nous en avions l'intention.

— Bavarder ?

D'un mouvement de tête, il fit signe à la femme de rentrer et celle-ci s'éloigna de son pas traînant.

— Bavarder de quoi ?

— D'autrefois.

— Oh ! ça...

Il fourragea dans la poche de sa chemise kaki, en tira une cigarette qu'il alluma d'une main tremblante. Je le sentais toujours affreusement tendu, comme s'il eût suffi de la moindre étincelle...

— Pas grand-chose à dire là-dessus, hein? reprit-il.

— Possible que non... Comment ça marche pour toi en ce moment?

Il me regarda droit dans les yeux et répondit sur un ton d'intime satisfaction qui me remplit d'effroi :

— Je crois que je ne m'en sors pas mal, ma foi.

Si j'avais eu un peu plus de courage, ou si j'avais simplement été un autre homme, peut-être aurais-je alors laissé errer mon regard sur ce misérable garage, mais je ne pus m'y résoudre. Je me bornai à répondre :

— Eh bien, tant mieux... Plettenberg Bay me plaît beaucoup à moi aussi... bien que la ville soit un peu sens dessus dessous actuellement.

— Oui. Comique, hein?

— Comique?

— Tous ces flics qui tournent en rond, sans arriver à rien.

— Un meurtre n'est jamais comique.

— Oh! pour sûr... Comment y sont morts, au fait?

— Quelqu'un les a « débarqués »...

Je le vis se raidir; je me mordis les lèvres. Trop tard. Je venais, sans le vouloir, d'utiliser un terme de commando, un terme que lui et moi connaissions bien pour l'avoir employé autrefois, désignant ce coup meurtrier sur la gorge. Debout au soleil, en sueur, je me demandai si c'était vraiment accidentellement que j'avais dit cela. N'était-ce pas plutôt une « aberration freudienne », en quelque sorte, c'est-à-dire l'erreur qu'on a toujours souhaité commettre au fond de soi-même? Nous nous regardâmes, intensément, mais ses yeux étaient déjà comme voilés, sombres, secrets. Tous deux nous avions compris ce qui s'était passé.

Il me répondit le plus naturellement du monde :

— En voilà une idée de faire ça...

Il ajouta en s'éloignant :

— Eh bien, j'ai du boulot... A une autre fois, patron.

Je me retrouvai seul devant le garage.

— Il faut le dire ! fit Hélène avec véhémence. Il faut que tu le leur dises tout de suite !

Jamais je n'avais vu Hélène montrer autant d'insistance ni ses yeux être aussi graves.

— Ne comprends-tu pas que, tout le reste mis à part, toi aussi tu cours un danger terrible ?

J'étais assis sur le lit d'Hélène, quelques minutes après mon entretien avec Martin le Tueur. Elle me parut plus belle encore qu'à l'ordinaire et, en temps normal, je n'aurais pas eu d'autre pensée. La maison était paisible, comme toujours le matin de bonne heure. Nous entendions seulement James Forsyth aller et venir de son pas lent et majestueux, dans le stoep, au-dessus de nous. Cependant, lorsque je lui eus tout raconté, son émoi, son agitation dépassèrent de beaucoup ce que j'éprouvais moi-même. Elle voulait que j'aille à la police sur-le-champ.

— Mais ce sont des suppositions... objectai-je faiblement.

Elle secoua la tête et le désordre de sa chevelure était en harmonie avec la folle inquiétude que je lisais dans ses yeux.

— Tu sais bien que ce ne sont pas uniquement des suppositions. Tu es sûr... Si tu n'y vas pas, j'irai moi-même.

— Il m'a sauvé la vie.

— Il ne te la sauvera pas cette fois-ci... Ne comprends-tu pas ? poursuivit-elle farouchement. Qu'il soit fou ou non, tu es la seule personne à Plettenberg Bay qu'il soit « obligé » de tuer !

— J'ai toujours vaguement l'impression d'en être responsable.

Elle posa sa main sur mon bras :

— Chéri, en admettant que ce soit vrai ce que tu dis : c'est là pour toi la seule façon de te racheter.

Je savais qu'elle avait raison; je savais qu'Hélène venait, une fois de plus, en ne s'attachant qu'à l'essentiel, de toucher le fond du problème. De même qu'il avait fallu que j'en parle à Hélène, il fallait à présent que je prévienne la police, et pour la même raison. Après mon entrevue si trouble, si déroutante, avec Martin le Tueur, je n'avais plus qu'une alternative : essayer de me retrouver en terrain ferme — ou me perdre moi-même.

Car je ne pouvais chasser de ma pensée cette « aberration freudienne » : la façon dont je venais de trahir mes soupçons en présence d'un homme que je pensais justement être le meurtrier. Il y avait dans tout cela quelque chose d'abominablement contagieux, et je me trouvais déjà contaminé. Il ne me restait, après tout, qu'une seule manière d'en guérir.

J'embrassai Hélène et me levai :

— Bien, j'y vais, dis-je en la regardant.

— Vas-y tout droit, m'ordonna-t-elle. Ne va nulle part ailleurs. Prends garde à toi. Je t'aime.

La police ne m'aima guère. A la vérité, elle me parut, en la personne de Van Willigen, avoir pour moi une aversion toute particulière. Pendant que je racontais mon histoire, le visage du sergent se fit de plus en plus rébarbatif. Quand j'eus terminé, Van Willigen me regarda exactement comme si c'était moi le meurtrier qui venait de révolutionner la petite ville.

— Pourquoi ne pas être venu nous voir d'abord? Je vous ai dit hier soir que nous avions besoin qu'on nous aide par tous les moyens. Vous vous souvenez?

— Je sais, balbutiai-je. Mais, après tout, ce n'était qu'une hypothèse de ma part. J'ai pensé que si j'arrivais à parler à Martin, je pourrais moi-même la vérifier.

Il tapota sur le bureau avec son crayon, puis fixa sur moi le regard de ses gros yeux bleus :

— Vous disiez que c'était un ami à vous, un ami d'autrefois?

— Oui.

— C'est vrai que vous n'avez pas fait exprès de lui mettre la puce à l'oreille?

— C'est vrai. Je l'ai fait absolument par erreur.

— Fichtre oui! Vous pouvez le dire que c'était une erreur!

Van Willigen se leva, me dominant de sa haute stature. Il alla derrière le bureau prendre son ceinturon; tandis qu'il l'attachait, je vis briller le canon d'un revolver dans son étui.

— Ce serait aussi bien que vous veniez faire cette petite excursion avec moi, dit-il avec une ironie un peu lourde. Au cas où il y aurait d'autres « erreurs »...

Le garage était comme je l'avais vu une heure auparavant — misérable, mal tenu, désert. Dieu! quel endroit où rentrer chaque soir, et cela pendant des années... Van Willigen frappa et la femme de Martin vint nous ouvrir.

— Madame Martin?

— Oui. Qu'est-ce que c'est encore?

— Je voudrais parler à votre mari.

— Il vient tout juste de partir (avais-je surpris une lueur de triomphe dans ses yeux pâles?) Il a été obligé de sortir... Une urgence, qu'il a dit. Il ne sera pas rentré de sitôt...

— Quelle sorte d'urgence? demanda Van Willigen d'un air incrédule pour la cinquième ou sixième fois quelques instants après. Comment se fait-il que votre mari soit parti aussi précipitamment? Il a dû vous dire pourquoi.

Dans le bureau poussiéreux du garage, de l'autre côté de la table, Mme Martin tenait tête à Van Willigen. Après une heure d'interrogatoire serré, elle n'avait pas cédé d'un pouce et défendait toujours son mari avec une touchante obstination. Van Willigen avait tout essayé : la brusquant, la prenant par la douceur, la raisonnant, faisant appel à son bon sens, à son attachement pour un homme qui se trouvait peut-être en difficulté. Rien n'y fit. Ou bien elle ne savait vraiment rien, ou bien le Tueur lui avait admirablement fait la leçon.

Pour la cinquième ou sixième fois, elle répéta :

— Il ne me dit pas tout... Pourquoi le ferait-il ? C'est son travail... Il m'a dit que c'était urgent.

— Mais il n'est pas parti avec la dépanneuse...

— Je vous ai dit qu'il avait pris sa voiture.

— Quelle sorte d'urgence était-ce alors ?

Elle se passa avec nervosité la main sur le visage :

— Je ne sais pas.

— A-t-il reçu un coup de téléphone ? Vous savez que nous pouvons le vérifier.

— Alors, pas besoin que je vous le dise, hein ? dit-elle effrontée jusqu'à la fin.

Van Willigen ignora cette remarque.

— De quel côté a-t-il été ?

— Je n'ai pas regardé.

— Ça ne vous fait rien où il va ?

— Bien sûr que si.

— A quoi peut-il bien servir en cas d'urgence ?

J'avais depuis un instant l'impression qu'elle devait être sur le point de s'effondrer, mais sa dernière réaction me stupéfia. Elle jeta sur Van Willigen un regard chargé de haine, et hurla soudain :

— Pourquoi ne le laissez-vous pas tranquille ? Il en vaut cent comme vous !

— Possible, répondit Van Willigen retrouvant instantanément toute sa placidité. Je voulais simplement lui parler. C'est tout.

Il y avait dans sa voix quelque chose de définitif, comme s'il avait enfin trouvé ce qu'il cherchait, et je ne fus pas surpris de le voir se lever.

— Vous ne voulez pas nous aider ? C'est bien ça ?

— Je vous dis que je ne sais pas où il a été.

— Eh bien, c'est nous qui vous le dirons, dit cruellement Van Willigen. Dès que nous le saurons.

Nous repartîmes ensemble. Tout en avançant à larges enjambées — tel un authentique héros du « trek » — dans la rue principale de Plettenberg Bay, le grand policier blond me fit part de ses conclusions :

— Elle sait. Elle sait tout... Vous avez remarqué comme elle m'a dit : il en vaut cent comme vous? C'est lui qui pense ça, et il a dû le lui dire. Or il n'a pu le lui dire qu'à propos des meurtres, et en se vantant qu'on ne mettrait jamais la main sur lui.

— Elle a pu vouloir dire aussi, suggérai-je, qu'il était pauvre et n'avait pas réussi avec son garage mais que, pour elle, c'était quand même un brave garçon.

— Non, ce n'est pas ça... C'est bien son idée à lui, les mots même qu'il a employés, sa position à lui par rapport à la police. C'est presque comme si je l'entendais.

Au moment de nous séparer, au carrefour, il s'immobilisa, les mains passées dans son ceinturon, les yeux mi-clos, regardant la mer, et s'exclama brusquement :

— Le porc! L'ignoble porc BLANC!

Il avait mis dans ce mot « blanc » une haine effroyable, inimaginable. Pour Van Willigen, comme pour n'importe quel policier sud-africain, le crime de Martin était le pire des crimes; car l'homme blanc ne doit pas enfreindre la loi; l'homme blanc reste traditionnellement dans le droit chemin. Le seul ennemi véritable, c'est le Noir. Le Blanc, en devenant un criminel, trahit son clan, détruit de façon impardonnable l'ordre établi.

Je sentis son regard se poser sur moi, fixement :

— Votre « ami », poursuivit-il du même ton venimeux, se trouve Dieu sait où à l'heure actuelle. Il a toute l'Afrique du Sud à sa disposition... Vous avez des idées là-dessus?

— On va peut-être le voir poindre, hasardai-je.

— Vous qui connaissez le mécanisme de son esprit, poursuivit Van Willigen comme s'il ne m'avait pas entendu, venez me trouver quand vous aurez une idée quelconque. Et venez me trouver directement ce coup-ci.

Après avoir réfléchi pendant toute une journée, je compris clairement ce qui me restait à faire. Je devais aider la police de mon mieux. Je devais, volontairement, me charger de l'exécution... Or je me heurtai, pour commencer, à un obstacle imprévu sur le plan domestique : alors qu'Hélène n'avait pas eu de cesse que j'aille voir la police, elle s'opposait maintenant farouchement à l'idée que je puisse aider celle-ci dans ses recherches.

— N'as-tu pas déjà fait assez de mal comme cela ? me dit-elle avec aigreur.

Je la trouvai injuste, et je le lui dis.

— Injuste ? fit-elle en m'imitant.

C'était notre première querelle véritable, et nous en étions tous deux douloureusement conscients — de même que des circonstances absurdes qui l'avaient allumée.

— Injuste ? Que crois-tu donc ? Que tu joues à cache-cache ? Un meurtrier est en liberté, en grande partie par ta faute, et maintenant tu vas faire le boy-scout... Veux-tu me dire en quoi, d'abord, tu peux aider la police ?

— Je connais le mécanisme de son cerveau, dis-je. C'est en cela que je puis aider la police.

Je commençais à être furieux, mais demeurai néanmoins froidement résolu.

— Tu veux tout simplement participer à la battue. Ça t'amuse !

— Cela ne m'amuse pas... Tu dis toi-même que je suis entièrement responsable, et je ne le discute pas. Mais ma responsabilité remonte à très, très longtemps.

— Oh ! pour l'amour du ciel, dit-elle exaspérée, ne sois donc pas si sentimental !

— Peut-être vaudrait-il mieux que ce soit moi qui le capture...

— Comment « mieux » ?

— Mieux que si c'était quelqu'un d'autre.

— Mais c'est un fou !

— C'est bien ce que je veux dire...

Je ne pouvais pas le lui expliquer, pas plus que je ne pouvais me l'expliquer à moi-même. Hélène était toujours hors d'elle quand je la quittai. C'était vrai, pourtant, que je ne voulais pas que Martin le Tueur tombât entre des mains étrangères. En tout cas, pas tout de suite. Il était encore ma propre création.

Au poste de police, je trouvai Van Willigen debout devant le mur, son large dos tourné vers moi. Il consultait la carte du district. Martin n'avait pas donné signe de vie depuis vingt-quatre heures, et la chasse avait commencé.

D'un ton brusque, Van Willigen me lança par-dessus son épaule :

— Voyons un peu ce que vous pensez...

J'avalai ma salive avant de lui répondre. Je sentais qu'il y avait une certaine tension entre nous deux : il m'en voulait évidemment d'avoir compliqué les choses. Peut-être même me soupçonnait-il de double jeu. J'avais donc toutes les raisons de faire de mon mieux.

— J'ai pensé à tout cela, dis-je lentement. J'ai réfléchi à ce qu'il pourrait faire... Vous voyez, non seulement je lui ai appris à tuer, mais aussi à ne pas se faire prendre. Nous avions tout un programme d'entraînement destiné aux types qui pouvaient avoir à foutre le camp.

Van Willigen se retourna :

— Quel sorte d'entraînement ?

— Cela dépendait... L'essentiel se résume à ceci : ne jamais se cacher, mais se confondre dans la nature. Autrement dit, il faut agir normalement, trouver un milieu simple où l'on passe inaperçu. Ne jamais se cacher, par exemple, dans une meule de foin, mais se tenir à côté en essayant d'avoir l'air d'un garçon de ferme... Ne jamais se cacher sous un lit, mais s'y coucher...

— Et prétendre qu'on est le mari, hé ? fit Van Willigen dont le visage s'était soudain éclairé.

— Exactement... Ne pas courir, marcher. Ne jamais rester seul, se mêler à la foule. Tout dans ce goût-là...

— Et après ?

— Martin n'a rien oublié. Il a certainement bonne mémoire. Mais il doit bien penser que je vais vous aider. Or c'est moi qui lui ai tout appris... Il devra choisir entre « appliquer les règles » ou « bluffer ».

— Et après? répéta Van Willigen en fronçant le sourcil.

— Conformément aux règles — à nos règles — il devrait essayer de gagner la ville la plus proche. Le Cap ou Port Elizabeth. Et se perdre dans la foule. La pire des choses qu'il puisse faire, dans l'esprit des commandos, serait d'essayer de se cacher dans le voisinage.

— Nous en sommes donc réduits à des suppositions?

— Oui... et moi je suppose qu'il cherchera à bluffer, et ira s'installer dans l'endroit à la fois le plus simple et le plus dangereux. Il se mettra dans une souricière, c'est-à-dire là où aucun type entraîné ne rêverait d'aller.

— Et où croyez-vous alors?

Je montrai du doigt la carte murale :

— Dans le Robberg, dis-je.

— Le Robberg... répéta Van Willigen.

Il se retourna pour jeter sur la carte un rapide coup d'œil, puis s'assit à son bureau. Enfin, le front soucieux, il me fixa de nouveau :

— Le Robberg, hé? Mais comment peut-il espérer s'en sortir après? N'avez-vous pas dit vous-même que ce serait une souricière?

— Justement. Tout est là. C'est une telle souricière que jamais personne ne pensera aller l'y cueillir.

— Alors? Il est toujours dans sa souricière...

— Une souricière que nous ne surveillerons vraisemblablement pas. Il peut y demeurer un an s'il le faut, jusqu'à ce que les battues commencent à s'espacer, et que les gens aient oublié quel genre d'homme ils recherchent...

— Moi, je n'oublierai pas, fit Van Willigen d'un ton cassant.

— On ne peut pas fouiller l'Afrique entière. Martin restera où il est aussi longtemps qu'il le jugera bon, puis il trouvera finalement moyen de sortir de la presqu'île, et c'est alors qu'il se volatilisera.

— On le verrait. Il risquerait de mourir de faim.

— On peut très bien ne pas le voir.

Non seulement j'étais convaincu de l'exactitude de ma théorie, mais je voulais absolument servir à quelque chose, et j'insistai :

— Songez à toutes ces grottes... Même en six mois, on ne peut les visiter toutes. Martin peut pêcher pendant la nuit, piéger des lapins, des dassies, dérober des vivres dans la cabane de pêcheur : les gens y laissent toujours les boîtes de conserve qu'ils ont en trop, et jamais personne ne pense à en dresser une liste. Il y a beaucoup d'eau dans le coin, beaucoup de bois. Même si on l'aperçoit de loin, on le prendra tout bêtement pour un pêcheur...

C'était un véritable discours, et il fallut un bon moment à Van Willigen pour en digérer tous les aspects. Il se mit à regarder par la fenêtre — un paysage ensoleillé et radieux, avec, juste à l'extrémité supérieure, un petit liséré de mer d'un bleu étincelant. Quel contraste saisissant avec cette affaire de meurtre et de chasse à l'homme qui nous préoccupait alors !

— Tout ça est possible, dit-il après être resté un long moment silencieux, mais j'ai peine à le croire.

De nouveau un long silence. Je me sentis à la fois soulagé et déçu. Que la police acceptât ou non ma théorie, j'avais en tout cas fait mon devoir en l'exposant. Mais je voulais aussi être sûr de ne pas m'être trompé, et apparemment je n'allais pas avoir l'occasion de le prouver : Van Willigen ne semblait pas le moins du monde impressionné.

— Je n'y crois pas, répéta-t-il. Martin ne serait pas assez idiot pour s'embouteiller dans le Robberg. Jusqu'ici, il n'a commis aucune erreur, et j'imagine que ce n'est pas maintenant qu'il va commencer...

— Ne pensez-vous pas cependant que cela vaudrait la peine de se tenir sur ses gardes ?

— Oui. C'est ce que nous ferons, là comme partout ailleurs. Mais il n'est pas question d'organiser une battue sur l'ensemble de la presqu'île. Bon sang ! il nous faudrait pour le faire convenablement disposer de toute la police, d'ici à Jo'burg! On m'écorcherait vif au quartier général.

— Eh bien, je crois qu'il est là, dis-je en me levant pour partir.

— Nous dirons aux gens d'ouvrir l'œil quand ils iront au Robberg. C'est tout ce que je peux faire.

Aucune cordialité dans sa voix : peut-être me montrai-je hypersensible, mais j'eus l'impression qu'il se réjouissait que je sois venu lui faire une communication aussi absurde.

Sans doute n'avais-je pas reçu un accueil très enthousiaste de la police mais, chez mon beau-père, l'atmosphère était littéralement explosive. Hélène était toujours furieuse à la pensée que je veuille prendre part directement à la battue entreprise pour retrouver Martin le Tueur et, de toute évidence, elle avait trouvé le moyen de monter la tête au vieux James Forsyth. Jamais celui-ci n'avait été aussi bourru, aussi formidable, et jamais non plus aussi sourd. Ce soir-là le dîner se passa dans un silence déprimant — comme un mauvais film à la télévision lorsque le son disparaît. De temps à autre j'entrevoyais, par l'ouverture du passe-plats donnant sur la cuisine, deux yeux tristes dans un visage noir tout fripé : Timothy semblait trouver comme moi que c'était une drôle de façon de passer sa lune de miel...

J'entrepris Hélène à ce sujet le soir même dès que nous fûmes seuls dans notre chambre. Ce fut en pure perte.

— Moi, je suis en voyage de noces, me dit-elle d'un ton glacial. Toi, c'est différent. Tu fais la chasse à l'homme. Si cela t'amuse, ne te gêne pas, mais ne me demande pas d'être folle de joie.

— Mais, ma chérie, je suis ici avec toi.

— A quoi bon, si tu dois courir au poste de police pour un oui pour un non... (elle me dévisagea froidement, curieusement). Au fait, qu'a dit le sergent Van Willigen?

— J'ai discuté avec lui de ce que Martin était capable

de faire; de l'endroit où il pourrait se cacher. De choses et d'autres.

— Et puis?

— C'est tout.

— Tu comptes toujours les aider?

— Je l'espère. Je le voudrais.

— A ton aise, dit-elle en haussant les épaules.

— Mais je suis ici avec toi, en ce moment, répétai-je.

— C'est vraiment trop gentil de ta part...

Ni cette nuit-là, ni au cours des deux journées qui suivirent, elle n'accepta de se laisser convaincre ou attendrir. De son côté, mais sur un plan différent, la police se désintéressa complètement de moi. Puis, grâce au ciel, la balance pencha de nouveau de mon côté.

Deux jours plus tard, nos deux gillies, Eddie et White, allèrent à la recherche d'appâts vivants aux alentours de Platbank, sur l'étroite bande de terre reliant le Robberg à l'arrière-pays. Ils pêchaient en eau profonde au pied de ces falaises déchiquetées et abruptes qui résistent depuis des millénaires aux assauts de la mer. Eddie (comme il le raconta dans la suite) passait son temps à perdre son matériel : il lançait dans l'angle de la baie où il était sûr que ne se trouvait aucun banc de rocher sous-marin, et cependant sa ligne se prenait chaque fois dans quelque chose, et il voyait tout disparaître — hameçon, crochets, bas de ligne, sans compter des mètres et des mètres de ce fil de nylon qui coûte si cher.

Eddie et White n'y comprenaient rien, tous deux sachant que le fond devait être à cet endroit parfaitement lisse. Eddie finit par s'asseoir, d'assez mauvaise humeur, et se mit pour la quatrième ou cinquième fois à préparer sa ligne tandis que White lançait de nouveau la sienne, à peu près dans le même coin. White accrocha presque immédiatement et, cette fois, parvint à faire remonter le fil.

Or ce n'était pas un poisson qu'il avait attrapé, même pas une algue. Rien, en fait, de ce qu'il aurait pu s'attendre à trouver au bout de sa ligne : c'était la housse de toile du siège arrière d'une voiture.

Cela ne les avait pas frappés particulièrement sur le moment, car on jetait souvent des détritus du haut de la falaise, et l'histoire aurait pu s'arrêter là. Mais ils en bavardèrent le soir même dans le village, et cela parvint aux oreilles de Van Willigen.

Le lendemain matin de bonne heure, la police installa une grosse grue munie de solides crochets d'acier sur les rochers, près de Platbank. Dès la seconde tentative, on accrocha quelque chose. Une foule de gens étaient présents : pêcheurs, habitants du village, policiers, journalistes, touristes en vacances à l'hôtel. J'étais à côté de Van Willigen lorsqu'on actionna les lourdes manivelles et que la chaîne commença de remonter. Une forme vague apparut peu à peu à la surface : l'avant déchiqueté d'une voiture. Il y eut un sursaut parmi les spectateurs, puis le silence : un silence attentif, peureux.

Nous eûmes tous la même idée macabre : quand la voiture serait tout à fait sortie de l'eau, allions-nous trouver aussi un cadavre? Et s'il y avait un cadavre, dans quel état serait-il, si les requins et les grosses langoustes des rochers s'étaient acharnés sur lui?

L'eau de mer dégouttait en verte cascade des glaces de la voiture, rendues opaques par les algues et le sable. Lorsque l'auto eut complètement émergé et se balança toute ruisselante et brillante au soleil, nous constatâmes qu'elle était vide. La carrosserie était à moitié écrasée, il lui manquait une roue, mais il n'y avait personne à l'intérieur.

— C'est la sienne? demandai-je à Van Willigen.

— Oui (il leva les yeux en direction de la falaise). Elle a dû rouler ou être lancée de là-haut. Nous repérerons les traces...

— La route va donc jusque-là?

— Pas la route. Un sentier qui mène au Robberg. Une petite voiture comme celle-ci peut tout juste s'y frayer un passage.

— Ça semblerait indiquer qu'il est ici... dis-je d'un ton que je m'efforçai de rendre indifférent.

— Oui, répondit Van Willigen en souriant.

C'était un bon sourire, comme pour me dire que cela changeait tout entre nous.

— Je vais être obligé de retirer tout ce que j'ai dit, poursuivit-il d'un air penaud. Ça vous irait d'entrer dans la police?

En un sens, c'était sérieusement que Van Willigen m'avait demandé : « Ça vous dirait d'entrer dans la police? » Non pas qu'il eût vraiment besoin de mon aide : à midi, il disposait à Plettenberg Bay d'une trentaine d'hommes de renfort. Mais j'étais devenu un élément précieux du fait que je paraissais avoir deviné juste concernant Martin le Tueur. Bien que n'étant pas un policier, je pouvais jouer à la fois le rôle de mascotte et de « psychiatre-conseil ». Quoi qu'il en fût, il me pria de prendre part à la battue, et cela sans hésitation, sans arrière-pensée. L'après-midi même, nous nous rendîmes en force dans le secteur.

Quand Van Willigen m'avait dit, lors de notre dernier entretien, que pour battre le Robberg en tous sens il faudrait disposer de toute la police d'ici à Jo'burg, il n'avait pas eu tort : à la vérité il aurait fallu une armée dont les hommes se seraient déplacés comme des fourmis, centimètre par centimètre, en visitant jusqu'aux nids d'aigle les plus inaccessibles. Même dans ces conditions-là il aurait suffi que l'un d'eux oubliât, par paresse ou par négligence, une seule caverne, un seul abri rocheux, pour faire échouer toute l'opération.

Van Willigen en était venu à adopter une solution de compromis. Un détachement de 70 hommes au moins devait effectuer une battue sur toute l'étendue de la presqu'île. Pas question de fouiller partout, mais on pouvait ainsi limiter les secteurs où Martin le Tueur s'était peut-être réfugié.

LE BATEAU QUI MOURAIT DE HONTE

Partant du point le plus étroit de la presqu'île (c'est là que Van Willigen, muni d'une radio portative, installa son Q.G.) nous progressâmes lentement vers le sud, en direction de la cabane de pêcheur et jusqu'à l'endroit où les rochers disparaissent dans la mer. C'était, comme toujours, une chaude journée mais, néanmoins, exceptionnellement belle. Le Robberg embaumait du suc de toutes les herbes et plantes aromatiques que l'on écrasait sous le pied en passant; l'air était plein de minuscules « oiseaux à miel », à peine plus gros que des abeilles; une armée de « dassies » se repliait craintivement à notre approche.

J'étais posté à mi-chemin de la pente est; au-dessous de moi se trouvaient Eddie et trois autres hommes chargés de couvrir le secteur compris entre moi-même et la mer. Bientôt, alors que nous nous étions rapprochés de l'extrémité sud du Robberg, Eddie laissa échapper un cri d'effroi :

— Maître ! là-bas !

Il me montrait l'eau du doigt, et je crus un instant qu'il venait de repérer Martin, mais je ne tardai pas à distinguer un requin colossal dans la direction qu'il m'indiquait. C'était certainement Cendrillon dont Hélène m'avait parlé le jour de notre arrivée. Il se laissait dériver mollement, avec la marée descendante, à quelques mètres des rochers.

Jamais je n'avais vu poisson aussi énorme, ni aussi menaçant. Il était de couleur vert olive, incroyablement large, et mesurait au moins 10 mètres de long. Sa queue, battant paresseusement, laissait derrière lui un bouillonnement d'écume. De mon poste d'observation, bien loin au-dessus de lui, il m'apparut comme un immense sous-marin. Lorsqu'il se laissa rouler doucement de côté, j'entrevis un ventre blanc et un gros museau pointu. Les petits poissons, pris de panique, se sauvaient sur son passage.

Nous restâmes cloués sur place jusqu'à ce qu'il eût disparu.

— Cendrillon, maître ! On ne peut pas se baigner aujourd'hui ! me cria Eddie en secouant comiquement la tête.

Tout ce temps-là j'avais inconsciemment retenu mon souffle ; je respirai enfin. Pas moyen de se baigner, en effet...

Nous étions parvenus presque au milieu du Robberg. De temps en temps nous allions visiter une des cavernes : elles étaient nombreuses, servant de refuge aux chauves-souris, aux hiboux, aux dassies — et peut-être aussi, maintenant, à Martin le Tueur Je ne cessais de me demander ce qu'il allait faire. Après nous avoir mystifiés pendant trois jours, il devait se douter à présent, en voyant la troupe des rabatteurs, que l'on avait repêché sa voiture, ou que j'avais aidé à le dépister.

S'il avait déjà trouvé un bon coin où se cacher, il pouvait y demeurer tapi aussi longtemps que nous circulerions au-dessus de lui. A moins qu'il ne tentât autre chose...

Nous ne devions pas tarder à l'apprendre.

Jetant un coup d'œil vers le bas, en direction de la mer, je m'aperçus que le rabatteur posté immédiatement au-dessous d'Eddie traînait un peu en arrière. Constatant qu'il était le quatrième entre Eddie et la mer, je pensai vaguement qu'il avait dû être envoyé en renfort. En effet, au début, je n'en avais remarqué que trois : un policier, un autre gillie, et un touriste de l'hôtel qui avait tenu à se joindre à nous.

Comme ce quatrième homme ralentissait encore le pas, je lui fis signe de se dépêcher afin de rester au niveau des autres. Il agita la main dans ma direction et me parut se hâter un peu. Un rocher le cacha à ma vue. Quand j'essayai de l'apercevoir de nouveau, il avait complètement disparu.

Je m'arrêtai, pris d'une panique soudaine, et lançai à Eddie un appel urgent :

— Eddie ! Où est passé l'homme qui était au-dessous de toi ?

Il parut surpris et répondit en faisant un geste en direction de la mer :

— Tous là, maître !

— Combien ?

— Trois, maître.

— J'ai cru en apercevoir un quatrième... il y a une minute à peine.

Eddie porta la main à sa bouche : c'est ainsi que les gens de couleur du Cap manifestent leur stupeur.

— Aïe ! fit-il, c'est vrai ! Il y en avait quatre...

Je rebroussai chemin aussitôt, grimpant la colline au pas de gymnastique pour rejoindre l'agent chargé d'effectuer la liaison radio. Je courais, le cœur battant, sans pouvoir m'empêcher d'éprouver une certaine admiration pour Martin le Tueur : il s'était faufilé à travers le cordon de police en utilisant le subterfuge bien connu des commandos, c'est-à-dire qu'après s'être intégré dans ce qui l'entourait, avoir fait ce que tout le monde faisait, il avait saisi la première occasion pour disparaître.

Le Tueur s'était joint aux rabatteurs juste assez longtemps pour faire partie du paysage, puis il s'était volatilisé.

Haletant, j'arrivai en haut et arrachai le radiotéléphone. Van Willigen me répondit :

— Il a passé ! hurlai-je. J'en suis à peu près sûr ! Il est derrière la ligne de battue !

Van Willigen poussa un énorme juron.

— Je suis presque seul ici ! dit-il.

— Déployez vos hommes. Je reviens avec les miens !

— Mais que s'est-il passé ?

— Vous le dirai tout à l'heure ! Terminé.

Nous regagnâmes le plus vite possible l'isthme du Robberg où un spectacle réconfortant nous attendait : une douzaine d'hommes s'y déployaient, en liaison étroite les uns avec les autres, chacun pouvant voir le voisin.

— J'ai reçu des renforts aussitôt après votre message,

m'expliqua Van Willigen. C'est impossible qu'il ait passé. Comment est-ce arrivé, hé?

J'expliquai de mon mieux le stratagème auquel, selon moi, Martin avait dû recourir. Van Willigen m'écouta d'un air caustique.

— Vous n'aviez donc rien remarqué, bon sang! me dit-il exaspéré.

— Rien... mais ne comprenez-vous pas? Dès le début il s'est déplacé exactement comme s'il était un des nôtres, puis quand il a vraiment fait partie du paysage, il en est sorti!

— Il ne peut pas avoir filé, répéta Van Willigen. Il n'en a pas eu le temps. Vous avez dû repasser au-dessus de lui sans même le savoir.

— C'est facile, avec toutes ces grottes...

— Eh bien, ne prenons plus aucun risque... Nous allons boucler le secteur de sorte que personne ne pourra plus sortir du Robberg. Cela m'est égal si nous en avons pour un an, comme vous le disiez, dit Van Willigen d'une voix grave et résolue. Si nous bouclons hermétiquement ce passage, jamais il ne pourra en partir, car il n'existe pas d'autre issue par terre, et il n'est pas question de se sauver à la nage à cause des requins. Il ne nous reste plus qu'à attendre.

Lorsque je quittai le Robberg, il était environ 7 h du soir, et le crépuscule s'annonçait féerique. Rien ne m'obligeait plus à rester. Ayant retiré tous ses hommes de la presqu'île proprement dite pour les concentrer sur l'étroite bande de terre, Van Willigen disposait à présent d'une sentinelle par mètre de terrain. Personnellement, je ne pouvais faire mieux — au contraire — qu'un policier indigène aguerri, muni d'une torche et d'une lourde matraque. Enfin j'avais aussi envie de rentrer à la maison, bien que ne sachant pas l'accueil qu'on m'y réservait.

Sur le chemin du retour je songeai à cette dernière remarque de Van Willigen : « Pas question de se sauver à la nage ». Cela avait vaguement éveillé quelque chose au fond de ma mémoire : pas quelque chose de récent, mais quelque chose de lointain, d'important... J'avais beau chercher, je ne parvenais pas à déterminer de quoi il s'agissait.

Etait-ce lié à l'idée d'un danger, d'un moyen d'évasion, à la solution de certains problèmes ? Je ne pensais pas que cela pût avoir un rapport quelconque avec le spectacle terrifiant de l'énorme Cendrillon, bien que ce fût possible... Au moment d'arriver à la maison, j'avais renoncé à trouver une réponse à ce rebus. J'avais le pressentiment qu'il me faudrait maintenant en résoudre un autre : Hélène.

Les femmes sont des êtres mystérieux, incompréhensibles, adorables ; jamais je n'en eus une preuve aussi étonnante que ce soir-là. J'avais à peine ouvert la porte d'entrée que j'entendis Hélène prononcer mon nom, et elle vint se jeter dans mes bras comme si — héros triomphant — je rentrais du Pôle Nord, alors que, le matin même, elle n'avait pas daigné lever la tête quand je lui avais laissé entendre en la quittant que j'allais voir la police.

Elle leva la tête cette fois, et c'était bien bon de pouvoir de nouveau l'embrasser.

— Oh ! chéri ! s'exclama-t-elle. Je te croyais mort !

— Mort ?

— Hé oui, bon sang ! Mort (elle m'embrassa encore et il me fut bien difficile en cet instant de penser à la mort). Nous avions appris qu'on avait repêché la voiture, et je savais que tu étais là-bas à chercher cet horrible homme... Que s'est-il passé ?

Je lui expliquai dans les grandes lignes : l'échec de notre battue dans le Robberg ; la certitude que j'avais à présent que Martin le Tueur, bien qu'ayant réussi à franchir un cordon de police, était toujours solidement contenu par un autre.

— Tu as donc toujours su ce qu'il allait faire...

— Ça en a l'air.

— Tu es vraiment épatant !

— J'ai très faim aussi.

— Et tu m'aimes?

— Je t'aime.

— Nous allons nous occuper de tout ça.

Elle m'entraîna dans le salon où je dus affronter mon formidable beau-père. De son fauteuil, il me lança un regard si mauvais qu'il me fit penser à une de ces statues antiques représentant quelque divinité maléfique.

— Ah! vous voilà! glapit-il d'un ton belliqueux. Pas trop tôt.

— Papa, dit résolument Hélène en passant son bras sous le mien. Ne sois pas méchant avec mon mari.

Il mit la main en cornet devant son oreille :

— Hé? qu'est-ce que c'est?

— Tu as entendu.

Il fut sur le point de dire quelque chose, puis se ravisa. Je ne pouvais l'en blâmer. Lorsqu'Hélène eut tourné le dos, il me gratifia d'un clin d'œil résigné et vaguement admiratif. Je me demandais comment avait bien pu être la mère d'Hélène. Je crois que je m'en doutais à peu près.

Le dîner fut gai. Sans doute aurais-je dû alors penser à Martin, acculé à la peur et au désespoir sur les pentes solitaires du Robberg, tapi dans une grotte avec pour seule compagnie les chauves-souris et les « dassies », mais la douce joie que j'éprouvais à me retrouver à la maison dissipait ces sombres pensées. Nous prîmes du champagne; mon beau-père nous conta des histoires, remontant aux premiers jours de l'occupation du Transvaal, et si exagérées, si incroyables que je ne doutai pas un instant qu'elles ne fussent vraies. Hélène cherchait continuellement à rencontrer mon regard comme pour me dire son amour. Dans l'encadrement du passe-plats, le visage heureux de Timothy nous souriait à tous sans distinction.

Hélène avait été se coucher, et je me disposais à souhaiter une bonne nuit à James Forsyth lorsque celui-ci proḷonça des paroles qui allaient tout changer, tout gâter... ou tout résoudre pour moi.

Nous parlions de Cendrillon, le monstrueux requin.

— Je suis content que vous l'ayez vu, me dit mon beau-père. Cela ne m'est jamais arrivé. J'ai vu cependant celui qu'on a capturé à Durban voici quelques années. Il pesait plus d'une tonne. Pas grand-chose à faire pour s'en défendre si on tombe des rochers au mauvais moment. A moins d'avoir sous la main ce produit chimique...

Ce produit chimique... contre les requins ! Cette fois la petite cloche vibra clairement dans ma mémoire et je sus comment Martin le Tueur allait pouvoir s'en tirer.

La devise des fusiliers-marins : « Per Mare per Terram », signifie, dans toutes les langues du monde : Aller n'importe où. Cela avait abouti, pendant la guerre, à d'étranges coutumes et à de non moins étranges équipements. Or rien ne pouvait être plus étrange que ces petits paquets, contenant un produit chimique ayant la propriété d'éloigner les requins, que Martin le Tueur transportait avec lui lorsque nous franchîmes le Rhin, en 1944.

Ç'avait été le cadeau d'un aviateur américain. Ce dernier avait d'ailleurs, avec la même inconséquence, convoité le stylet, une sorte de poinçon à glace, que Martin s'était fabriqué lui-même. Martin avait été très fier de son acquisition. « Sécurité d'abord. C'est ma devise », disait-il d'un air suffisant en présentant à ses camarades les petits paquets de « colorants ». Il semblait avoir décidé que, s'il devait un jour se mouiller les pieds, il valait mieux se prémunir contre les dangers de la mer.

Fièrement, il avait mis les petits paquets — et leur mode d'emploi — dans son sac, au cas où il serait contraint de plonger dans un endroit infesté de requins. Cela avait donné lieu à quelques plaisanteries paillardes, du genre que l'on pense, et le bruit avait couru que Martin, à la

suite d'un pari, avait goûté de cette mixture, et vu presque aussitôt des nageoires pousser sur ses omoplates.
Puis nous avions tout oublié de cette histoire.

Ce qu'on appelle les « trophées » de guerre sont parfois des objets inattendus. Je connais un homme qui a
encore sur sa cheminée le détonateur de la mine qui lui
a arraché un pied à Tobrouk. Moi-même, j'ai conservé
une Croix de Fer — que j'ai incontestablement acquise
au feu.

Je savais cette fois avec la certitude la plus absolue
quel genre de trophée Martin le Tueur avait apporté
avec lui en Afrique du Sud.

— Chérie, je le « sais ». Un point c'est tout. C'est
la seule chose qui paraisse tenir debout. Il va regagner
le rivage à la nage malgré les requins, et passer ainsi à
travers le cordon de police. Les plages ne sont pas
surveillées.

— Tu dois avoir raison, dit tristement Hélène. Mais
es-tu véritablement obligé d'y aller

— Il le faut.

— Pourquoi ne pas laisser agir la police?

— Je veux le faire moi-même.

— Quand nous nous sommes fiancés, tu m'as dit que
tu étais expert comptable.

— J'en serai de nouveau un, promis-je. Demain.

C'était toujours à peu près la même discussion née,
je le comprenais bien, de la crainte qu'éprouvait Hélène
à l'idée que j'allais m'exposer stupidement et inutilement;
cependant ce n'était plus sur le même plan. Hélène
était non seulement d'une émouvante beauté, mais aussi
tendre et compatissante; elle ne me repoussait plus, pour
toutes les raisons qui rapprochent la femme de l'homme...
Enfin, encore une fois, j'aurais été bien incapable de
dire pourquoi je tenais à régler cette affaire moi-même,

sinon pour ce motif essentiel : je l'avais déclenchée, je devais donc la mener jusqu'au bout.

— Prends la grosse voiture, dit Hélène se décidant brusquement. Et sois très prudent.

— Promis.

— Papa a un colt. Le veux-tu ?

— Oui, je crois.

Cinq minutes après, le vieux Luger fatigué de James Forsyth dans ma poche, et le parfum d'Hélène sur mes lèvres, je longeai en voiture la route côtière menant au Robberg. J'allais à mon rendez-vous avec Martin le Tueur.

Lorsque je ne me trouvai plus qu'à quinze cents mètres à peine du Robberg, dont j'étais encore séparé par des dunes de sable, j'éteignis mes phares. Ainsi abrité et camouflé, je m'engageai avec précaution dans le chemin de terre donnant accès aux plages. J'étais certain que Martin le Tueur arriverait à l'est car, de l'autre côté de l'isthme reliant le Robberg à l'arrière-pays, il n'y avait plus de plage, mais seulement une côte rocheuse et sauvage éternellement battue par la mer en furie. Aucun nageur au monde n'aurait pu s'y aventurer.

Je stoppai la voiture et, à pied, à travers les dunes, je descendis vers la plage. En quelques minutes, je me trouvai au bord de l'eau.

A gauche, je distinguai les lumières de Plettenberg Bay, que dominait l'éclat des lampadaires aux abords de l'hôtel. Devant moi, la mer toujours mouvante était encore plongée dans l'ombre, car la lune n'était pas levée. Une multitude de petites vagues venaient lécher et baigner le sable à mes pieds, tandis que le flot montait. A droite, tout au-dessus de moi, se dressait l'imposante masse du Robberg...

Il y régnait une grande activité. Van Willigen avait installé des projecteurs, et le battement régulier de la dynamo parvenait jusqu'à moi. Je voyais des ombres se mouvoir, et pouvais suivre des yeux les pinceaux lumineux fouillant les abords de la presqu'île. Ici et là, la flamme d'un feu de camp perçait la nuit. On entendait parfois l'aboiement d'un chien — sans doute le chien d'un des rabatteurs. Les mouettes, que dérangeait cette immense invasion, tournaient sans cesse en poussant des cris perçants.

A quelques dizaines de mètres de l'isthme du Robberg, feux de camp et projecteurs s'espaçaient, et il ne restait plus que cette énorme masse sombre et solitaire, ce secteur sauvage qui dissimulait tant de grottes.

Je m'assis à l'abri d'un rocher, tout au bord de la guirlande d'algues et de bois flottant laissée par la dernière marée. De temps à autre, levant mes jumelles, je scrutais la mer en bordure du Robberg, mais il faisait encore trop sombre pour distinguer quoi que ce soit à plus de quelques mètres du rivage. Il faisait très froid à attendre ainsi, mais même si je n'avais pas eu froid, je n'aurais pu me retenir de trembler.

Soudain, de l'obscurité derrière moi, un son me parvint : la voix d'Hélène me disant : « Je t'aime ».

Sans doute ne peut-on imaginer de façon plus merveilleuse de faire peur à quelqu'un. Je la grondai d'être sortie alors que je lui avais fait promettre de ne pas bouger, puis je l'embrassai pour la remercier d'être venue. Un mari doit savoir faire la part des choses.

— Mais comment as-tu pu me voir ?

— La voiture m'a donné la direction approximative, et ensuite j'ai aperçu ta silhouette se découpant sur le ressac. Il commence à faire un peu plus clair...

C'était exact : vers le large le ciel pâlissait, reflétant la lumière de la lune naissante.

— Tu trembles, me dit Hélène au bout d'un instant.

— Il ne fait pas très chaud.

— J'ai apporté du café et de l'alcool.

Le café, additionné de cognac, contribua à adoucir une veillée qui nous parut à tous deux tantôt tragique, tantôt monotone. Nous n'osions fumer, de crainte que la lueur de nos cigarettes ne soit repérée; et il fallait que cette partie de la plage ait l'air déserte. Nous parlions un peu, tout bas, mais l'atmosphère environnante n'en était pas moins oppressante. Là-haut, à une centaine de mètres, tout était bruit, agitation et lumière; la pulsation de la dynamo était pour nous comme une garantie de civilisation et de sécurité. Cependant Hélène et moi nous trouvions dans un avant-poste solitaire, aussi solitaire que le repaire de Martin le Tueur. La mer, ainsi que les mouettes qui ne cessaient de protester, nous tenaient compagnie : à part cela, ce n'était qu'un silence lourd de menaces.

La lune brillant de plus en plus, je pouvais voir jusqu'au pied du Robberg et, toutes les cinq minutes, je levais mes jumelles pour examiner la ligne de côte. L'ensemble de la presqu'île était maintenant baigné d'une froide lumière, et je distinguai les roches humides d'où (si mon hypothèse insensée se révélait exacte) Martin finirait par plonger.

Je songeai à tout ce que cette expédition aurait d'effroyable, au cran fantastique qu'il lui faudrait pour se lancer dans ces eaux noires, traversées de formes rapides, en se fiant à quelques sachets d'un produit chimique datant de douze années au moins; pour nager ainsi, tant et plus, alors qu'un ennemi mortel le guetterait par derrière, au-dessous, en face. Et il serait sans cesse obligé de jeter sa poudre en avant de lui, puis se hâter de nager dans cette direction, en souhaitant arriver à temps. De nouveau je fus pris d'un tremblement, et Hélène, qui était blottie contre mon épaule, leva les yeux :

— Froid?

— Non. Je réfléchis simplement.

Il me parut inutile d'expliquer.

— Quand il prendra pied ici, me dit-elle, tu seras très prudent... Il va être aux abois, prêt à faire n'importe quoi.

— Je me tiendrai soigneusement à l'écart — et toi aussi. S'il a une arme en état de servir, c'est qu'il l'aura enveloppée pour traverser. Il ne pourra pas tirer tout de suite, par conséquent.

PERMIS DE TUER

— En tout cas, ne prends aucun risque.

Minuit. Une heure du matin. Au-dessus de nous, sur le Robberg, les feux de camp s'éteignaient un à un, mais les projecteurs continuaient de percer les ténèbres de leur vive lueur, et on distinguait toujours des silhouettes allant et venant : la police veillait.

Je braquai de nouveau mes jumelles sur les contreforts du Robberg, fouillant des yeux les rochers, séparés entre eux par des pans d'ombre, qui luisaient au clair de lune. A 1 500 mètres environ quelque chose parut remuer — une ombre qui se précisa, grandit. Je la fixai pendant une bonne minute, au point que mes yeux s'humectèrent et me firent mal. Cette grande ombre prit de la consistance en se rapprochant de la mer puis, juste dans le champ de la lune, la silhouette immobile d'un homme, minuscule à côté des immenses rochers, se détacha sur le bord du rivage. Finalement, l'ombre donna l'impression de s'aplatir, et elle disparut complètement.

Je murmurai, les nerfs tendus :

— C'est lui. Il s'est lancé.

Je parcourus de mes jumelles la surface de la mer, mais ne vis tout d'abord que les crêtes écumantes et le balancement des vagues. Lentement, je portai mon regard vers la gauche, m'éloignant ainsi du Robberg, car je savais que Martin s'efforcerait de s'écarter de la zone éclairée pour atteindre la partie centrale de la plage qui était plongée dans l'obscurité. Une vague se souleva, semblant transporter comme une tache d'ombre, quelque chose de compact : ce n'était pas la mer.

Cela se produisit une seconde fois, mais un peu plus nettement, et plus près. Je me jetai à plat ventre pour mieux voir au niveau de la mer. Lorsque la vague se gonfla de nouveau, je distinguai la tête d'un homme se découpant sur l'horizon.

Il nageait vers nous, lentement, laborieusement, s'arrêtant parfois pour se reposer ou, sans doute, pour jeter de sa poudre contre les requins. Je me demandai à quel point toutes ces formes mouvantes avaient osé s'approcher de lui, et si elles l'avaient vraiment touché... Bientôt, nous pûmes le voir à l'œil nu, distinguer la tache brillante du visage et jusqu'à la petite frange d'écume marquant son passage. Il allait sortir de l'eau devant nous.

— Reste derrière moi, soufflai-je à Hélène. Ne te mets surtout pas entre lui et moi.

Martin le Tueur se trouvait maintenant dans les brisants et peinait pour gagner le rivage. J'éprouvai bientôt un étrange soulagement quand je vis qu'il avait atteint les hauts fonds et n'avait par conséquent plus d'autre ennemi à redouter que moi-même. Il se redressa avec effort et pataugea quelques mètres. Le bruit de sa respiration nous parvenait, entrecoupé comme un sanglot. Il devait être à la limite de l'épuisement.

L'eau jaillissant sous ses pieds, il se traîna encore quelques pas, puis s'arrêta. Il était là, au clair de lune, telle une sauvage et ruisselante apparition, jetant autour de lui des regards de bête traquée.

Mon colt à la main, je sortis de l'ombre du rocher, et je dis comme je l'avais fait déjà :

— Salut, le Tueur !

Martin dut être affreusement surpris et écœuré à la fois de se voir découvert; après le danger effroyable qu'il venait de surmonter, et la tension de ces trois jours passés à se cacher, cela dut être stupéfiant pour lui lorsque je surgis ainsi de l'obscurité. Il me regarda, n'en croyant pas ses yeux, et cessa même de souffler quelques secondes, puis sa respiration sortit de nouveau, difficilement, par saccades, comme s'il était sur le point de rendre l'âme.

A la froide lueur de la lune, il était lui aussi effrayant à voir : ses vêtements en loques, trempés, les cheveux embroussaillés, une barbe de plusieurs jours lui couvrant le visage comme une sorte de masque répugnant. Il parut se recroqueviller sur lui-même et dit dans un murmure :

— Bon sang ! C'est le patron...

Je le plaignais alors, je le plaignais d'avoir été aussi brutalement déçu. Je ne pouvais m'empêcher de le plaindre. Je dus me forcer à songer aux dramatiques cambriolages, à ces trois meurtres, pour me libérer du sentiment que je frappais un homme à terre... mais il me rendit cela plus facile car son premier mouvement fut de se redresser doucement, imperceptiblement, tout en se rapprochant de moi.

— Ne bouge pas ! criai-je. Ce revolver est chargé !

— La frousse, hein ? me dit-il d'un ton méprisant.

Cependant, à environ quatre mètres de moi, il s'immobilisa, toujours haletant ; il fixait sur moi des yeux étincelants, des yeux de fou.

— Bien failli vous tuer cet après-midi, fit-il. Vous étiez à cinquante centimètres de moi, même pas... Dommage que je ne l'aie pas fait... Cette battue, c'est de votre invention, hein ?

Je fis un signe affirmatif sans le quitter des yeux une seule seconde.

— J'avais deviné que tu te cacherais dans le Robberg, dis-je, Deviné aussi que tu avais le produit contre les requins.

— Brave vieux patron, marmonna-t-il avec amertume. Vous n'en ratez pas une... La guerre vous allait bien à vous aussi.

— C'est-à-dire ?

— C'est vous qui m'avez appris ce qu'il fallait faire.

Je perçus un frôlement derrière moi. Je ne me retournai pas. Hélène sortit de l'ombre du rocher et vint se mettre à côté de moi.

— Il ne vous a pas appris cela, dit-elle.

Martin posa les yeux sur elle, une seconde :

— On fait équipe, alors ? fit-il enfin.

Rien de méprisant dans sa voix, mais comme un fond de tristesse, comme s'il regrettait ce qu'il n'avait pas connu, et ne connaîtrait jamais maintenant. Une fois de plus, je dus me raidir dans la haine et la terreur des actes qu'il avait commis.

Sans doute se rendit-il compte de mon hésitation, car il reprit d'un ton enjôleur :

— Allons, patron, donnez-moi une chance... Tout ça, c'est de votre faute, vous le savez bien. C'est vous qui m'avez tout appris; c'est vous qui m'avez fait ce que je suis... Jamais rien n'a marché pour moi depuis la guerre.

De ses yeux de fou, il scrutait mon visage comme s'il cherchait à deviner ce qui pourrait m'émouvoir.

— Vous ne savez pas ce que c'est que de chercher sans cesse du travail, que de tout rater, de voir que tout le monde se moque de vous, vous méprise... (il respirait de plus en plus vite). Il n'y a que pendant la guerre que j'ai vraiment vécu... La paix ne m'a rien valu... Pour moi, ça a été une perte sèche, jusqu'à maintenant...

— Mais il y a douze ans de cela !

— Ça ne fait rien. Je commence seulement à me sentir revivre.

— En tuant?

— Je me suis retrouvé un peu.

J'entendis Hélène, derrière moi, pousser un petit soupir — c'était un peu comme si elle me disait : c'est un cas de choc à retardement, et en voici l'affreux résultat.

— Donnez-moi une chance, patron, répéta-t-il.

Le sentant de plus en plus tendu, comme un ressort sur le point de sauter, je reculai insensiblement, mon colt bien en main.

— Laissez-moi filer... Tournez le dos... Vous n'entendrez plus parler de moi.

— C'est impossible, le Tueur !

— Qu'est-ce que ça peut vous faire?

— Il faut que je t'arrête.

— Donnez-moi à boire, alors. Je n'en peux plus.

Il s'apprêta à faire un pas en avant.

— Non ! criai-je. Halte-là !

Il me fixa, l'œil mauvais. Sur le qui-vive, car je m'attendais à quelque vilaine ruse de sa part, je le fixai à mon tour. Je devinai que, si je lui en donnais la moindre occasion, il bondirait sur moi, ou peut-être se jetterait sur Hélène, se servant d'elle comme d'un bouclier, ou bien il essaierait de l'étrangler...

Essuyant l'eau de mer qui emplissait ses yeux, il porta les deux mains à son visage, puis les passa dans ses cheveux en désordre. Son regard se posa sur Hélène, puis revint sur moi, comme s'il cherchait le défaut de la cuirasse, mais nous étions tous deux hors de sa portée. Soudain, il se mit à claquer des dents :

— Je vous ai sauvé la vie, marmonna-t-il. Qu'en pensez-vous?

— Non.

— Laissez-moi foutre le camp.

— Non.

— Alors donnez-moi à boire, pour l'amour du ciel! J'hésitai :

— Bien, dis-je enfin. Ensuite, nous nous mettrons en route.

Mon arme toujours dirigée sur lui, je tirai la gourde de ma poche.

— Je vais te la lancer par terre, devant toi. Ne bouge pas.

La gourde tomba avec un bruit sourd à ses pieds et il se baissa pour la ramasser.

Son stratagème fut à deux doigts de réussir. Je le vis se baisser et ramasser le flacon. Puis il se redressa, prompt comme l'éclair, et je reçus en plein visage le lourd objet en même temps qu'une grosse poignée de sable. J'avais beau être sur le qui-vive, le choc fut effrayant. Tandis qu'Hélène poussait un cri, je sautai en arrière.

S'il avait aussitôt pris ses jambes à son cou, il aurait probablement réussi à s'enfuir, mais son instinct meurtrier fut le plus fort. Au lieu de foncer dans la nuit, il s'apprêta à bondir sur moi, les bras tendus, les doigts recourbés comme des griffes. Cela me donna le temps de recouvrer mes esprits. Je rugis : « Stop! ». A la vue du colt de nouveau braqué sur lui, il s'arrêta à deux mètres de moi.

— Eh bien, le Tueur, dis-je haletant. Fini de rigoler.

La lune l'éclairait en plein, et son visage luisant, trempé, blafard, faisait penser à un poisson qu'on vient de tirer de l'eau.

— Pas mal calculé, hein? dit-il en riant convulsivement. Compte sur vous pour apprécier... Patron, je fous le camp...

— Si tu fais ça, je tire.

— Vaut mieux être abattu que pendu.

Il se détournait déjà. Je criai :

— Ne fais pas l'imbécile! Rends-toi! C'est ta dernière chance.

— Je fous le camp.

Maintenant, il me tournait le dos, et je le vis, le corps penché en avant, prêt à prendre son élan. Il me cria encore par-dessus son épaule : « Visez bien, patron! » et détala d'un trot rapide, irrégulier.

J'hésitai... le temps de faire deux ou trois enjambées, conscient au fond de moi-même d'un chagrin immense, d'un effroyable sentiment de culpabilité. J'entendis Hélène murmurer : « Oh! mon Dieu! », de pitié et d'horreur à la fois. Je visai « bien ». Je ne pouvais faire moins pour celui qui, par deux fois, m'avait sauvé la vie.

NOTES

« LE BATEAU QUI EST MORT DE HONTE » a son origine dans une conversation que j'ai eue, après la guerre, dans un petit Club de Londres servant de lieu de rendez-vous aux anciens de la Marine qui avaient besoin d'une excuse pour se « cuiter » un peu, n'arrivaient pas à trouver un emploi, et espéraient par la même occasion vendre à leurs camarades une assurance-vie. Parmi ces laissés pour compte de la guerre, je retrouvai un type qui avait servi sur le même bâtiment que moi, en 1940 ou 1941. Il me proposa de faire de la contrebande sur une ancienne canonnière : il s'agissait d'apporter de France en Angleterre des montres et du cognac. Je préférai entrer dans l'administration. Je gardai cependant le souvenir de cette curieuse rencontre et m'en inspirai dans ce récit écrit à Johannesbourg, environ six ans plus tard.

A été publié dans la revue *Lilliput*, le *Saturday Evening Post*, le *Sunday Chronicle*, ainsi qu'en Hollande, Australie, Afrique du Sud, Nouvelle-Zélande, Danemark, Norvège et Suède. Radiodiffusé par la B.B.C. et en Australie. Filmé par Ealing Studios.
Copyright Monsarrat, 1952.

« AH ! ÊTRE EN ANGLETERRE » Récit inspiré par une conversation que j'ai eue à bord du *Queen Mary* avec une célébrité britannique parfaitement antipathique. J'ai toujours souhaité que le fisc finisse par mettre la main sur lui... aussi ai-je dû inventer ce dénouement pour me satisfaire.
Publié dans *Evening Standard*.
Copyright Monsarrat, 1957.

« RÉCONCILIATION » a paru également sous le titre « Leur vie secrète ». J'ai voulu montrer que jamais nous ne désirons vraiment quoi que ce soit tant que quelqu'un d'autre ne le désire pas aussi. Cela est vrai en particulier des femmes (et aussi des hommes, j'imagine). On le constate à l'occasion des ventes aux enchères, dans les bureaux de location quand il s'agit d'une pièce à succès, et lors de certaines manifestations mondaines à Londres ou à New York.

A paru dans le *Saturday Evening Post*, la revue *Argosy*, ainsi qu'en France, Suède, Norvège, Danemark, Australie et Allemagne.
Copyright Monsarrat, 1959.

LE BATEAU QUI MOURAIT DE HONTE

« LA LISTE » m'a été inspirée en partie par l'extraordinaire complexité de la mentalité indigène au Bassoutoland. On y voit de jeunes « indigènes » devenir des fonctionnaires et administrateurs fort capables, tandis qu'il arrive encore que leurs chefs de tribu soient traînés devant les tribunaux, et ensuite pendus, pour avoir commis des « meurtres rituels ».

Paru dans la revue *Weekly*.
Copyright Monsarrat, 1958.

« RAPT DANS LES ILES » a pour cadre une région du Canada (sur le Saint-Laurent, près de Montréal) où je passe toujours la plus grande partie de l'été. Il arrive que d'énormes yachts américains viennent mouiller à notre Yacht-Club, et ils ont souvent de fort jolies filles à bord. Je n'ai jamais eu envie de kidnapper l'une d'elles, sauf dans un sens très limité, mais je suis bien sûr que d'autres n'hésiteraient pas. Ce récit a été écrit expressément pour le *Saturday Evening Post* qui l'a refusé tout aussi expressément.

Publié dans *John Bull* et en Australie, Norvège, Danemark, Finlande.
Copyright Monsarrat, 1959.

« LE BON SAMARITAIN » est basé sur une expérience personnelle, bien moins heureuse encore. Il y a quelques années, je prêtai un peu d'argent à un « écrivain besogneux » qui souhaitait pouvoir terminer un livre. Le livre fut publié, avec un succès moyen, et jamais je n'ai été remboursé. Il est apparu par la suite que (a) l'ouvrage en question avait été écrit en collaboration avec une autre personne qui toucha la moitié des droits, (b) le reste des droits avait été absorbé par un certain nombre de dettes antérieures ignorées de moi, (c) deux de mes amis avaient été exploités de la même façon, et (d) ce ne fut, en fin de compte, pas un prêt mais une contribution à la littérature de notre temps... Ce n'était pas la seule fois que je jouais le rôle du bon Samaritain, mais (à part cette autre histoire avec un courtier en bourse de Johannesburg qui, au nom de l'amitié et en échange d'un prêt s'élevant à 2 300 livres, me remit en gage un titre absolument sans valeur) ce fut certes la moins réussie.

Publié dans le *Daily Sketch*.
Copyright Monsarrat, 1953.

« L'HOMME QUI VOULAIT UNE CENTURION 9 » est basé sur une expérience personnelle, dans la jungle des lois et règlements d'après guerre, qui fut un peu pour quelque chose dans ma décision de quitter l'Angleterre et d'émigrer au Canada.

Publié dans *Esquire, Everybody's Weekly* et en Australie.
Copyright Monsarrat, 1954.

282

NOTES

« J'Y ÉTAIS ». Etant donné qu'à l'époque de Dunkerque on m'apprenait encore à saluer sur le bateau-école *King Alfred*, près de Hove, moi non plus « je n'y étais pas ». Il n'en reste pas moins que la dernière phrase de mon récit est profondément vraie.

Copyright Monsarrat, 1958.
Publié dans *Atlantic Monthly*, *Everybody's Weekly* et en Scandinavie.

« LES INVITÉS ». Inspiré d'une anecdote entendue bien souvent chez les parents de ma femme. Tous m'en assurent l'authenticité, et je les crois. Cela se passait en 1955.

Publié dans *Evening Standard*.
Copyright Monsarrat, 1955.

« PERMIS DE TUER ». Ayant été détaché, pendant la guerre, dans un Commando de la Marine, j'ai eu l'occasion de prendre part à quelques raids de l'autre côté de la Meuse, de même qu'en territoire occupé par les Allemands. Je me suis souvent demandé par la suite ce qu'il était advenu de ces jeunes gens qui, de 18 à 20 ans, n'avaient rien appris d'autre que quatre ou cinq façons atroces et sournoises de tuer. Environ dix ans plus tard, alors que je me trouvais en Afrique du Sud, je fus frappé de voir que le *Robberg* était non seulement d'une incomparable beauté mais aussi un endroit merveilleux pour quiconque voudrait se cacher. De tout cela je fis deux récits qui, après avoir été publiés séparément, ont été finalement réunis en un seul.

Publié dans le *Saturday Evening Post*, *Evening Standard*, *Réalités*, en Australie et en Afrique du Sud (dont une traduction en afrikaans). Ce fut sur le point d'être filmé, mais je m'aperçus à temps que l'on se réservait, dans le contrat le droit d'en faire un « drame musical ». Or je n'avais pas besoin d'argent à ce point...

Copyright Monsarrat, 1958.